Pitkin County Library

Aspen, Colorado 81611

SPANISH FICTION S8136cu
Steel, Danielle.
Cuando late un corazon

17.90

WITHDRAWN

DATE DUE

FEB 8 2005
MAY 2 5 2005
JUN 6 2005
DEC 2 6 2005

CUANDO LATE UN CORAZÓN

DANIELLE STEEL

CUANDO LATE UN CORAZÓN

grijalbo

CUANDO LATE UN CORAZÓN

Título original en inglés: *Heartbeat*

Traducción: Amelia Brito,
de la edición de
Delacorte Press, Bantam Doubleday Dell
Publishing Group, Inc., Nueva York, 1991

SPANISH
STEEL
CUA
4/95

©1991, Danielle Steel

©1991, Ediciones Grijalbo, S.A.
Aragó 385, Barcelona

D.R.©1993 por EDITORIAL GRIJALBO, S.A. de C.V.
Calz. San Bartolo Naucalpan núm. 282
Argentina Poniente 11230
Miguel Hidalgo, México, D.F.

Este libro no puede ser reproducido,
total o parcialmente,
sin autorización escrita del editor.

ISBN 970-05-0431-X

IMPRESO EN MÉXICO

Para Zara,
tierno latido de mi vida;
de dicha y de amor rebose
cada momento de tu vida.
Y para tu papá,
que de amor, dicha y latidos
ha colmado mi vida.
Con todo mi corazón y mi amor.

D. S.

LATIDO

vibrante y suave
golpecito
que pregunta
dónde está;
dulce efusión,
dulce corazón,
dulces sueños,
latidos;
música tan amada
que suena en mis oídos,
mano que estrecho
para calmar mis temores,
pasitos amorosos
en el silencio de la noche,
esperanzas preciosas
brillantes y luminosas,
amor resplandeciente,
regalo de lo alto,
la canción de cuna
más dulce y delicada,
milagrosos piececillos
nacidos de un solo
y querido latido,
que entonan la más tierna
cancioncilla;
mi corazón siempre
pertenecerá al tuyo,
este vínculo decisivo,
este lazo tan seguro,
de nuestro amor
tan fuerte y puro,
ahora susurra dulcemente

mientras el bebé duerme
nuestro amor
durará
siempre.
Y el mágico embeleso crece
y crece,
mi corazón es siempre,
siempre tuyo.

1

El golpeteo de una antiquísima máquina de escribir rompe el silencio de la habitación, y una nube de humo azul flota en el rincón donde trabaja Bill Thigpen. Las gafas embutidas en lo alto de la cabeza, el café en tazas de vinilo termoaislante danzando en peligroso equilibrio al borde del escritorio, los ceniceros repletos, el rostro ardiente, sus ojos azules entornados sobre lo que escribe. Más y más rápido, un vistazo por encima del hombro al reloj que hace tic tac sin piedad detrás de él. Escribe como si le rodearan demonios al acecho. Su pelo oscuro con hilos plateados ofrece la impresión de que se ha dormido y despertado varias veces sin acordarse de peinarlo. Su rostro es amable y lo lleva bien afeitado; lo surcan marcadas arrugas, pero emana de él un algo de ternura. No es un hombre al que se podría definir precisamente como guapo, pero se le nota fuerte, atractivo, digno de más de una segunda mirada, un hombre con el cual uno desea estar. Pero no en este momento, no mientras gruñe, mira nuevamente el reloj y hace volar sus dedos golpeando con más fuerza aún la máquina de escribir. Finalmente, el silencio, una rápida corrección con la pluma, mientras se pone en pie de un salto y toma las páginas en que ha estado trabajando durante las últimas siete horas, desde las cinco de la mañana. Ya falta poco para la una de la tarde... es casi la hora de la emisión del programa... vuela por la habitación, abre la puerta y pasa como una exhalación junto al escritorio de su secretaria, igual que un corredor olímpico se lanza a toda velocidad por el vestíbulo, evitando colisiones, sin prestar atención a las miradas de sorpresa y amistosos saludos de las personas con que se encuentra; va golpeando puertas que se abren sólo unos centímetros para que él pueda meter la mano y entregar una hoja con los cambios recién escritos. Éste es un procedimiento ya conocido. Suele suceder una, dos, a veces tres o cuatro veces al mes, cuando Bill ha decidido que no le gusta la forma en que se está desarrollando la serie. Como creador de la teleserie de más éxito de la programación diurna, siempre que le preocupa algo en el desarrollo de su argumento, se detiene, escribe uno o dos episodios, pone todo patas arriba y entonces se siente feliz. Su agente le llama la madre más neurótica de televisión, pero también sabe que es el mejor. Bill Thigpen tiene un instinto infalible para saber qué es lo que hace funcionar su programa, y jamás se ha equivocado. Nunca hasta ahora.

«Una vida digna de vivirse» es aún la teleserie diurna de más éxito de la televisión estadounidense, y es la hija de William Thigpen. La comenzó años atrás, una forma de sobrevivir cuando se moría de hambre en Nueva York como joven dramaturgo. Comenzó a considerar la idea y después el primer guión, en un momento en que se encontraba entre dos obras de teatro en Nueva York. Había comenzado a escribir obras para el teatro experimental no comercial de Broadway, y en aquel tiempo era un purista. El teatro sobre todo. Pero también estaba casado, vivía en el Soho en Nueva York, y se moría de hambre. Su esposa Leslie era bailarina de los musicales de Broadway, y en esos momentos también estaba sin trabajo, debido a que estaba embarazada de su primer hijo. Al principio Bill hacía bromas sobre lo «irónico» que sería si finalmente consiguiera el éxito con una telenovela, si ésta resultara ser la gran oportunidad de su carrera. Pero a medida que luchaba con el guión y con las historias para crear un programa de larga duración, esto dejó de ser una broma y se transformó en una obsesión. Tenía que conseguirlo... por Leslie... por su hijo. Y la verdad era que le gustaba. Le encantaba. Y también le encantaba al canal de televisión. Se volvieron locos con la serie. Y así, el bebé Adam y el programa nacieron casi al mismo tiempo, uno, un robusto niño de cuatro kilos, de grandes ojos azules como su padre y una nube de rizos dorados, y el otro, un programa a prueba durante el verano que alcanzó la cima de audiencia y cuya desaparición en septiembre produjo una instantánea y clamorosa protesta. A los dos meses «Una vida digna de vivirse» estaba de vuelta, y Bill Thigpen estaba lanzado como creador de la teleserie de más éxito de todos los tiempos. Las opciones importantes vendrían después.

Comenzó escribiendo él mismo algunos de los primeros episodios; eran buenos, pero volvía locos al director y a los actores. Y por entonces ya estaba casi olvidada su carrera en el teatro experimental de Broadway. En cosa de momentos la televisión se convirtió en su vida y sustento.

Finalmente le ofrecieron muchísimo dinero por vender su idea y sencillamente cruzarse de brazos e irse a casa a cobrar los derechos, volver a escribir obras de teatro para Broadway. Pero ya entonces, casi igual que su hijo de seis meses, «Vida», como la llamaba él, era también su bebé. No pudo decidirse a abandonar el programa, y mucho menos a venderlo. Tenía que seguir. Para él era algo real, vivo, y le importaba lo que decía en él. Hablaba de las agonías de la vida, las rabias, las penas, los triunfos, las desilusiones, la emoción, el amor y la sencilla belleza. La serie tenía todo su entusiasmo por la vida, su propio dolor en la aflicción, su propia alegría de vivir. Daba a la gente esperanza después de la desesperación, la luz del sol después de la tormenta, y el núcleo básico del argumento y los personajes principales eran decentes. Había malvados también, naturalmente, y la gente los devoraba. Pero había una integridad fundamental en la serie que hacía a sus *fans* inconmovibles en su devoción. En realidad, era un reflejo de la esencia de su creador. Vivo, entusiasmado por la vida, decente, confiado, amable, ingenuo, inteligente y creativo. Y él quería su serie, casi como a un hijo a quien estaba atado y al cual estaba resuelto a sustentar, casi tanto como quería a Adam y a Leslie.

Durante aquella primera época de la serie, él se sentía constantemente desgarrado y arrastrado, siempre deseando estar con su familia pero controlando el programa al mismo tiempo, para asegurarse de que no pusieran a un escritor o director inconvenientes. Miraba con sospecha a todo el mundo, y lo controlaba todo. No entendía ninguna otra cosa fuera de su serie... su hija. Se paseaba por el plató como una gallina nerviosa al cuidado de sus polluelos, enloqueciendo en su interior por lo que podría salir mal. Continuó escribiendo algún que otro episodio al azar, con el fin de estar presente en el programa la mayor parte del tiempo y mirar desde la línea de banda. Y pasado el primer año, ya no tenía ningún sentido pretender hacer creer que Bill Thigpen iba a volver alguna vez a Broadway. Estaba clavado, atrapado, locamente enamorado de la televisión y de la serie de su propia creación. Incluso dejó de disculparse con sus amigos del teatro experimental de Broadway, y reconoció francamente que le gustaba lo que hacía. No cabía ninguna posibilidad de que él fuera a otra parte, le explicó a Leslie una noche después de haber escrito durante horas, ideando nuevas intrigas, nuevos personajes, y nuevas filosofías para la temporada próxima.

No podía abandonar a sus personajes, a sus actores, ni la complejidad del argumento y sus torrentes de tragedias, traumas y problemas. La amaba. La serie se emitía en directo cinco días a la semana, y aunque no había ningún motivo para que él estuviera presente en el plató, él la comía, la bebía, la amaba, la respiraba y la dormía. Había escritores que mantenían en marcha la serie día a día, pero Bill estaba siempre vigilando encima. Y él sabía lo que hacía. Todo el mundo estaba de acuerdo. Era bueno. Era mejor que bueno. Era fabuloso. Tenía un sentido innato de lo que iba a resultar, de lo que no iba a funcionar, de lo que a la gente le gustaba, de los personajes a quienes iban a querer y de los que iban a disfrutar odiando.

Y cuando dos años después nació Tommy, su segundo hijo, «Una vida digna de vivirse» ya había ganado dos premios de la crítica y un Emmy. Después del primer Emmy, la dirección del canal de televisión sugirió trasladar la serie a California. Tenía más sentido en cuanto a la creatividad, hacía más fáciles los preparativos para la producción, y tenían la sensación de que el programa «pertenecía» a California. Para Bill esto fueron buenas noticias, pero no así para Leslie, su esposa. Ella iba a volver al trabajo, no sólo como una chica más del coro en Broadway. Después de dos años de ver a Bill obsesionado por su serie ya estaba harta. Mientras él se pasaba las noches y los días escribiendo acerca de incestos, embarazos de adolescentes y aventuras extraconyugales, ella había vuelto a las clases de su disciplina primera, y ahora deseaba enseñar ballet en Julliard.

—¿Que vas a qué?

Se la quedó mirando fijamente, sorprendido, un domingo por la mañana mientras tomaban el desayuno. Todo les iba muy bien, él estaba ganando dinero a manos llenas, los niños estaban fabulosos y, por lo que él podía ver, todo iba sobre ruedas. Hasta esa mañana.

—No puedo, Bill. No iré.

Ella le miró calladamente, con esos enormes ojos castaños, tan dulces e infantiles como cuando la conoció fuera del teatro, con su bolso de baile en la mano, a sus veinte años. Leslie procedía del interior de Nueva York y siempre había sido decente y sin pretensiones, un alma dulce de ojos expresivos y un sentido del humor tímido pero verdadero. Solían reírse muchísimo en los primeros tiempos, y conversar hasta tarde por la noche en los tétricos y helados apartamentos que alquilaban, hasta el hermoso y muy caro ático que él acababa de comprar en el Soho. Incluso había hecho instalar una barra para ejercicios, para que ella pudiera hacer sus calentamientos y ejercicios de ballet sin tener que ir a un estudio. Y ahora, así de pronto, ella le decía que todo había terminado.

—¿Pero por qué? ¿Qué dices, Les? ¿Es que no quieres abandonar Nueva York? —la miró perplejo a los ojos llenos de lágrimas; ella movió la cabeza, apartando la vista de él durante un momento, y luego volvió a mirarlo a los ojos y lo que él vio entonces le hizo daño en el corazón. Era rabia, desilusión, frustración; de pronto, vio por primera vez lo que debería haber visto hacía muchos meses, y se preguntó aterrado si ella aún lo querría—. ¿De qué se trata? ¿Qué ha pasado? —¿Cómo podía ser que no le hubiera notado?, pensó. ¿Cómo pudo ser tan estúpido?

—No lo sé... tú has cambiado... —y entonces ella movió la cabeza de nuevo, su larga y oscura cabellera ondulando como las oscuras alas de un ángel caído—. No, eso no es justo... los dos hemos cambiado... —Respiró hondo y trató de explicárselo. Le debía eso después de cinco años de matrimonio y dos hijos—. Creo que hemos intercambiado lugares. Yo deseaba ser una gran estrella de Broadway, la bailarina que triunfaba y se convertía en estrella, y todo lo que tú deseabas hacer era escribir obras de teatro con «integridad», con «contenido» y «sentido».

De pronto empezaste a escribir... —vaciló con una sonrisa forzada y triste—. Comenzaste a escribir cosas más comerciales y se convirtió en obsesión. Durante los tres últimos años no has pensado en otra cosa que no sea la serie... ¿Se casará Sheila con Jake?, ¿quiso Larry realmente matar a su madre?, ¿es homosexual Henry?, ¿es lesbiana Martha?, ¿dejará Martha a su marido por otra mujer?, ¿de quién es hijo Hilary en realidad?, ¿se irá de casa Mary?, y cuando lo haga, ¿volverá a las drogas?, ¿es Helen hija ilegítima?, ¿se casará con John? —Leslie se puso de pie y comenzó a pasearse por la habitación mientras enumeraba los familiares nombres—. La verdad es que me están volviendo loca. Ya no quiero volver a saber de ellos. No quiero vivir más con ellos. Quiero volver a algo sencillo, sano y normal, a la disciplina de bailar, a la emoción de enseñar. Deseo una vida normal, tranquila, sin todas esas tonterías de ficción —le miró con tristeza y él sintió deseos de llorar. Había sido un tonto. Mientras se dedicaba a jugar con sus amigos imaginarios perdía a las personas que realmente amaba, y ni siquiera lo había intuido. Sin embargo no podía prometerle que iba a dejar su serie, vender su control sobre ella y volver a sus obras de teatro, que tenía que suplicar para que se las pusieran. ¿Cómo podía volver a eso ahora? Y a él le gustaba la serie. Lo hacía sentirse capaz y feliz, realizado y fuerte... y ahora Leslie le abandonaba. Era irónico. La serie era un gran éxito, él también, y ella sentía nostalgia de la época de hambre.

—Lo siento —trató de mantener la calma y razonar con ella—. Sé que durante estos tres años he estado totalmente dedicado a la serie, pero pensaba que era necesario controlar su desarrollo. Si lo dejaba escapar de mis manos, si dejaba que otra persona lo hiciera, lo podían abaratar, la habrían convertido en una de esas telenovelas ridículas, triviales y sensibleras que te erizan la piel. No podía dejar que hicieran eso. Y la serie sí tiene integridad. Lo quieras admitir o no, Les, a eso es a lo que ha respondido la gente. Pero eso no quiere decir que yo tenga que estar controlándola eternamente. Creo que en California las cosas van a ser muy diferentes... con más profesionalidad, con más control. Podría alejarme de ella con mayor frecuencia. —Él ahora escribía partes sólo de vez en cuando. Pero todavía la controlaba.

Leslie se limitó a mover la cabeza con una expresión de incredulidad. Lo mismo había ocurrido cuando él escribía sus primeras obras de teatro. Trabajaba durante dos meses seguidos sin tomarse un respiro, sin apenas comer ni dormir ni pensar en otra cosa, pero eso sólo duraba dos meses, y en aquella época a ella todavía esto le parecía encantador. Ya no. Estaba absolutamente harta de esto, harta de esa intensidad y obsesión y de su manía por la perfección. Sabía que él los amaba, a ella y a los niños, pero no de la forma que ella quería. Ella deseaba un marido que saliera a trabajar a las nueve y volviera a casa a las seis, dispuesto a conversar con ella, a jugar con sus hijos, a ayudarle a preparar la cena y a llevarla al cine. No a alguien que trabajaba durante toda la noche y luego salía apresurado de casa, agotado y con los ojos desorbitados, a las diez de la mañana, cargado de memorandos, notas y cambios de guión para entregar en el ensayo de las diez y media. Era demasiado, demasiado agotador, y después de tres años de esto, ya no lo soportaba. Estaba quemada, y si volvía a escuchar las palabras «Una vida digna de vivirse» otra vez, o los nombres de los personajes que él constantemente estaba añadiendo o quitando, le daría un ataque de histeria.

—Leslie, dame una oportunidad, cariño, por favor... dame una oportunidad. Será fantástico en Los Angeles. Piénsalo, no más nieve, no más frío. Será estupendo para los niños. Podemos llevarlos a la playa. Podemos tener una piscina en el patio... podemos ir a Disneylandia.

Pero ella seguía moviendo la cabeza. Ella le conocía bien.

—No, yo puedo llevarlos a Disneylandia y a la playa. Tú estarás trabajando todo el tiempo, o bien estarás en pie toda la noche escribiendo algún personaje, o corriendo para llegar a tiempo al ensayo, o para observar mientras se emite en directo, o frenético escribiendo alguna otra cosa. ¿Cuándo fue la última vez que llevaste a los niños al Zoo del Bronx, o a cualquier otra parte, si es por eso?

—De acuerdo... de acuerdo... así que trabajo demasiado... así que soy un padre terrible... o un bastardo o un marido asqueroso, o todo junto, pero por Dios santo, Les, durante años lo pasamos tan mal, tanta hambre. Y ahora, mira, puedes comprar todo lo que quieras, y también los niños. Podemos enviarlos a buenos colegios algún día, podemos darles todo lo que queramos, podemos enviarlos a la universidad. ¿Es eso tan terrible? Así que, vale, hemos pasado unos años duros y ahora las cosas van a mejorar. Y ahora tú te retiras antes de que cambien. Qué oportuno. —La miró con los ojos inundados de lágrimas y estiró la mano hacia ella—. Cariño, yo te amo... por favor, no hagas esto...

Pero ella no se acercó a él; bajó los ojos para no ver el sufrimiento en los de él. Ella sabía que él la amaba, y ella sabía mejor que nadie cuánto quería a los niños. Pero eso no importaba. Ella sabía que, por su propio bien, tenía que hacer lo que estaba haciendo.

—¿Quieres seguir aquí? —continuó él—. Les diré que no trasladaremos la serie. Si se trata de eso, al infierno California... nos quedaremos aquí —pero en su voz se coló una nota de terror al observarla, presintiendo que el problema no era California.

—No cambiará nada —su voz era baja y suave, y lo lamentaba—. Es demasiado tarde. No lo sé explicar. Sólo sé que tengo que hacer algo diferente.

—¿Como qué? ¿Ir a la India? ¿Cambiar de religión? ¿Hacerte monja? ¿Qué diferencia hay en enseñar en Julliard? ¿Qué quieres decir, maldita sea? ¿Que quieres dejarme? ¿Y qué tiene que ver eso con Julliard o California?

Estaba dolido y confuso, y de pronto, finalmente, enfadado. ¿Por qué ella le hacía esto? ¿Qué había hecho él para merecerlo? Había trabajado mucho, había triunfado, sus padres se habrían enorgullecido de él si hubieran estado vivos, pero ambos habían muerto de cáncer, con un año de diferencia, cuando él tenía algo más de veinte años, y no tenía hermanos. Todo lo que tenía eran ella y sus hijos, y ahora ella le decía que le abandonaban, y él iba a quedar solo nuevamente. Completamente solo, sin las tres personas que amaba, porque había hecho algo mal, había trabajado demasiado y tenido demasiado éxito. Y la injusticia de lo que ella le hacía le hizo arder de pronto de furia.

—Sencillamente no lo comprendes —insistió ella con desmayo.

—No, no lo entiendo. Me dices que no vendrás a California. Entonces yo te digo que si eso cambia las cosas, nos quedaremos aquí, y al demonio lo que digan en el canal de televisión. Tendrán que aguantarse. Entonces, ¿qué? ¿Adónde vamos desde aquí? ¿Volvemos a las cosas como eran antes, o qué? ¿Qué pasa, Les? —se sentía desgarrado entre la rabia y la desesperación y no sabía qué decirle para convencerla. Pero lo que aún no había comprendido era que ella ya lo había decidido, y no había ninguna forma de disuadirla.

—No sé cómo decírtelo... —se le llenaron los ojos de lágrimas mientras le miraba, y por un instante él tuvo la insensata impresión de que había entrado en uno de sus propios episodios del programa y que no podía salir... ¿dejaría Leslie a Bill?, ¿puede cambiar realmente Bill?, ¿comprende Leslie lo mucho que la ama Bill? De pronto sintió deseos de reír o de llorar, pero no hizo ninguna de las dos cosas—. Se ha acabado —dijo ella—. Supongo que es la única forma de decirlo. Sólo que no he querido reconocerlo hasta ahora. Ya no puedo seguir con esto. Deseo mi propia vida con los niños. Deseo hacer lo mío propio, Bill... sin tener que soportar la serie día y noche... —y sin él. Pero no logró decidirse a decirlo. La mirada de dolor que vio en sus ojos era tan enorme que ella pensó que se desmayaría con sólo mirarlo—. Lo siento...

Él parecía como abatido por un rayo, mortalmente pálido y sus grandes ojos azules llenos de angustia.

—¿Te quedas con los niños? —¿qué había hecho él para merecer esto? Ambos sabían que por muy ocupado que hubiera estado durante estos tres años, él adoraba a los niños.

—Tú solo no puedes ocuparte de ellos en California —dijo ella. Era una simple afirmación y él la miró horrorizado.

—No, pero tú podrías venir conmigo para ayudarme —era una broma floja, pero ninguno de los dos estaba de ánimo para bromas.

—Bill, no...

—¿Los dejarás que vengan a verme?

Ella asintió y él rogó que su asentimiento fuera sincero. Por un momento consideró la posibilidad de abandonar el programa, quedarse en Nueva York y suplicarle que no le abandonara. Pero también presintió que hiciera lo que hiciera ahora, era demasiado tarde para ella. En su alma, corazón y mente, ella ya le había abandonado. Y lo que ahora se reprochaba era no haberlo notado antes. Tal vez si lo hubiera hecho, podría haber cambiado las cosas. Pero ahora, él la conocía lo suficiente como para darse cuenta de que no podía. Todo estaba acabado, sin un lloriqueo ni un lamento. Había perdido la batalla hacía mucho tiempo y sin saberlo. Su vida estaba acabada.

Los dos meses siguientes fueron una agonía que aún le hacían llorar cuando los recordaba. Decírselo a los niños. Ayudarles a mudarse a un apartamento en West Side antes de irse. Su primera noche solo en el ático sin ellos. Una y otra vez pensó en abandonar el programa, y suplicarle que volviera con él, pero resultaba evidente que la puerta se había cerrado para no abrirse nuevamente. Y antes de irse descubrió que había otro profesor en Julliard por quien ella sentía «una gran afición». Ella no había tenido ninguna aventura con él, y Bill la conocía bien como para saber que le había sido fiel, pero que se estaba enamorando del tío y que eso fue parte de su motivo para abandonarlo. Ella deseaba ser libre para proseguir su relación con él sin sentimientos de culpa, o sin Bill Thigpen. Ella y su profesor amigo tenían todo en común, insistió ella, en cambio ella y Bill ya no, con la excepción de sus hijos. Adam había sentido una angustia terrible al verle irse, pero a las dos y media ya se había readaptado muy rápidamente. Y Tommy sólo tenía ocho meses y no se dio cuenta del cambio. Sólo Bill sintió realmente cómo le brotaban las lágrimas y le corrían por las mejillas mientras el avión se elevaba lentamente sobre Nueva York y emprendía rumbo hacia California.

Una vez allí, Bill se entregó a la serie con creces. Trabajaba día y noche, y a veces incluso dormía en el sofá de su oficina, mientras la audiencia continuaba creciendo y la serie ganaba innumerables Emmys al programa diurno. Y durante los siete años que llevaba en California, Big Thigpen se había vuelto sólo un poquitín menos maniático. «Una vida digna de vivirse» se había convertido en su orgullo y alegría, su compañera diaria, su mejor amiga, su bebé. Ya no tenía ningún motivo para luchar. Dejó que su trabajo se convirtiera en su pasión cotidiana.

Los niños venían a visitarle durante vacaciones alternas y durante un mes en el verano, y él los quería más que nunca. Pero encontrarse casi a cinco mil kilómetros de ellos cuando él deseaba verlos cada día seguía resultándole terriblemente doloroso. Había habido todo un desfile de mujeres en su vida, pero la única compañera constante había sido su serie y los actores que la hacían. Vivía para las vacaciones con Adam y Tommy. Hacía tiempo que Leslie se había casado con el profesor de Julliard, ya tenía otros dos hijos, y finalmente había dejado la enseñanza. Con cuatro niños en casa menores de diez años, tenía muchísimo trabajo pero al parecer le encantaba. De vez en cuando hablaban por teléfono, sobre todo cuando los niños iban a venir, o si alguno de ellos estaba enfermo, pero ya no tenían mucho que decirse que no fuera acerca de Adam y Tommy. Hasta resultaba difícil recordar cómo había sido todo cuando estaban casados. Ya había pasado el dolor de perderla, y los recuerdos de los momentos agradables eran nebulosos. A excepción de los niños, todo había pasado. Y ellos eran los verdaderos amores de su vida. Durante el verano, cuando ellos pasaban un mes con él, su pasión por ellos era aún mayor que la que sentía por la serie, y su atención por ellos más intensa. Se tomaba un mes de vacaciones al año, y generalmente iban a algún lugar durante parte de ellas y el resto lo pasaban en Los Angeles, yendo a Disneylandia, visitando amigos, o sencillamente en casa, mientras él les cocinaba y cuidaba; sentía todo el dolor nuevamente cuando ellos regresaban a Nueva York y lo dejaban. Adam, el mayor, ya tenía casi diez años y era responsable, divertido, serio, y muy parecido a su madre. Tommy era el pequeño, desorganizado, aún un bebé en ocasiones, a sus siete años, y caprichoso, vago, y a veces muy, muy divertido. Con frecuencia Leslie le decía que Tommy era su imagen en todos los aspectos, pero de alguna forma él no lograba ver la semejanza. Él los adoraba a los dos, y durante las largas y solitarias noches en Los Angeles le dolía el corazón deseando que todos vivieran

PITKIN COUNTY LIBRARY
120 NORTH MILL STREET
ASPEN, COLORADO 81611

juntos. Y esto era lo único que lamentaba en su vida, lo único que no podía cambiar, lo único que realmente le deprimía a veces, aunque trataba de evitarlo. Pero el pensamiento de que tenía dos hijos a quienes amaba y a quienes apenas veía le parecía un precio muy alto que pagar por un matrimonio equivocado. ¿Por qué se los quedó ella y no él? ¿Por qué ella obtuvo la recompensa por los años perdidos y él el castigo? ¿Qué había de justo en eso? Nada. Y esto sólo le hacía estar seguro de una cosa. Jamás permitiría que esto volviera a suceder. Nunca se iba a enamorar locamente, casarse, tener hijos y perderlos. No, y punto. De ninguna manera. Y a lo largo de los años descubrió la solución perfecta al problema. Actrices. Hordas de actrices. Cuando tenía tiempo, lo cual no era muy a menudo.

Al llegar a California, con el dolor de haber dejado a Leslie y a sus hijos, cayó agradecido en los brazos de una seria directora, y tuvieron un romance de seis meses que casi acabó en desastre. Ella se fue a vivir con él y controló su vida, invitando amigos a alojarse, amueblándole el apartamento, organizándole la vida, hasta que él se sintió ahogado. Ella había estudiado en la universidad de California en Los Angeles, después en Yale, hablaba constantemente de un doctorado, le gustaba el «cine serio», e insistía en que «Una vida digna de vivirse» estaba por debajo de él. Hablaba de la serie como de una enfermedad de la que podría curarse pronto si se dejaba ayudar por ella. Además, odiaba a los niños y se pasaba el tiempo quitando las fotos de sus hijos. Lo notable es que tardó seis meses completos en recuperar el aliento y ponerla en su sitio. Tardó seis meses porque ella era fenomenal en la cama, le trataba como a un niño de seis años en una época en que él necesitaba desesperadamente el cariño y le gustaba, y al parecer sabía todo lo que hay que saber acerca de la industria televisiva de Los Angeles. Pero cuando ella le dijo que debería dejar de hablar de sus hijos y olvidarlos, él alquiló un chalé en el hotel Beverly Hills por un mes, le dio la llave, le dijo que lo pasara muy bien y que no se molestara en llamarle cuando encontrara un apartamento. Le llevó sus cosas al chalé esa misma tarde; no la vio más durante cuatro años, hasta que se vieron en una ceremonia de entrega de premios y ella hizo como que no le conocía.

Lo que siguió a esto fue intencionadamente alegre y tranquilo. Actrices, aspirantes a estrellas, extras, modelos y chicas que deseaban pasar un buen rato cuando él estaba libre, y disfrutaban asistiendo a alguna fiesta ocasional con él, cuando no estaba pasando un período de estrés debido a algún cambio en la serie, y no deseaban nada más de él. Le hacían calzar perfectamente con los otros hombres de sus vidas, y al parecer no les importaba cuando él no las llamaba. Algunas cocinaban para él de vez en cuando, o él para ellas, ya que le encantaba cocinar, y aquéllas a las que les gustaban los niños le acompañaban a Disneylandia cuando los niños estaban en la ciudad, aunque con mayor frecuencia él prefería tener los niños para él solo durante sus visitas a California.

Últimamente estaba enredado con una de las actrices de la serie. Sylvia era una guapa chica de Nueva York y tenía un papel importante en el programa. Era la primera vez en mucho tiempo que se permitía el lujo de liarse con alguien que en realidad trabajaba para él. Pero es que era una chica sensacional de guapa y le fue difícil resistirse. Sylvia llegó a la serie después de haber sido actriz desde niña, modelo de cubierta de *Vogue*, un año en París trabajando para Lacroix, y seis meses en Los Angeles con papelitos pequeños en una cantidad de películas sin éxito. Sorprendentemente, era una actriz bastante buena, una chica dulce que superaba muy bien la actuación en directo, y Bill se sorprendía al pensar en lo mucho que le gustaba.

Le gustaba. No la amaba. El amor era algo que reservaba para Adam y Tommy, los cuales tenían respectivamente nueve años y medio y siete. Sylvia tenía veintitrés, y a veces él consideraba que se comportaba como una niña. Junto con su dulzura tenía una especie de sencillez e ingenuidad que le conmovían y divertían. A pesar de sus experiencias mundanas, de los nueve años que llevaba como actriz y modelo, parecía conservarse sin nada de sofisticación, lo cual a veces era refrescante y molesto a la vez. No se daba cuenta en absoluto de las intrigas entre bastidores, y algunas de sus actuaciones eran soberbias, pero también era presa fácil para las mujeres más gastadas con quienes actuaba. Y el propio Bill se veía constantemente en la necesidad de advertirle que estuviera más alerta a las trampas que le tendían y a los problemas que intentaban causarle a hurtadillas. Pero ella flotaba sobre todas estas cosas como una niña pequeña, y parecía entretenerse sola cuando Bill estaba demasiado ocupado para atenderla, como lo había estado durante semanas, trabajando en la adición de dos personajes nuevos y el cambio repentino de otro. Él se esmeraba en mantener siempre nuevo y vivo el programa, y a la audiencia, fascinada por los interminables cambios de argumento.

A sus treinta y nueve años, era el rey de la telenovela diurna, como lo atestiguaba la hilera de Emmys en un estante de su oficina. Pero, como siempre, le pasaron totalmente inadvertidos cuando regresó a su oficina y comenzó a pasearse preguntándose cómo reaccionarían los actores ese día a los inesperados cambios de último minuto. Dos de las mujeres normalmente los llevaban bien, pero uno de los actores a menudo olvidaba su parlamento con la sorpresa de último momento y cuando los cambios lo ponían nervioso. Llevaba dos años en la serie; Bill había pensado en sustituirlo más de una vez, pero le gustaba la calidad humana que aportaba a la serie y la fuerza de su actuación cuando creía en lo que estaba diciendo.

Era una serie que al parecer significaba muchísimo a los incontables millones de personas que la veían a todo lo ancho y largo de Estados Unidos, y el volumen de la correspondencia que recibían Bill, los actores y productores era sorprendente, por decir poco. Los actores y el personal se habían convertido con los años en una especie de familia, y para ellos la serie también significaba mucho. Era una especie de hogar y forma de vida para un buen número de personas de mucho talento.

Esa tarde su propia amada, Sylvia, iba a hacer su papel de Vaughn William, la hermosa hermana menor de la heroína principal de la serie, Helen. Su cuñado le había seducido y ahora ella era su amante, y también la había introducido en la droga. Nadie en la familia lo sabía, y menos que nadie su propia hermana. Atrapada en una maraña de la cual parecía incapaz de liberarse, Vaughn iba cayendo cada vez más en las garras de su cuñado John, que la conducía hacia su propia destrucción. En un inesperado giro de los acontecimientos durante el programa de ese día, Vaughn iba a ser testigo de un asesinato cometido por John, y la policía comenzaría a sospechar que ella era la asesina del narcotraficante que le había estado proporcionando drogas desde que John se lo presentara. Habían sido una serie de acontecimientos difíciles de orquestar, y Bill había estado vigilando con atención a los escritores, dispuesto a meterse él mismo si era necesario. Pero éste era exactamente el tipo de cambio de argumento que había mantenido la serie en antena durante casi diez años, y Bill estaba ciertamente satisfecho con el trabajo de la mañana bosquejando los cambios, mientras se reclinaba en su sillón, encendía un cigarrillo y bebía de la humeante taza de café que su secretaria acababa de llevarle. Se preguntaba qué pensaría Sylvia de los cambios en el guión que acababa de pasarle a través de la puerta de su camerino. No la había visto desde la noche anterior, cuando la dejó en su casa a las tres de la mañana y se fue a su oficina para comenzar a trabajar las ideas que le habían tenido preocupado durante toda la noche. Cuando la dejó ella estaba dormida. Había ido a su casa a ducharse y cambiarse antes de ir a su oficina a las cuatro y media. Y a las doce y media la atmósfera de su oficina aún estaba cargada de electricidad cuando se puso de pie, apagó el cigarrillo y se precipitó al estudio, donde observó atentamente al director arreglárselas con los cambios de último minuto.

El director era un hombre al que Bill conocía desde hacía años, un veterano de Hollywood que llegara a su serie después de dirigir montones de películas de mucho éxito para la televisión. Había sido una elección seria, desacostumbrada para una telenovela diurna, pero Bill ciertamente sabía lo que hacía. Allan McLoughlin tenía a todo el mundo alerta y estaba hablando seriamente con Sylvia y con el actor que hacía el papel de John cuando Bill entró al estudio y se paró discretamente en un rincón alejado, desde donde podía observar sin molestar.

—¿Café, Bill? —le preguntó una guapa secretaria de dirección.

La chica le había echado el ojo desde hacía un año. Le gustaba Bill. Era lo que algunas personas habrían descrito como «osito de felpa», alto, fuerte, acogedor, elegante, bien parecido aunque no vistoso, de risa fácil y de estilo amable, que en cierto modo suavizaba la intensidad con que trabajaba. Pero Bill sólo sonrió y movió la cabeza. Era una chica simpática pero él jamás había pensado en ella de otra forma que como secretaria de dirección. Estaba demasiado ocupado trabajando mientras estaba allí como para concentrarse en otra cosa que no fuera lo que sucedía frente a las cámaras, o en su cabeza, mientras elucubraba nuevos cambios y desvíos para la serie.

—No, gracias, estoy bien —le sonrió y la chica volvió su atención al director.

Bill observó que Sylvia estaba estudiando sus parlamentos, y los actores que hacían de Helen y John estaban conversando silenciosamente en un rincón. Había dos hombres vestidos de policías, y la «víctima», el narcotraficante a quien «John» iba a matar ese día, ya tenía puesta una camisa manchada de sangre que parecía inquietantemente realista. Se estaba riendo y haciendo bromas con uno de los chicos del control. Era su última aparición en la serie y no tenía ningún parlamento que aprender. Ya estaría muerto cuando le enfocara la cámara.

—Dos minutos —dijo una voz, lo suficientemente alto como para que todo el mundo la escuchara.

Bill sintió una leve conmoción en la boca del estómago. Siempre le sucedía. Había sentido esa punzada desde sus primeros tiempos como actor cuando estaba en la universidad. Y en Nueva York se había sentido francamente enfermo durante una hora cada noche antes de que se levantara el telón para una de sus obras. Y ahora, a los diez años de haber nacido «Una vida», continuaba sintiéndola cada vez que estaban a punto de salir en antena. ¿Y si fracasaba? ¿Y si bajaba la audiencia? ¿Y si nadie la veía? ¿Y si se retiraban todos los actores? ¿Y si alguien se equivocaba y decía mal un parlamento? ¿Y si...? Las posibilidades de fracaso eran interminables.

—Un minuto.

El nudo en el estómago se le hizo más tenso. Recorrió la sala con la mirada. Sylvia estaba con los ojos cerrados dando un último repaso a su parlamento y calmando los nervios. Helen y John en sus puestos en el escenario, preparados para la violenta discusión que abriría el episodio del día. El narcotraficante con su camisa ensangrentada estaba fuera del escenario comiendo un bocadillo de carne ahumada; había un silencio absoluto mientras el director levantaba la mano con los dedos extendidos indicando los cinco segundos que faltaban para comenzar la emisión... cuatro... tres... dos... un dedo... un espasmo en el estómago de Bill; la mano baja, y Helen y John ya están discutiendo acaloradamente en el plató, con palabras insultantes, dentro de lo permitido por los censores, la situación tensa y a punto de estallar. Las palabras suenan familiares a Bill, y sin embargo, aquí y allá improvisan, como siempre. Helen más que John, pero a ella le resulta y a Bill no le importa mientras no se salga demasiado del guión y despiste a los demás actores. Hasta aquí va bien... A los cuatro minutos de intenso drama hay un portazo y en seguida una interrupción para la publicidad. Helen sale del plató mortalmente pálida. La actuación es tan breve e intensa, el diálogo y las situaciones tan reales que en cierto modo todos se lo creen. Bill capta su mirada y sonríe. Lo ha hecho bien. Siempre lo hace. Es una excelente actriz. Helen desaparece. La mano vuelve a levantarse. Silencio absoluto. Ni un solo sonido, ni una moneda que suena en algún bolsillo, ni una llave en una cerradura, ni una pisada. John ha ido a la lejana casa de campo del narcotraficante, que ha llamado de forma anónima a Helen para contarle la aventura de su marido con su hermana. Se escuchan disparos y todo lo que vemos es el cuerpo postrado en el suelo del hombre con la camisa ensangrentada, claramente muerto. Un primer plano de la cara de John, con una mirada asesina, mientras Vaughn está de pie junto a él. Desaparece la imagen y ahora hay un primer plano de Vaughn, increíblemente hermosa, en un pequeño pero lujoso apartamento. John la ha convertido de chica buena en chica mala, y la vemos que se despide de un hombre. Sin que nos lo digan, comprendemos que es una prostituta. Sus ojos miran a la cámara, preocupados, hermosos y algo empañados. Bill observa intensamente el desarrollo del argumento, y comienza a relajarse cuando interrumpen para otro momento de publicidad. Es como una nueva obra cada día, un nuevo drama, todo un mundo nuevo, y su magia nunca deja de intrigarlo. A veces se pregunta por qué funciona, por qué tiene ese inmenso éxito, pero también piensa si no se deberá a que él aún está tan atrapado en la serie. Se pregunta, pero rara vez, qué habría sucedido si hubiera vendido su idea, o abandonado la serie años atrás... si se hubiera quedado en Nueva York... se hubiera dedicado a otra cosa... siguiera casado con Leslie, y estuviera con los niños... ¿habrían tenido más hijos? ¿Estaría ahora escribiendo obras para Broadway? ¿Habría triunfado? ¿Se habrían divorciado de todas maneras? Era extraño mirar hacia atrás e intentar imaginárselo.

Entonces Bill abandonó el estudio, seguro de que iba bien este episodio y que no era necesario quedarse hasta el final. El director lo controlaba bien. Volvió lentamente a su oficina, sintiéndose agotado, aliviado y seguro de la dirección de los episodios siguientes. Una de las cosas que le gustaban de la serie era que nunca se podía dormir en los laureles ni sentirse suficiente, no podía deslizarse por la inercia, ni usar una fórmula, ni seguir el mismo argumento viejo. Tenía que renovarlo, momento a momento, hora tras hora, o la serie sencillamente moriría. Y le gustaba la emoción del desafío diario. Una vez afrontado el desafío, regresó a su oficina y se echó en el sofá mirando por la ventana.

—¿Cómo fue? —preguntó Betsey. Era su secretaria desde hacía casi dos años, lo cual en televisión es media vida. Por la noche era actriz cómica, y pensaba que Bill era capaz de caminar sobre las aguas cuando nadie le veía.

—Fue bien —Bill se veía relajado y satisfecho. El nudo en el estómago se había transformado en un tranquilo canturreo de satisfacción—. ¿Ha llegado algo de dirección hoy? —había enviado unas ideas nuevas para dar ciertos rumbos interesantes a la serie, y estaba esperando las respuestas, aunque sabía que le dejarían hacer lo que quisiera.

—Aún no. Pero creo que Leland Harris está fuera de la ciudad, y Nathan Steinberg también. —Éstos eran los dioses que conducían su vida, los omniscientes, omnipotentes que todo lo piensan, todo lo ven y todo lo saben. Con Nathan iba a pescar de vez en cuando, y aunque se decía que el tío era un hijo de puta, a Bill le caía francamente bien y aseguraba que con él siempre se había mostrado agradable—. ¿Te irás temprano esta noche? —le preguntó Betsey esperanzada. Alguna que otra vez, cuando llegaba al alba, se iba antes de las cinco, pero esto sucedía muy rara vez, y él movió la cabeza mientras atravesaba la habitación en dirección a su escritorio detrás del cual había una mesita sobre la cual descansaba su antiquísima máquina de escribir. Era una Royal, uno de los pocos recuerdos de su padre que aún conservaba.

—Creo que me quedaré. El material de hoy resultó bien, lo cual significa que tienen que hacerse un montón de cambios para los episodios siguientes. Tienen que borrar totalmente a Barnes. Le acabamos de matar. Y Vaughn va a terminar en la cárcel, Helen se está enterando de cosas acerca de John. Y espera a que descubra que su hermanita ha estado recurriendo a artimañas para mantener su adicción a la droga, gracias a su querido marido —su sonrisa era amplia y feliz al estirar las piernas por debajo del escritorio y se echaba hacia atrás con las manos detrás de la cabeza, en una postura de total dicha y relajación.

—Tienes la mente enferma —Betsey le hizo una mueca y le cerró la puerta de la oficina, y luego asomó la cabeza—. ¿Quieres que te pida algo al economato para esta noche?

—Jo... Ahora me doy cuenta de que intentas matarme. Tráeme sólo un par de bocadillos y un termo de café y déjalos en tu escritorio. Los iré a buscar si tengo hambre.

Pero lo más frecuente era que fuera medianoche cuando miraba la hora, y entonces ya no tenía hambre. Era una maravilla que no se muriera de hambre, decía Betsey a menudo, cuando veía las pruebas de que había trabajado toda la noche, dejando ceniceros atiborrados, catorce tazas de café frío y media docena de envolturas de Snickers.

—Deberías irte a casa y dormir algo.

—Gracias, mamá —le hizo una sonrisa mientras ella cerraba la puerta nuevamente. Betsey era una persona fabulosa y le gustaba.

Aún estaba sonriéndose solo y pensando en Betsey, cuando se volvió a abrir la puerta y levantó la vista. Como siempre que la veía, se quedó sin aliento al contemplarla. Era Sylvia, todavía con la ropa y maquillaje para la serie; y estaba maravillosa.

Era alta, delgada y de hermoso cuerpo; sus firmes pechos de silicona sencillamente pedían a los hombres que alargaran la mano y los tocaran; sus piernas parecían nacer en las axilas. Era casi tan alta como Bill, y su espesa cabellera negra le caía en cascadas hasta la cintura. Tenía la piel blanca cremosa y ojos verdes que parecían de gato. Era una chica que habría detenido el tráfico en cualquier parte, incluso en Los Angeles, donde era corriente ver actrices, modelos y chicas bellas. Pero Sylvia Stewart no era corriente en ninguna parte, y Bill era el primero en decir que ella influía de forma maravillosa y buena para mantener la audiencia.

—Buen trabajo, cariño. Estuviste fabulosa hoy. Pero es que siempre lo estás —dijo, poniéndose de pie mientras ella sonreía, y dio la vuelta a su escritorio para darle un beso medio en serio mientras ella se sentaba en una silla y se ponía piernas arriba; al mirarla, sintió que el corazón le latía algo más de prisa—. Dios, que me matas cuando apareces aquí con ese aspecto. —Ella llevaba el sexy vestidito negro que usara en la última escena del episodio, y realmente era como para poner fuera de combate a cualquiera. El departamento de vestuario lo había conseguido prestado de Fred Heyman—. Por lo menos podrías ponerte una blusa camisera y tejanos —pero los tejanos no lo arreglaban mucho; ella los usaba pegados a la piel y en lo único que era capaz de pensar al verla en tejanos era en quitarle la ropa.

—En vestuario me dijeron que podía quedarme el vestido —se las arregló para parecer a la vez inocente y provocativa.

—Eso está bien —sonrió él nuevamente y volvió a sentarse tras su escritorio—. Te queda muy bien. Tal vez podemos salir a cenar la próxima semana y te lo pones.

—¿La próxima semana? —parecía una niña pequeña a la que le hubieran dicho que su muñeca preferida estaba en reparación hasta el martes siguiente—. ¿Por qué no podemos salir esta noche? —le estaba haciendo morritos y él pareció ligeramente divertido con ella. Éstas eran las escenas para las que Sylvia era tan buena. Eran el lado contrapuesto a su increíble belleza e irresistible cuerpo.

—Puede que hayas notado que en el episodio de hoy ha habido varios cambios en el argumento, y tu personaje acaba en la cárcel. Hay montones de nuevas escenas que tendrán que escribir los guionistas y yo deseo estar presente y escribir algunas yo mismo, o al menos controlar cómo lo hacen. —Cualquiera que le conociera sabía que iba a trabajar de dieciocho a veinticuatro horas las próximas semanas, observando, controlando, convenciendo y escribiendo él mismo, pero el resultado valdría la pena.

—¿No podemos salir este fin de semana? —las increíbles piernas se cruzaban y descruzaban produciéndole incomodidad dentro de sus tejanos, y por lo visto ella aún no comprendía.

—No, no podemos. Y si tengo suerte y todo va bien, tal vez podamos jugar algo al tenis el domingo.

El morrito se hizo más pronunciado. Esto no gustaba nada a Sylvia, al parecer.

—Yo deseaba ir a Las Vegas. Todo un grupo de chicos de «Mi casa» van a ir a Las Vegas a pasar el fin de semana.
—«Mi casa» era la principal competidora de «Una vida»
—No lo puedo evitar, Sylvia. Tengo que trabajar.
—Y luego, sabiendo que le resultaría todo más fácil si ella iba sin él que si se quedaba y protestaba, le sugirió ir a Las Vegas con los demás—: ¿Por qué no vas con ellos? No vas a aparecer en el episodio de mañana, y puede ser divertido. Y yo voy a estar clavado aquí de todas maneras todo el fin de semana —dijo señalando las cuatro paredes de su oficina, y aunque sólo era jueves, sabía que tenía por delante tres o cuatro días más de intenso trabajo supervisando a los guionistas. Sylvia pareció animarse con la sugerencia de ir sin él.

—¿Vendrás a Las Vegas cuando termines? —nuevamente parecía una niñita, y a veces este candor le conmovía. La verdad, le atraía más su cuerpo, y la relación con ella le había resultado fácil durante varios meses, aunque no era como para sentirse orgulloso. Ella era una buena chica y le gustaba, pero para él no era suficiente desafío, y sabía que él tampoco satisfacía las necesidades de ella. Ella necesitaba a alguien que estuviera libre para salir y jugar con ella, para ir a las inauguraciones y fiestas y a las cenas de las diez en Spago y, con más frecuencia que menos, él estaba atado por la serie, o bien escribiendo nuevas escenas o demasiado cansado para ir a ninguna parte. Y las fiestas de Hollywood nunca habían sido su fuerte.

—No creo que termine a tiempo como para ir a ningún sitio. Te veré el domingo cuando vuelvas a casa —el arreglo le venía a la perfección y de este modo se la sacaría de encima, aunque se sentía mezquino al pensar así. Pero estaría más tranquilo sabiendo que ella estaba feliz en otra parte que llamándole a la oficina cada dos horas para preguntarle si había acabado el trabajo.

—De acuerdo —dijo ella poniéndose de pie, con aspecto complacido—. ¿No te importa? —se sentía algo culpable por dejarle, pero él sólo sonrió y la acompañó hacia la puerta.

—No, no me importa. Sólo que no te dejes convencer por los chicos de «Mi casa» si te ofrecen un contrato —dijo él; ella se rió, y esta vez él la besó ardientemente en la boca—. Te voy a echar de menos.

—Yo también —dijo ella.

Pero había un dejo de melancolía en sus ojos cuando le miró y por un instante él se preguntó si algo iba mal. Era algo que había visto en otros ojos antes... comenzando por los de Leslie. Era algo que decían las mujeres a veces, aunque sin pronunciar las palabras. Tenía algo que ver con estar y sentirse solas. Y él lo sabía muy bien, pero no había nada que fuera a hacer para cambiar ahora. Nunca lo había hecho y a sus treinta y nueve años se imaginaba que era demasiado tarde para cambios.

Sylvia se marchó y Bill volvió a su trabajo. Había montañas de notas que deseaba hacer acerca de los nuevos guiones y cambios futuros; cuando volvió a levantar la vista de su máquina de escribir ya estaba oscuro afuera; se sorprendió al darse cuenta de que ya eran las diez al mirar el reloj, y de pronto se dio cuenta de que tenía una sed terrible. Se levantó de su escritorio, encendió algunas otras luces y se sirvió agua mineral. Sabía que Betsey le habría dejado bocadillos en su escritorio, pero aún no tenía hambre. El trabajo parecía alimentarle cuando iba bien; se sintió contento cuando miró lo que había hecho y se reclinó en su silla bebiendo el agua. Sólo le quedaba una escena más por cambiar antes de dar por terminado su trabajo por esa noche, y durante las dos horas siguientes golpeó su vieja Royal, totalmente olvidado de todo lo que no fuera lo que estaba escribiendo. Cuando paró, era medianoche. Llevaba trabajando casi veinte horas y apenas se sentía cansado, se sentía estimulado y alegre por los cambios que había hecho y por la forma fluida en que le había salido el trabajo. Tomó el fajo de hojas en que había estado trabajando toda la tarde y las puso en un cajón de su escritorio, se sirvió otra agua mineral al salir, y dejó sus cigarrillos sobre el escritorio. Rara vez fumaba, excepto cuando estaba trabajando.

Pasó por el escritorio de su secretaria, recogió los bocadillos, aún en una caja de cartón, y salió al vestíbulo iluminado por fluorescentes, y pasó por la media docena de estudios ahora cerrados. En uno había un programa nocturno de entrevistas; un grupo de chicos de extraña apariencia, vestidos de punkies que acababan de llegar para hacer su aparición en el programa. Les sonrió, pero ellos no le devolvieron la sonrisa. Estaban demasiado nerviosos; él pasó por el estudio en donde hacían el informativo de las once, pero ahora también estaba oscuro, ya preparado para el informativo de la mañana.

El guarda de recepción le pasó la hoja de registro y él garabateó su nombre y le hizo un comentario sobre el último partido de béisbol. El viejo guarda y él eran apasionados hinchas de los Dodgers. Luego salió al aire libre y respiró hondo de la tibia noche primaveral. A esa hora, el *smog* no era tan pesado y se sentía bien por el solo hecho de estar vivo. Le gustaba lo que hacía y esto en cierto modo le daba sentido a trabajar a esas horas absurdas, inventando historias acerca de gente imaginaria. Cuando lo estaba haciendo todo adquiría significado para él, y cuando terminaba, se sentía contento de haberlo hecho. De vez en cuando era un sufrimiento, cuando una escena no resultaba bien o un personaje se escapaba de control y se transformaba en alguien que no estaba en su intención crear, pero la mayor parte del tiempo le gustaba hacerlo; había momentos en que echaba de menos hacerlo a jornada completa y envidiaba a los escritores.

Suspiró feliz al poner en marcha el coche. Era una furgoneta de madera Chevrolet 49 que había comprado por 500 dólares a un surfista hacía siete años, y le encantaba. Era marrón y no estaba en condiciones de lo más perfectas, pero tenía alma, y mucho espacio, y a sus hijos les gustaba mucho salir en ella cuando venían de visita.

Cuando conducía a casa por la autopista Santa Mónica hacia Fairfax Avenue, se dio cuenta repentinamente de que tenía hambre. Más que hambre, se estaba muriendo de inanición. Sabía que no le quedaba nada en su apartamento. Hacía días que no comía allí. Había estado demasiado ocupado trabajando y antes lo había gastado todo, y el fin de semana anterior lo había pasado en casa de Sylvia en Malibu. Sylvia alquilaba la casa a una actriz de cine anciana que llevaba años viviendo en una residencia para ancianos, pero que conservaba la casa en Malibu donde había vivido.

Bill decidió detenerse en Safeway; ya era pasada la medianoche cuando entraba en la zona de aparcamiento. Encontró un sitio junto a la entrada principal y aparcó el coche al lado de un viejo y maltrecho MG rojo con la capota abierta. Entró en la tienda de servicio permanente brillantemente iluminada y sacó un carrito mientras decidía qué deseaba comer. En un pasillo cercano había pollos asándose y notó que tenían un olor exquisito. Puso uno en el carrito, una caja de seis cervezas, ensaladas de patatas de las *delicatessen*, algo de salami, encurtidos, y luego se dirigió al área de verduras para llevar lechuga, tomate y otras verduras para prepararse una ensalada. Cuanto más pensaba, más hambre sentía, y ya casi no podía esperar a llegar a casa y cenar. No recordaba si había comido algo a mediodía, o si lo había hecho, qué había comido. De pronto le pareció que hacía años que no comía. Entonces recordó que necesitaba también toallas de papel y papel de water para ambos cuartos de baño; le hacía falta crema para afeitarse, y tenía la impresión de que se le estaba acabando la pasta de dientes. Parecía como si nunca tuviera tiempo para comprar para sí mismo, era como si fuera media tarde mientras recorría la tienda completamente despierto, sacando productos de limpieza, aceite de oliva, café en grano, pasta para *crêpes*, salchicha, jarabe, para la próxima vez que desayunara en casa el fin de semana, panecillos de salvado, algunos cereales nuevos, una piña y papaya fresca. Se sentía como un niño desmandado mientras iba poniendo cosas en su carrito. Por una vez, no tenía prisa, no tenía que ir al trabajo, nadie le esperaba en ningún sitio y podía explorar la tienda a sus anchas. Estaba tratando de resolver si quería pan francés con queso Brie para la cena, cuando al doblar una esquina para buscar el pan chocó con una chica que pareció brotar del suelo cargada con toallas de papel. La chica pareció salir de ningún sitio; antes de que él pudiera evitarlo casi la había atropellado con su carrito y ella saltó hacia atrás sorprendida, y se le cayó todo lo que llevaba mientras él la miraba. Había un no sé qué de maravilloso en ella, y hermoso, en un sentido limpio e íntegro, y no pudo evitar quedársela mirando mientras ella se daba media vuelta y comenzaba a recoger sus toallas.

—Lo siento... yo... éste, déjeme que le ayude... —él dejó su carrito y se puso a ayudarla, pero ella fue rápida en erguirse, y sonrió algo ruborizada.

—No tiene importancia —su sonrisa era franca, amplia, sus ojos grandes y azules; parecía ser una persona que tenía muchas cosas que decir, él se sintió como un crío mientras la miraba, y ella se alejó con su carrito sonriéndole nuevamente por encima del hombro.

Casi parecía como una escena de película, o algo que podría haber escrito para un episodio de la serie. Chico conoce chica. Tuvo deseos de correr tras ella... eh... espere... deténgase. Pero ya se había ido, con su brillante pelo oscuro que le tocaba los hombros al moverse libremente, su amplia sonrisa de marfil, y esos ojos azules que parecían enormes. Había algo tan directo y franco en la mirada que le dirigió, y sin embargo, algo curioso en su sonrisa, como si hubiera estado a punto de preguntarle algo, y algo acogedor, como si hubiera estado a punto de reírse de ella misma. No pudo dejar de pensar en ella mientras trataba de concentrarse en su compra. ¿Mayonesa, anchoas, crema de afeitar, huevos? ¿Necesitaba huevos? ¿Crema agria? Ya no era capaz de concentrarse. La chica era guapa pero no tan fabulosa, después de todo. Tenía la buena apariencia de chica pija recién salida de una universidad del este. Llevaba tejanos, suéter de cuello subido rojo y zapatillas deportivas, y su corazón dio un brinco cuando la vio descargando su carrito en la caja a los pocos minutos. Se detuvo un momento y la observó. Al fin y al cabo no era tan fantástica, se dijo. Agradable de ver, sí... muy agradable, en efecto, pero para su gusto, gusto californiano en todo caso, era demasiado normal. Parecía una persona con la que se puede conversar hasta tarde por la noche, una persona a la que se puede contar un chiste, alguien con quien se puede pasar un buen rato en circunstancias difíciles, o a quien se puede contar una buena historia. ¿Qué necesidad tenía de una chica como ésa cuando tenía chicas como Sylvia para calentarle la cama? Pero cuando la vio colocar a un lado su carrito, sintió un inexplicable y vano anhelo de ella. Hola... soy Bill Thigpen... ensayó en su mente mientras empujaba su carrito de compra hacia la caja donde ella estaba pagando. Esta vez ella no le vio. Estaba haciendo un talón; él miró por encima pero no alcanzó a leer su nombre. Todo lo que veía era su mano izquierda que sostenía el talonario. La mano izquierda con un anillo. Su alianza de matrimonio. Quienquiera que fuese, ya no importaba. Estaba casada. Sintió que le pesaba el corazón, como un niño desilusionado, y casi se rió de sí mismo cuando ella le miró y volvió a sonreír, reconociéndolo de cuando había chocado con ella haciéndole caer todas las toallas de papel. Hola... soy Bill Thigpen... y estás casada... qué lástima, si te divorcias, llámame... Casadas, éste era el tipo de mujeres con las que no se metía. Deseó preguntarle por qué estaba haciendo su compra tan tarde por la noche, pero no tenía sentido. Ya no importaba.

—Buenas noches —dijo ella, con voz ronca mientras tomaba sus dos bolsas y él comenzaba a descargar su carrito.

—Buenas noches —contestó él observándola marcharse; a los pocos minutos oyó ponerse en marcha un coche; cuando llegó al aparcamiento vio que el pequeño MG que estaba junto a su coche ya no estaba, y se preguntó si ése sería el coche que llevaba ella. Ciertamente estaba trabajando demasiado si se iba a enamorar de completas desconocidas. «Vale, Thigpen —murmuró mientras ponía en marcha el coche con un rugido del tubo de escape—, tómatelo con calma, chico.» Se rió mientras salía del aparcamiento, y camino a su casa se preguntó qué estaría haciendo Sylvia en Las Vegas.

2

Mientras Adrian Townsend se alejaba del supermercado, todos sus pensamientos estaban puestos en Steven, que le esperaba en casa. Hacía cuatro días que no le veía, ya que él había estado retenido en reuniones de presentación de clientes en St. Louis. Steven Townsend era la estrella luminosa de la agencia de publicidad en que trabajaba y ella sabía que algún día, si él lo deseaba, dirigiría la agencia de Los Angeles. De humildes orígenes en el Medio Oeste, a sus treinta y cuatro años, Steven había recorrido un larguísimo camino, y Adrian sabía lo que significaba el éxito para él. Lo significaba todo. Él odiaba todo lo que tuviera que ver con la pobreza, su niñez y el Medio Oeste y, según él, le había salvado una beca para la universidad de Berkeley hacía dieciséis años. Se había especializado en comunicación, igual que Adrian tres años después en Stanford. A ella siempre le interesó la televisión, pero Steven se había enamorado de la publicidad desde el comienzo. Nada más salir del colegio entró a trabajar en una agencia de publicidad en San Francisco y después estudió administración de empresas por la noche, obteniendo su máster al llegar a California del Sur. Nadie tenía la menor duda de que, costara lo que costase, Steven

Townsend iba a triunfar. Era una de esas personas decididas a llegar adonde se había propuesto, planeaba las cosas con todo detalle. No había nada dejado al azar en su vida, ningún error, ningún fracaso. A veces se pasaba horas hablando a Adrian acerca de los clientes que iba a conquistar, del ascenso que tenía en vistas. A veces ella se maravillaba ante su determinación, su empuje, su valor. No le había resultado fácil. Steven era el menor de cinco hermanos, tres chicas y dos chicos. Su padre había sido obrero en la cadena de montaje de una fábrica de automóviles en Detroit. Su hermano mayor murió en Vietnam, y sus tres hermanas se quedaron en casa totalmente satisfechas de no ir a la universidad. Dos de ellas se casaron adolescentes, las dos ya embarazadas, naturalmente. Su hermana mayor se casó a los veintiún años y antes de cumplir los veinticinco ya tenía cuatro hijos. Su marido era obrero de fábrica de automóviles, como su padre, y cuando había huelga todos vivían de la seguridad social. Era una vida que aún producía pesadillas a Steven, y muy rara vez hablaba de su niñez. Sólo Adrian sabía cuánto detestaba esa vida y cuánto había llegado a odiar a su familia. Jamás volvió a Detroit una vez que abandonó su hogar, y Adrian sabía que hacía más de cinco años que no se comunicaba con sus padres. Ya no podía hablar con ellos, contó a Adrian una vez que venían de vuelta de una fiesta y estaba medio bebido. Los había odiado tanto, odiado su pobreza y desesperación, odiado la constante mirada de dolor en los ojos de su madre por no poder hacer nada por sus hijos ni darles nada. Pero ella tiene que haberos querido a todos, había tratado de explicarle Adrian, sintiendo el amor de la mujer por sus hijos, su impotencia ante lo que necesitaban y no podía darles, especialmente a su hijo pequeño, el nervioso y ambicioso Steven.

—No creo que quisiera a nadie —dijo Steven con amargura—, no le quedaba nada, excepto para él... sabes, incluso quedó embarazada el año que yo me fui, y entonces debía de haber tenido casi cincuenta años... gracias a Dios que lo perdió.

Adrian sintió una punzada de dolor por la mujer, pero ya hacía mucho tiempo que había dejado de interceder por ella ante Steven. Evidentemente, él ya no tenía nada en común con ellos, y hasta hablar acerca de ellos le resultaba demasiado doloroso. Ella a veces se preguntaba qué pensarían ellos de él si lo vieran ahora. Guapo, atlético, seguro, bien educado, inteligente, osado, y a veces algo descarado. Ella siempre había admirado su fuego, su ambición, su empuje y energía, aunque de vez en cuando deseaba que fuera algo más moderado. Tal vez eso vendría con el tiempo, con la edad, con el amor, con el cariño de aquellos que le querían. A veces le hacía bromas, le decía que era como un cacto. Él no dejaba que nadie se le acercara demasiado o tocara su corazón, excepto cuando decidía permitirlo.

Llevaban tres años casados; el matrimonio les había hecho bien a ambos. Steven había continuado su meteórico ascenso en la agencia durante los dos años y medio pasados, después de haber vivido en Los Angeles doce años, desde que terminó sus estudios. Había trabajado para tres agencias y se le conocía en la industria publicitaria como inteligente, bueno en su trabajo y a veces cruel. Quitaba clientes a amigos y a otras agencias, en circunstancias que muchas veces lindaban con lo impropio. Pero la agencia para la que trabajaba jamás había perdido con sus manejos ni tampoco él. La empresa crecía día a día y también la importancia de Steven.

Ella y Steven eran muy diferentes, Adrian lo sabía, y sin embargo ella le respetaba. Sobre todo, respetaba sus orígenes. Por lo poco que había oído, ella sabía lo terrible y brutal que tuvo que ser sobrevivir en esas circunstancias. Sus propios orígenes eran el extremo opuesto. Ella provenía de una familia de clase media alta de Connecticut, siempre había estado en colegios privados. Adrian tenía una hermana mayor con la cual no se entendía muy bien, y últimamente también se había alejado de sus padres, aunque éstos venían a verla a California cada ciertos años. Pero la situación de ellos era demasiado diferente a la vida cómoda de Connecticut; la última vez que vinieron se habían llevado mal con Steven, y Adrian tenía que reconocer que él se había mostrado difícil con ellos. Steven había criticado abiertamente a su padre por su falta de ambición y por sus aspiraciones de buen tono. Su padre jamás había tenido gran interés en hacer una carrera importante. Era abogado y se jubiló pronto, dedicándose durante años a la enseñanza en una escuela de derecho cercana. Steven le sometió a un interrogatorio del cual Adrian se sintió francamente avergonzada, y luego intentó explicar a sus padres que Steven era así simplemente y que no tenía intención de ofenderlos, pero una vez que ellos volvieron a casa, su hermana Connie la llamó para echarle en cara la forma en que Steven había tratado a sus padres.

—¿Cómo has podido permitir que les hiciera eso?

—¿Que les hiciera qué? —preguntó ella.

—Hacer sentir tan insignificante a papá. Mamá dice que Steven le humilló. Dice que papá ha dicho que jamás volverá a California.

—Connie... por el amor de Dios...

Adrian estaba dolida al comprender lo herido que se había sentido su padre y tuvo que admitir que Steven se había comportado algo... bueno, exuberante, al interrogarle, pero es que ése era sencillamente su estilo. Trató en vano de explicarle esto a su hermana. Pero en realidad nunca había habido intimidad entre ellas. Se llevaban cinco años de diferencia, y Connie nunca la había aprobado, como si no diera la talla de lo que se esperaba de ella. Ésa fue la razón de que al terminar sus estudios Adrian se quedara en California. Eso, y el hecho de que deseaba trabajar en producción para la televisión.

Adrian fue a Los Angeles a estudiar cine en la universidad de California en Los Angeles, y le había ido muy bien. Tuvo varios trabajos muy interesantes, y entonces apareció Steven en su vida. Él vio diferentes oportunidades para su profesión, y en cierto modo eso cambió las cosas para ella. Él pensaba que el ambiente del cine, e incluso el cine para televisión eran algo demasiado artístico y repipi, e insistió en que debería hacer algo más concreto, más ventajoso. Llevaban dos años viviendo juntos cuando a ella le ofrecieron trabajar en los informativos de televisión; ciertamente, eso significaba muchísimo más dinero de lo que hasta entonces había ganado, pero también era muy diferente a todo lo que había soñado. Se debatió ante la duda de aceptar o no el puesto, tenía la impresión de que esto no era «ella», pero finalmente Steven la convenció de que lo aceptara, y tenía razón. En los tres años pasados había llegado a gustarle. Y a los seis meses de haber aceptado el trabajo, ella y Steven fueron a Reno y se casaron. A él le disgustaban las grandes bodas y los «tormentos familiares», así que para no alterarle ella aceptó. Pero eso también había sido doloroso para sus padres. Ellos soñaban con una hermosa boda en el hogar para su hija menor; en lugar de eso, ella y Steven volaron al este y sus padres se sintieron de todo menos complacidos al enterarse de que ya estaban casados. Su madre lloró, su padre les reprendió, y ellos se sintieron como hijos errantes. Steven se irritó muchísimo con sus padres y, como de costumbre, Adrian tuvo un altercado con su hermana Connie. En esa ocasión, Connie estaba embarazada de su tercer y último hijo y, como siempre, le hizo sentir mal, como si realmente hubiera hecho algo muy feo.

—Mira, no queríamos una gran boda. ¿Es eso un crimen? Las grandes ceremonias ponen nervioso a Steven.

¿Para qué armar un escándalo por esto? Tengo ya veintinueve años y supongo que puedo casarme de la forma que se me antoje.

—¿Por qué tienes que herir a mamá y a papá? ¿No puedes hacer un esfuerzo por una vez en tu vida? Vives casi a cinco mil kilómetros de distancia, haces lo que te da la gana. Jamás estás aquí para ayudarles ni para hacer nada por ellos... —y finalmente la voz de su hermana se quebró de forma acusadora, mientras Adrian la miraba preguntándose cuánta amargura se iba acumulando entre ellas, y cuánto empeoraría su relación. Últimamente la relación entre ellas francamente la deprimía.

—Tienen sesenta y dos y sesenta y cinco años. ¿Qué ayuda necesitan? —le preguntó Adrian y Connie se puso lívida.

—Mucha —dijo Connie—. Charlie viene cada vez que nieva y le ayuda a limpiarla para sacar el coche. ¿Has pensado en eso alguna vez? —había lágrimas en los ojos de Connie, y Adrian sintió un imperioso deseo de pegarle.

—Tal vez deberían trasladarse a Florida y ponernos las cosas más fáciles a ambas —dijo Adrian suavemente.

Connie estalló en lágrimas.

—Eso es todo lo que sabes, ¿verdad? Arrancar. Esconderte en el otro extremo del país.

—Connie, no me escondo. Llevo una vida allí.

—¿Y qué haces? ¿Trabajar de recadera en un equipo de producción? Eso es una mierda y tú lo sabes. Crece, Adrian. Sé como el resto de nosotras, sé una esposa, ten hijos, si vas a trabajar, al menos haz algo que valga la pena. Pero por lo menos levántate y sé normal.

—¿Como quién? ¿Como tú? ¿Eres tú normal porque eras enfermera antes de tener hijos, y yo no valgo nada porque tengo un trabajo que tú no entiendes? Bueno, quizá te interese saber algo de mi trabajo en informativos. Se llama ayudante de producción, tal vez lo entiendas algo mejor.

Pero le desagradaba la virulencia que se había metido en su relación con los años. Nunca había habido mucha intimidad entre ellas, pero antes al menos habían sido amigas o aparentado serlo. Ahora ese barniz de amistad había desaparecido y no quedaba nada, sino la rabia de Connie porque Adrian se había marchado, era libre y hacía lo que deseaba en California. Y Adrian no les había contado que ella y Steven habían acordado no tener hijos. Esto era algo que significaba mucho para él, después de los horrores de su infancia. Adrian no estaba de acuerdo con él, pero sabía que él atribuía la desgracia de sus padres al hecho de haber tenido hijos, o demasiados hijos. Pero hacía ya tiempo que él le había advertido que los hijos no estaban en sus planes y deseaba estar seguro de que Adrian aceptaba plenamente este acuerdo. Más de una vez había hablado de vasectomía, pero ambos temían que esto pudiera tener repercusiones físicas. Entonces él la urgió a que se hiciera ligar las trompas, pero ella no quiso comprometerse a hacerlo, porque le pareció demasiado radical, y finalmente adoptaron métodos alternativos de asegurarse no tener hijos. A veces Adrian se entristecía al pensar que jamás tendría hijos, pero era un sacrificio que estaba dispuesta a hacer por él. Sabía lo importante que esto era para él. Él quería hacer su carrera sin estorbos y deseaba que ella también estuviera libre para hacer la suya. Él la apoyaba totalmente en su trabajo. Y en los tres años que llevaba trabajando en informativos había llegado a gustarle el trabajo, aunque de vez en cuando echaba de menos sus antiguos programas, sus películas, miniseries y especiales para televisión. Y más de una vez había hablado de dejar los informativos y buscarse un trabajo en alguna serie.

—¿Y cuando se acabe? —decía siempre Steven—. Entonces ¿qué? Te quedas sin trabajo, vuelves al punto de partida. Quédate en los informativos, cariño, eso nunca se va a acabar..

Él tenía terror a perder el trabajo, a quedar en el paro, a perder oportunidades, a no seguir la ruta estelar hacia la cima.

Steven mantenía fija su mirada en sus objetivos, y sus objetivos siempre estaban en la cima. Y ambos sabían que lo conseguiría.

Los dos años y medio de matrimonio habían sido plenos para ambos. Habían trabajado mucho, lo habían hecho bien, habían hecho algunas amistades, el año anterior habían viajado bastante después de haberse comprado una casita realmente hermosa en una urbanización. Una casa de ciudad del tamaño perfecto para ellos, con un segundo dormitorio que utilizaban como estudio, un gran dormitorio en la segunda planta, sala de estar, comedor, una enorme cocina donde a Adrian le gustaba hacer trabajitos para el pequeño jardín los fines de semana. Había una piscina para uso de todos los propietarios de la urbanización, una pista de tenis y un garaje para dos coches, para su MG y para el nuevo y brillante Porsche negro. Él seguía insistiendo en que vendiera su coche, pero ella jamás lo haría. Lo tenía hacía trece años, lo había comprado en Stanford de segunda mano y aún le tenía cariño. Adrian era una persona a la que le gustaba conservar las cosas viejas; Steven era una persona que siempre estaba buscando lo más nuevo. Y sin embargo, formaban un buen equipo. Él le daba a ella un sentido extra de impulso y empuje que ella no hubiera tenido sola, y ella le suavizaba algo sus bordes ásperos. No lo suficiente, en opinión de muchos. Su hermana Connie y su cuñado Charles continuaban odiándole, y sus padres nunca habían llegado a quererle. Esto afectaba la relación de Adrian con sus padres y a veces le dolía comprender cuánto se había alejado de ellos. Pero, a pesar de lo mucho que quería a sus padres, pensaba que debía en primer lugar su fidelidad a Steven. Él era el hombre cuya cama compartía, cuya vida estaba ayudando a edificar, cuyo futuro estaba forjando. Y por mucho que amara a sus padres, ellos eran su pasado, y Steven era su presente y su futuro. Sus padres también comprendían esto, ya no le preguntaban cuándo iban a ir al este. También habían dejado de preguntarle cuándo iban a tener hijos. Finalmente ella había dicho a Connie que no querían hijos, y estaba segura que su hermana se lo había dicho a sus padres. Para ellos la relación de Adrian y Steven no era natural, a sus ojos eran dos jóvenes hedonistas y egocéntricos que vivían inmersos en la vida disoluta de California, y era inútil intentar explicarles un punto de vista diferente. Era más fácil limitar las conversaciones, y los padres de Adrian ya no se ofrecían a venir a visitarlos.

Pero Adrian no iba pensando en sus padres cuando tomó la salida a Fairfax Avenue por la autopista de Santa Mónica esa noche. Sólo podía pensar en Steven. Sabía lo cansado que estaría, pero había comprado una botella de vino blanco, algo de queso y los ingredientes para prepararle una buena tortilla. Había una sonrisa en su rostro cuando aparcó su coche en el garaje junto al Porsche. Él estaba en casa, y lo único que sentía era no haber podido ir al aeropuerto a recogerle. Había tenido que trabajar en el turno de tarde, como solía hacer, firme en su puesto para el productor, ya que era su ayudante número uno.

Era un trabajo interesante, le gustaba, pero había ocasiones en que resultaba también muy fatigoso.

La llave giró con facilidad en la cerradura; al entrar vio que todas las luces estaban encendidas, pero al principio no le vio.

—Hola... ¿hay alguien en casa?

Había música puesta y su maleta estaba en el vestíbulo, pero no vio su maletín; entonces le vio a él en la cocina hablando por teléfono, con su cabellera casi negra azabache algo despeinada, con la cabeza inclinada tomando notas; ella supuso que estaba hablando con su jefe. Él parecía no verla siquiera mientras escribía y hablaba; ella se acercó y le rodeó con sus brazos y le besó. Él la miró con una sonrisa y suavemente la besó en la boca, mientras continuaba escuchando a su jefe sin perderse ni una palabra. Después la hizo suavemente a un lado para seguir hablando.

—Sí... eso es lo que le dije. Dijeron que vendrían a nosotros la próxima semana, pero yo creo que si jugamos duro con ellos, vendrán antes. De acuerdo... de acuerdo... eso es exactamente lo que yo pienso... muy bien... hasta mañana por la mañana.

Entonces, de pronto estaba en sus brazos, él la abrazaba fuerte, y todo volvía a estar bien en el mundo. Ella siempre estaba feliz cuando estaba con él, siempre segura de que ése era su lugar. Y mientras le besaba pudo pensar en lo mucho que lo había extrañado. Él la besó fuerte y largo y cuando la hizo a un lado ella estaba sin aliento.

—Dios, Dios... es maravilloso tenerte en casa de nuevo, señor Townsend.

—No puedo decir que me moleste verte —dijo él sonriéndole con picardía y poniéndole las dos manos en el trasero mientras la estrechaba contra él—. ¿Dónde has estado?

—En el trabajo. Traté de librarme del informativo de las once esta noche, pero no había nadie disponible. En el camino pasé a comprar algo para comer. ¿Tienes hambre?

—Sí —dijo él sonriendo feliz, pero no pensando en lo que ella traía en las bolsas marrones—. La verdad es que tengo hambre.

Apagó la luz de la cocina con el interruptor que estaba detrás de él y Adrian se rió.

—No es eso lo que quería decir. Compré vino y... —él volvió a besarla en la boca.

—Más tarde, Adrian, más tarde —y la condujo suavemente hacia las escaleras, olvidadas sus maletas en el vestíbulo, abandonadas las compras en el suelo de la cocina, y él la miró hambriento mientras ella se quitaba la ropa, aumentó el volumen de la música y la atrajo hacia la cama junto a él.

3

Al día siguiente ambos salieron al trabajo a la misma hora. Era una rutina que cada mañana funcionaba como un reloj. Steven salía a correr un poco y luego volvía y hacía sus ejercicios en la bicicleta mientras se afeitaba y miraba las noticias, y mientras tanto Adrian preparaba un desayuno ligero. Ella ya se había duchado y vestido. Él se duchaba y vestía mientras ella limpiaba la cocina y hacía la cama. Los fines de semana él le ayudaba, pero durante la semana estaba demasiado ocupado y con prisa como para poder ayudarle.

Adrian siempre miraba el informativo de la mañana y todo cuanto podía del programa «Hoy» antes de irse al trabajo. Si había algo de interés lo comentaban. Pero generalmente no conversaban mucho en la mañana. Esta mañana era diferente, sin embargo. La noche anterior habían hecho el amor dos veces, y Adrian se sentía locuaz y afectuosa mientras le besaba y le alcanzaba una taza de café. Él aún estaba mojado con la carrera, pero incluso con el pelo mojado y la camiseta pegada al cuerpo, Steven Townsend era guapo como una estrella de cine. Esto era otra cosa que le había hecho destacar cuando luchaba por irse de Detroit y alejarse de sus padres. Era demasiado listo, demasiado ambicioso y demasiado guapo para esa vida en que había nacido. Adrian era hermosa también, a su modo, pero esto era algo en lo que jamás pensaba. Estaba demasiado ocupada viviendo su vida como para pensar en su apariencia, excepto cuando se arreglaba para salir con Steven. Pero tenía un aspecto limpio, sano, y su belleza natural sobresalía en el mundo artificial en que vivían. Pero ella era totalmente inconsciente de su propia belleza y era raro que Steven se la hiciera notar. Él siempre estaba preocupado por otras cosas, por su propia vida y su profesión. Había veces en que escasamente la veía.

—¿Pasa algo especial hoy? —dijo mirándola despreocupadamente por encima del periódico mientras tomaba su desayuno. Ella había calentado los panecillos de arándanos que había comprado la noche anterior y le había preparado una abundante macedonia de frutas con yogur.

—No, que yo sepa. Veré lo que sucede cuando llegue. Al parecer no había nada espectacular que hubiera sucedido en el informativo de la mañana, pero nunca se sabe. Podrían disparar al presidente mientras estamos sentados aquí desayunando.

—Sí —él estaba mirando las cotizaciones de Bolsa y pasando las páginas de negocios mientras hablaba—. ¿Trabajas hasta tarde esta noche?

—Puede ser. No lo sabré hasta esta tarde. Un par de personas están de vacaciones y estamos escasos de personal. Tal vez tenga que ir hasta el fin de semana.

—Espero que no. ¿Te has acordado de la fiesta de mañana por la noche en casa de los James?

Sus ojos se encontraron y ella le sonrió. Nunca creía que ella se acordara de nada. Aunque fuera la ayudante de producción de los informativos de una importante cadena de televisión.

—Naturalmente que me acuerdo. ¿Es una fiesta muy importante?

Él asintió, serio, como siempre que se trataba de su trabajo, pero esto era algo a lo que ya estaba acostumbrada.

—Todo el que es alguien en el mundo de la publicidad estará allí. Sólo deseaba estar seguro de que lo recordabas —dijo y ella asintió y él miró su reloj y se puso de pie—. Esta tarde a las seis voy a jugar a squash. Si trabajas hasta tarde no vendré a casa a cenar. Déjame recado en la oficina.

—Sí, señor. ¿Hay alguna otra cosa que deba saber antes de que comencemos el día y desaparezcamos en nuestros respectivos mundos?

Él se quedó sin expresión por un instante, tratando de recordar, y luego negó con la cabeza y la miró mientras ella seguía sentada a la mesa de la cocina. Pero sus pensamientos ya estaban lejos de ella. Estaba pensando en dos nuevos clientes a los que deseaba abordar y en un cliente al que proyectaba apartar de otro empleado más antiguo del lugar en que trabajaba. Era algo que había hecho con éxito anteriormente, con otros clientes, y era un *modus operandi* del que no se avergonzaba ni al que temía en lo más mínimo. El fin justifica los medios; esto siempre había sido así para él. Ya lo tenía muy claro dieciséis años atrás, cuando ganó la beca para la universidad de Berkeley a su mejor amigo. El chico estaba mejor preparado en realidad, pero Steven también sabía que había hecho trampas en uno de los primeros exámenes, y se las arregló para que esto lo supieran las personas adecuadas en el momento adecuado. Por muy excelentes y justas que hubieran sido sus notas desde entonces, y aunque hubiera ayudado a Steven en todos los exámenes, en los primeros y últimos años de estudio. Y eran íntimos amigos... pero al fin y al cabo había engañado una vez en los exámenes... y esto le descalificaba. Y Steven se marchó de Detroit sin volver jamás la vista atrás. Nunca volvió a saber de su amigo. Su hermana le había contado hacía unos años que Tom había dejado el colegio y estaba trabajando en una gasolinera en algún lugar del gueto. Las cosas resultaban a veces de esa manera. La supervivencia de los mejor dotados. Y Steven era dotado. En todas las formas posibles. Se quedó mirando a Adrian un momento y después se volvió y subió corriendo las escaleras para ducharse y cambiarse antes de salir para la oficina.

Ella aún estaba en la cocina cuando él bajó impecablemente vestido, de traje caqui con una camisa azul celeste y corbata azul como amarillo. Con su resplandeciente cabello negro parecía una estrella de cine, o una imagen de anuncio publicitario por lo menos. Siempre impresionaba a Adrian un poco, cuando le miraba: era tan increíblemente guapo...

—Estás muy guapo, chico.

Él pareció complacido por el cumplido y la miró mientras ella se ponía de pie y cogía el pesado bolso que siempre llevaba al trabajo. Era un bolso de cuero negro Hermès que tenía desde hacía muchos años y al que quería como a su viejo coche deportivo. Llevaba una falda de lana azul marino, blusa de seda blanca y un suave suéter de cachemira anudado en el hombro. Sus zapatos eran negros, italianos y caros, y toda su apariencia era de elegancia informal, despreocupada y cara. Una apariencia informal y como de poca importancia, pero a una segunda mirada se advierte estilo y emanan de ella todas las palabras del código secreto del buen gusto y buena crianza. Adrian tenía un estilo informal maravilloso y, con toda su despreocupación, había un algo en ella que la hacía hermosa y llamativa. Al salir ambos juntos de la casa, formaban una hermosa pareja. Él se subió a su Porsche y ella a su MG, riéndose de la cara que él ponía. A él le avergonzaba que le vieran cerca de su coche y la había estado amenazando con hacerla aparcar su vejestorio en la zona de aparcamiento abierta delante del condominio.

—¡Eres un esnob! —le dijo riéndose.

Él movió la cabeza, y al momento siguiente ya había desaparecido con un rugido del potente motor, mientras Adrian se colocaba una bufanda alrededor de la cabeza y ponía en marcha su amado y viejo coche, escuchando feliz cómo adquiría vida, y luego emprendía rumbo a su oficina. La autopista ya estaba atestada de coches tocándose, y a los pocos minutos se encontraba en un atasco, con el coche detenido. Se preguntó cómo le habría ido a Steven, y al pensar en él, de pronto la asaltó otro pensamiento, algo que rara vez le sucedía. Tenía un retraso de la regla. Hacía dos días que debería haberle venido, pero sabía que esto no significaba nada. Con el extraño horario de trabajo que hacía, y el constante estrés, no era extraño que se le retrasara, aunque tenía que reconocer que esto no le sucedía muy a menudo. Tomó nota mental de volver a pensar en ello dentro de unos días; entonces comenzó a moverse el tráfico nuevamente, y apretó el acelerador y se dirigió a la oficina.

Cuando llegó, había un caos total. El director ausente por enfermedad, dos de los mejores cámaras habían sufrido un accidente de poca importancia, dos de sus reporteros menos favoritos estaban enzarzados en una acalorada discusión junto a su escritorio y ella finalmente acabó gritando a todo el mundo, lo que tomó a todos por sorpresa porque muy rara vez perdía la paciencia.

—Pero, por favor, ¿cómo demonios creéis que alguien va a poder trabajar aquí? Si queréis pelear, id a hacerlo a otro sitio.

Se había estrellado un avión en el que viajaba un senador, y los reporteros que estaban en el lugar del accidente acababan de llamar para decir que no había ningún superviviente. Una importante actriz de cine se había suicidado esa noche, y dos de los favoritos de Hollywood acababan de anunciar que se casaban. En México, un terremoto se había cobrado cerca de mil vidas. El día se presentaba como para producir úlceras. Pero por lo menos, la vida era interesante para ella, eso era lo que le decía Steven cuando se quejaba. ¿Es que quería acaso vivir en un mundo de fantasía, trabajando en miniseries o en programas especiales sobre las damas de Hollywood? No, pero le habría gustado trabajar en alguna serie de las horas de mayor sintonía, y ella sabía que tenía la suficiente experiencia ya como para hacerlo. Pero también sabía que jamás convencería a Steven de que un trabajo como ése era digno de ella.

—¿Adrian?

—¿Sí?

Durante un minuto había dejado volar su mente hacia lo que no era y podría haber sido, y no tenía tiempo para eso, no ese día por lo menos. A estas alturas, ya era fácil suponer que no iba a cenar con su marido esa noche. Le pidió a alguien que le llamara para comunicárselo y se volvió al ayudante que le estaba hablando. Había habido una inundación en el plató y tendrían que utilizar otro estudio, pero ya estaba todo dispuesto y no había necesidad de alarmarse.

Ya eran las cuatro cuando almorzó, y las seis cuando recordó llamar a Steven. Pero a esa hora él ya estaría jugando su partido de squash con sus amigos del trabajo, y de todas maneras él ya sabía que ella trabajaría hasta tarde. Como siempre cuando se preparaba para una larga tarde de trabajo, le asaltó repentinamente una extraña sensación de soledad. Era viernes y esa noche todo el mundo estaría fuera o en su casa, o con amigos, o preparándose para alguna cita, o cómodamente sentado leyendo un buen libro, y ella estaba en el trabajo, escuchando informes policiales de homicidios o accidentes fatales, o leyendo télex de tragedias en todo el mundo. Era como una triste forma de pasar un viernes por la noche; entonces se sintió tonta por pensar eso.

—Tienes aspecto triste esta noche —le dijo Zelda, una de las ayudantes de producción, trayéndole café en una taza de vinilo.

Adrian sentía gran simpatía por Zelda, era una de sus favoritas, siempre dispuesta para la broma, y era todo un personaje. Algo mayor que Adrian, con varios divorcios en su haber, era una especie de espíritu libre. Tenía una reluciente cabellera roja que surgía de su cabeza como llamas incontroladas, y un sentido del humor igualmente incontrolado.

—Sólo estoy cansada, supongo. Este lugar a veces me agobia.

—Por lo menos sabemos que todavía estás cuerda —le dijo Zelda sonriendo. Era una mujer guapa; Adrian suponía que tendría unos cuarenta años.

—¿Nunca te cansas de este lugar? Jo, las noticias son siempre tan deprimentes.

—Jamás las escucho —y se encogió de hombros con diferencia—. Y la mayoría de las noches voy a bailar cuando salgo de aquí.

—Creo que haces bien.

La mayoría de las noches Adrian se iba a casa, y Steven ya estaba profundamente dormido y roncando. Pero al menos desayunaban juntos por la mañana y siempre estaban los fines de semana.

Adrian se entregó a su trabajo durante las cuatro horas siguientes, luego verificó que todo estuviera dispuesto en el estudio para el informativo de la noche, conversó con los chicos del control y leyó las últimas noticias. Fue en realidad una noche muy tranquila, y no veía la hora de llegar a casa y ver a Steven. Sabía que él cenaría fuera con amigos, pero estaba segura de que estaría en casa cuando ella terminara su trabajo. Muy rara vez se quedaba fuera hasta tarde, a no ser que hubiera algo que ganar con ello, como por ejemplo algún negocio importante con un cliente.

El último informativo fue muy bien, como era de esperar, y a las once y media ya estaba de camino a casa por la autopista de Santa Mónica. Faltaban cinco minutos para la medianoche cuando estaba a la puerta de su casa y las luces del dormitorio estaban aún encendidas, y su corazón saltaba de alegría mientras subía los escalones de a dos hacia el dormitorio. Se puso a reír al verlo. Steven estaba profundamente dormido a su lado de la cama, con los brazos extendidos como un niño, cansado y relajado después de un arduo día en la oficina seguido por un animado partido de squash y cena temprana. Estaba fuera de juego, y ningún ruido o actividad a su alrededor le despertaría.

—Bueno, príncipe encantador —susurró Adrian con una sonrisa, sentándose junto a él ya vestida con su camisón—, parece que hay que callarse, como dicen en mi trabajo.

Lo besó delicadamente en la mejilla y él ni siquiera se movió. Ella apagó la luz y se acurrucó en su propio lado de la cama. Allí acostada volvió a recordar que no le venía la regla, pero sabía que probablemente eso no significaba nada.

4

Eran las diez menos cuarto cuando despertó Adrian a la mañana siguiente. Hasta ella llegaban los efluvios del beicon y los ruidos de Steven en la cocina. Sonrió y se acomodó en la cama. Cuánto quería los sábados, tenerlo a él en casa. Le encantaba que le trajera el desayuno a la cama y después hacer el amor.

Estaba pensando en esto cuando le oyó subir las escaleras. Venía canturreando, chocó la bandeja contra la puerta al entrar; en la planta baja sonaba el estéreo con música de Bruce Springsteen.

—Despierta, dormilona.

Él le sonrió mientras colocaba la bandeja a su lado y ella se estiró y le devolvió la sonrisa. Era como una visión de virilidad joven y hermosa. Aún tenía el pelo húmedo de la ducha que se había dado antes de que ella despertara, y llevaba puesto su blanco equipo de tenis. Sus largas y bien formadas piernas estaban bronceadas y, desde su posición en la cama, sus hombros le parecían enormes.

—Sabes, eres muy mono para ser un chico que sabe cocinar —le dijo sonriendo y apoyándose en un codo.

—Y tú también, gandula. —Él se sentó junto a ella en la cama y ella se rió de él.

—Deberías haberte visto desvanecido allí anoche.

—Tuve un día duro y quedé agotado después de jugar al squash —se le notaba algo avergonzado y la compensó con un prometedor beso cuando ella comenzaba a dar un bocado al beicon.

—¿Vas a jugar al tenis hoy? —preguntó ella. Le conocía muy bien. A él le gustaban los deportes competitivos, sobre todo el squash y el tenis.

—Sí. Pero no antes de las once y media —miró su reloj y le sonrió y ella volvió a reírse, pero antes de poder decir algo él ya se había quitado sus ropas de tenis y metido en la cama junto a ella.

—¿De qué va esto ahora, señor Townsend? ¿No le va a debilitar esto para su partido de tenis? —le gustaba hacerle bromas acerca de la seriedad con que se tomaba el tenis.

—Tal vez —dijo él pensativo, y ella volvió a reírse. Luego se volvió hacia ella con una sonrisa sensual—: Pero también podría ser que valieras la pena.

—¿Podría ser? ¿Podría ser?... Desde luego, tienes mucha cara.

Pero él la silenció con un beso y a los pocos minutos ambos habían olvidado su partido de tenis; a la media hora, ella reposaba satisfecha en sus brazos mientras él le acariciaba su cabello negro que le caía sobre la mejilla. Ella ronroneaba.

—Personalmente... —dijo ella—, preferiría hacer esto antes que jugar al tenis cada día... —abrió un ojo y levantó la cabeza para besarle.

—Yo también —dijo él estirándose perezosamente. Una hora después le fastidió tener que levantarse, volver a ducharse y salir para jugar con un hombre que vivía en el mismo complejo residencial y que Steven sólo conocía como «Harvey».

—¿Vendrás a comer? —le preguntó Adrian.

Steven contestó a voces que él mismo se prepararía una ensalada cuando volviera, y volvió a recordarle que aquella noche tenían que ir a la fiesta de los James a las siete. Pero esto a ella le iba a resultar muy justo. La noche anterior se había enterado de que tendría que estar en el trabajo para el informativo de la tarde y después tendría que volver nuevamente para el informativo de la noche. Esto significaba que tendría que vestirse para la fiesta antes de ir al trabajo, luego apresurarse para volver a casa a encontrarse con Steven para ir a la fiesta, o tal vez mejor, encontrarse con él allí, y luego irse de la fiesta a una hora decente para volver al trabajo. Pero ella sabía que esta fiesta era importante para él, y por muy agitada que le resultara su jornada, estaba dispuesta a acompañarle. Siempre trataba de no fallar a Steven, y en especial, a no permitir que su propio trabajo interfiriera en su vida doméstica. A diferencia de Steven, que viajaba mucho tiempo, pero a ella le facilitaba trabajar hasta tarde cuando tenía que hacerlo.

A las dos de la tarde regresó Steven, mojado y sonriente por su victoria. Había ganado a Harvey con facilidad.

—Está gordo y en baja forma; después del segundo set me confesó que no había dejado de fumar. El pobre bastardo ha tenido suerte de que no le diera un infarto en medio de la pista.

—Supongo que jugaste suavemente con él —le dijo Adrian desde la cocina, donde acababa de prepararle una limonada, pero ambos sabían que probablemente no.

—No se lo merecía. Francamente, es una especie de pelmazo.

Ella también le tenía preparada la ensalada; puso ambas cosas frente a él y le dijo que tenía que ir a trabajar antes de la fiesta, pero a él no pareció importarle. Tampoco pareció importarle cuando le dijo que después tendría que volver para el informativo de la noche.

—Vale. Puedo conseguir que alguien me traiga a casa. Puedes llevarte mi coche.

—Incluso puedo venir a recogerte —dijo ella mirándole compungida—. De verdad, lo siento. Si no hubiera gente de vacaciones y el director no estuviera enfermo...

—No tiene importancia. Mientras puedas ir un rato, todo perfecto.

Ella le miró interrogante mientras él se servía la ensalada que le había preparado.

—¿Por qué es tan importante para ti esta fiesta, cariño? ¿Pasa algo importante que yo no sepa? Tal vez otro ascenso.

Él puso expresión misteriosa durante un momento y luego le dirigió una radiante sonrisa.

—Si todo va bien esta noche, es posible que me consiga a IMFAC como cliente, o que al menos pueda intentarlo. La semana pasada tuve información confidencial de que no están contentos con la agencia con la que trabajan actualmente, y que andan buscando otra secretamente. Los llamé por teléfono y Mike está francamente entusiasmado con la idea. Incluso puede que me envíe a Chicago el lunes a visitarlos.

—Dios mío, sí que es un cliente importante.

Incluso para él era algo impresionante. IMFAC era uno de los clientes más importantes del país para una agencia de publicidad.

—Sí que lo es. Probablemente estaré fuera toda la semana, pero estoy seguro de que admitirás que vale la pena.

—Ciertamente.

Se echó hacia atrás en la silla y le miró. Era un hombre notable. A sus treinta y cuatro años, sencillamente no iba a parar hasta haber obtenido todo lo que deseaba. Pero era digno de admiración, sobre todo si se tomaban en cuenta sus orígenes. A lo largo de los años, ella había intentado que sus padres entendieran esto, pero al parecer habían decidido hacer caso omiso de sus buenas calidades, y todo lo que hacían era hablar machaconamente sobre el aspecto negativo de sus ambiciones. Como si desear triunfar y salir adelante fuera un delito. Al menos ella no creía que lo fuera. Él tenía derecho a realizar lo que deseaba, ¿verdad? Y para él ganar era una necesidad. A veces ella incluso sentía lástima de él, porque su necesidad era enorme. Le dolía casi físicamente cuando perdía, hasta en el tenis.

Steven volvió a jugar al tenis esa tarde. Aún estaba jugando cuando Adrian se fue al trabajo; le prometió volver a recogerle a las siete en punto. Cuando vino a recogerle, él la estaba esperando, guapo, con chaqueta nueva, pantalones blancos y una corbata roja que ella le había regalado. Estaba fabuloso, y así se lo dijo. Él también le dijo que estaba guapa. Ella llevaba un traje de seda verde esmeralda con zapatos a juego. Se había lavado el pelo, que resplandecía como el ónice. Pero al subirse al Porsche junto a él notó que estaba nervioso e inquieto. Con un cliente del tamaño de IMFAC a la vista, era comprensible.

Durante el camino hacia Beverly Hills ella habló con él de trivialidades, y se quedó impresionada al ver la casa. Mike James era el jefe de Steven; su esposa era una de las decoradoras más caras de Beverly Hills. Era la fiesta de inauguración de la casa, y llevaba meses oyendo acerca de las multimillonarias e interminables restauraciones de ella. De todas formas, los resultados eran impresionantes.

Ya había unas doscientas personas reunidas allí cuando hicieron su entrada; casi de inmediato perdió de vista a Steven y se encontró vagando entre los muchos bares y mesas, escuchando retazos de conversaciones.

La gente hablaba de sus hijos, de sus matrimonios, trabajo, viajes y casas. Varias personas se acercaron a conversar con Adrian, pero ella no conocía a nadie, por lo que estuvo más bien callada, quedándose poco rato en cada grupo. Más de una vez notó, como le sucedía con frecuencia últimamente, que cuando la gente se enteraba de que estaba casada, le preguntaba si tenía hijos. Decir que no la hacía sentir rara a veces. Era como si no tener hijos fuera algo así como un fracaso. Por muy importante que fuera el trabajo que tenía y que sólo tuviera treinta y un años. Las mujeres que tenían hijos estaban orgullosas de sí mismas: durante este tiempo, Adrian estuvo pensando si no se habría perdido algo cuando ella y Steven habían decidido no tener hijos. Nada estaba escrito sobre piedra, por supuesto, y no era como si no pudieran cambiar de decisión, pero ella conocía las firmes convicciones de Steven acerca de esto; a ellas se debían precisamente las ráfagas de angustia que sentía cada vez que recordaba el retraso de la regla. Y día a día ésta parecía retrasarse más.

Esa tarde había pensado en comprarse uno de esos tests para hacerse en casa, pero le pareció algo prematuro, y además no había por qué reaccionar con exageración cuando eran sólo unos pocos días de retraso... pero, ¿y si estaba embarazada? Se quedó sola mirando el paisaje; un hombre se le acercó a conversar y le ofreció una copa de champaña, pero en realidad no sentía interés por conversar con él. Cuando él se marchó, repentinamente se encontró pensando: ¿Qué sucedería si realmente fuera a tener un hijo? ¿Qué diría ella? ¿Qué haría Steven? ¿Sería de verdad tan terrible? ¿O sería maravilloso? ¿Estaría él equivocado en su violenta actitud en contra de los hijos? ¿Se entusiasmaría ante la idea finalmente? ¿Y ella? ¿Le dificultaría el trabajo? ¿Acabaría su carrera para siempre, o continuaría como estaba después del permiso maternal? Otras mujeres lo hacían. Al parecer, eso no significaba el fin del mundo para otras personas. Tenían hijos y trabajaban, y no era tan espantoso, ¿o sí? No estaba segura. Y mientras estaba sumida en estos pensamientos, apareció de pronto Steven a su lado.

—Hecho —dijo con amplia sonrisa.

—¿El trato? —se encontró sorprendida. Había estado tan inmersa en sus propios pensamientos que se llevó un susto cuando le vio aparecer a su lado; llegó a temer que él pudiera escuchar sus pensamientos o adivinar lo que estaba pensando.

—No, aún no he cerrado el trato. Pero Mike quiere que vuele con él a Chicago el lunes. Vamos a tener algunas conversaciones muy privadas con ellos, a analizar nuestra filosofía y la de ellos. Y si todo va bien, que así será, la siguiente semana volveré a ir solo a exponer nuestra oferta.

—¡Guau, Steven, es fabuloso!

Él parecía pensar lo mismo cuando la besó. Él se permitió tomar dos vasos y aún sonreía de oreja a oreja cuando la acompañó al coche al marcharse ella para volver al trabajo. La dijo que ya conseguiría que alguien le pasara a dejar a casa y que no se molestara en volver a la fiesta al salir del trabajo, porque no pensaba quedarse hasta tarde. Al alejarse ella en el coche él le envió un adiós con la mano y después volvió a acercarse a su anfitrión. Para Steven había sido una noche fabulosa.

No lo había sido tanto para Adrian; de pronto, incluso en medio de esta increíble oportunidad para Steven, no pudo pensar en otra cosa que no fuera si estaba o no embarazada. La idea la atormentó durante todo el informativo de la noche, y aún seguía preocupada cuando volvía de regreso a casa; de pronto, con un rápido giro salió a la cuneta y decidió detenerse en alguna tienda de servicio permanente. Steven no tenía por qué saberlo. No tenía por qué decirle nada. Pero repentinamente, ella quiso saber... y si no esta noche... pronto. Si compraba el test ahora, podría hacerlo en cualquier momento en que se sintiera con valor suficiente. Incluso podría hacerlo mientras Steven estaba en Chicago.

Compró el aparatito, pidió al farmacéutico que se lo

pusiera en una bolsa de papel y lo metió en lo más hondo de su bolso; después volvió al Porsche y reemprendió el viaje al apartamento.

Cuando llegó, Steven ya estaba en casa, en la cama y medio dormido, pero con una expresión de felicidad suprema en su rostro. Estaba convencido de que iba a Chicago a hacer el negocio de toda una vida.

5

En su casa, en la urbanización donde vivía, contemplando la oscuridad de la noche del sábado a través de la ventana, William Thigpen se sentía de todo excepto feliz. Había escrito un rato, comprado comida china, había llamado a sus hijos a Nueva York, mirado televisión y estaba comenzando a sentir el peso de su soledad. Era la una de la mañana y decidió probar suerte y llamar por teléfono a Sylvia a su habitación del hotel en Las Vegas. Tal vez ya habría llegado; en el peor de los casos, siempre tenía la posibilidad de dejarle un mensaje. El teléfono sonó unas doce veces; como nadie contestó, esperó a escuchar a la operadora de la centralita para dejar el mensaje, y entonces escuchó, pero era la cascada voz de un hombre que parecía medio dormido.

—¿Sí? —fue todo lo que dijo mientras Bill esperaba.

—Deseo dejar un mensaje para la habitación 402 —dijo secamente Bill.

—Ésta es la 402 —gruñó la voz—. ¿Qué desea?

—Debo tener mal el número de la habitación, disculpe... —y de pronto dudó.

—... alguna llamada? —la voz cascada le preguntaba a alguien en la distancia, y entonces se sintieron murmullos de conversación con una mano tapando el teléfono, y de pronto la voz de Sylvia en el auricular, al parecer muy nerviosa. Habría sido más inteligente no contestar la llamada pero no se le ocurrió, y ella sabía que probablemente era Bill que la llamaba desde Los Angeles.

—Hola... ha habido una tremenda confusión —comenzó a explicarle y Bill casi soltó la risa ante lo absurdo de la situación—. Se olvidaron de reservar la mitad de las habitaciones y estamos cuatro compartiendo una habitación.

Era hermoso. Era una historia digna de su telenovela; él estaba al centro, sintiéndose como si estuviera observando la vida de otra persona en lugar de la suya propia.

—Eso es ridículo, Sylvia... ¿Qué demonios sucede? —hablaba como un amante indignado, pero lo extraño era que no se sentía indignado. Se sentía estúpido, como si le hubieran engañado, pero la verdad es que ni siquiera se sentía enfadado. Sólo se sentía tonto y decepcionado. Había sido algo agradable por un tiempo, pero era más que evidente que ahora se había acabado.

—Yo... de verdad lo siento, Bill... No te lo puedo explicar en este momento. Pero es que todo ha sido tan confuso aquí... yo... —estaba llorando y él se sintió un perfecto imbécil escuchándola. Era él quien la había sorprendido con las manos en la masa, y era él quien deseaba disculparse por estupido.

—¿Por qué no lo hablamos cuando vuelvas?

—¿Me vas a echar de la serie? —le preguntó ella.

Él se sintió triste por ella al escucharla. Él no era ese tipo de hombre, y le dolió que ella no lo supiera.

—Eso no tiene nada que ver con esto, Sylvia. Son dos cosas aparte.

—De acuerdo... lo siento... Estaré de regreso el domingo por la noche.

—Que lo pases bien —dijo él dulcemente y al momento colgó.

Se había acabado.

Nunca debió haber comenzado, pero había comenzado, porque él era perezoso y ella era accesible y rematadamente sexy. Era estupenda; ahora estaba poniendo fuera de combate a otro.

Durante un minuto, Bill se encontró deseando que el hombre de voz cascada le hiciera más feliz de lo que él la había hecho.

Él tenía muy poco para dar a las mujeres de su vida. Tenía demasiado poco tiempo para ellas, y menos interés aún en quedar herido y abrirse al tipo de dolor que había sufrido cuando perdió a Leslie y a sus hijos. Estas aventuras eran siempre fáciles, pero generalmente terminaban así, o con alguna escena similar. Alguien deseaba cambiar y la fiesta se acababa. Durante algún tiempo, él había sabido que ella deseaba algo que él no le podía dar. Tiempo, verdadera dedicación, tal vez incluso amor. Pero todo lo que él podía ofrecer era consideración y algo de diversión, mientras duraba.

Pensó en ella durante un rato mientras contemplaba el cielo nocturno, después brindó por ella con agua mineral y se fue a la cama a pensar sobre su vida. De pronto se sintió solo, y triste de que esto hubiera terminado así, con una llamada a Las Vegas.

Yació despierto largo rato aquella noche, pensando en las mujeres que había habido en su vida esos últimos años, en lo poco que habían significado para él, en lo poco complicadas en realidad que eran todas, en lo sin sentido de sus relaciones con ellas, lo despreocupado de sus vidas sexuales y, mientras se quedaba dormido, se encontró pensando con nostalgia en Leslie, por primera vez en muchos años, y en el tipo de relación que una vez tuvieron. Parecía muchas vidas atrás, y no era. Dudaba de volver a tener eso alguna vez. Tal vez uno lo tenía solo una vez, cuando se era joven. Tal vez nunca se tenía una segunda oportunidad para lo verdadero, y quizás, a fin de cuentas, tampoco importaba.

Finalmente se quedó dormido, pensando no en Sylvia ni en su ex mujer, sino en sus hijos, Adam y Tommy.

Ellos eran lo único que importaba después de todo.

6

El domingo pasó volando entre los preparativos para el viaje de Steven y sus partidos de tenis; Adrian ni siquiera tocó el paquetito que ocultaba en su bolso. Le lavó la ropa, le preparó el almuerzo, para él y tres amigos con quienes jugó unos dobles, y prácticamente no habló con él, aunque él no pareció notarlo. Esa noche fueron al cine. Adrian casi no se enteró de lo que pasaba, y mientras permanecían sentados allí en la oscuridad leyendo los subtítulos de una película sueca, no era capaz de pensar en otra cosa que si estaba o no embarazada. Era una locura, pero en estos dos días pasados se había convertido en una obsesión para ella, aunque todavía no era tan grave el retraso de la regla. Pero en cierto modo tenía como una extraña premonición. No se sentía mal, y su cuerpo no parecía haber cambiado, fuera de los cambios normales de cuando esperaba la regla: los pechos algo abultados, el cuerpo en general algo hinchado y visitas más frecuentes al lavabo; pero ninguno de estos cambios indicaban nada terrible. No obstante, todo lo que deseaba ahora era que Steven se marchara. Deseaba que estuviera fuera del estado para poder descubrirlo tranquila. Tenía que saberlo, pero estaba segura de que si hacía el test estando él allí, de alguna manera se daría cuenta de lo sucedido. Ni siquiera se atrevió a hacerlo cuando él se marchó hacia el aeropuerto el lunes. ¿Y si volvía? Si hubiera olvidado algo... ella estaría en el cuarto de baño con el tubo del test lleno de brillante líquido azul... Si estaba embarazada.

Aún no podía creer que le pudiera haber sucedido a ella, tenían tanto cuidado la mayoría de las veces, pero había habido una vez... una vez... hacía unas tres semanas... tres semanas... Pensó en ello todo el día mientras estaba en el trabajo después que se marchara Steven; después del informativo de las seis se marchó a casa de prisa; nada más entrar, se precipitó escaleras arriba y colocó el tubo en el cuarto de baño. Hizo todo lo que indicaban las instrucciones y se sentó nerviosa en el dormitorio observando el despertador. No se fiaba de su propio reloj de pulsera. Si se ponía azul, significaba... y había que esperar diez minutos, pero a los tres minutos ya no tuvo que esperar más, la suposición estaba confirmada.

No era cuestión de grados, no había necesidad de dudar si el líquido en el tubo había cambiado o no, si tal vez... si podría ser... estaba tan oscuro, tan brillante, era una respuesta tan definitiva que no cabía la menor duda. Se quedó allí de pie inmóvil, luego se sentó al borde de la tapa del water a mirar fijamente el brillante líquido azul del tubo. Mientras lo miraba comprendió sin la menor duda en su mente que, por mucho que Steven lo hubiera deseado o no, por mucho cuidado que hubieran tenido, o fuera lo que fuese lo que se hubieran dicho mutuamente durante estos años... a pesar de todo eso, pensó allí sentada con los ojos hinchados por lágrimas sin derramar, no podía dudar un momento. Estaba embarazada.

El único interrogante era qué iba a decir Steven. Estaba segura de que armaría un escándalo, pero ¿de qué magnitud sería el escándalo? ¿Hasta qué punto hablaría en serio Steven? ¿Sería realmente en serio? ¿Cambiaría de opinión finalmente? ¿Se adaptaría a la idea de tener un hijo, después de todo? Seguramente no habría querido decir todas las cosas horrorosas que había dicho en estos tres años. Seguramente un pequeño niño no significaría un cambio tan terrible. Sólo hacía cinco minutos, tal vez menos, que sabía que estaba embarazada; eso ya era un bebé para ella, ya estaba luchando por su vida, y rogaba que Steven la dejara tenerlo. No podía obligarla a liberarse de él. ¿Y por qué iba a querer que lo hiciera, en todo caso? Era un hombre razonable y éste era su hijo. Se quedó allí, sentada en el cuarto de baño, cerró los ojos y lágrimas de temor comenzaron a rodar por sus mejillas. ¿Qué iba a hacer ahora? Se sentía feliz y triste al mismo tiempo, aterrorizada por lo que tenía que decir a su marido. Él siempre le había dicho en broma que si alguna vez se quedaba embarazada y decidía tener el hijo, la abandonaría. Pero seguro que no lo decía en serio... ¿y si era en serio? ¿Qué haría ella? No quería perderlo, naturalmente, pero ¿cómo podía renunciar a su bebé?

Pasó esa semana fatal, en constante agonía sobre lo que le diría a Steven cuando regresara a casa; cada vez que él la llamaba con noticias más y más impresionantes sobre sus reuniones con IMFAC, ella parecía más y más confusa, distante e inquieta al contestarle, hasta que finalmente, el jueves por la noche, él le preguntó si algo iba mal. Lo que decía casi no tenía sentido y él estaba seguro de que no había escuchado siquiera lo que le había dicho. Las reuniones habían ido fabulosamente bien e iba a regresar a Los Angeles al día siguiente, pero tendría que volver a Chicago el martes próximo.

—Adrian, ¿te encuentras bien?

—¿Por qué? —el mundo pareció detenerse con esas palabras. ¿Qué quería decir? ¿Acaso lo sabía? ¿Cómo podía saberlo?

—No lo sé. Toda la semana has estado rara. ¿Te sientes bien?

—Estoy bien... no... en realidad he tenido fuertes dolores de cabeza. Supongo que sólo es estrés... el trabajo. —En realidad se había sentido mal una o dos veces, lo cual, pensaba, era pura imaginación. Pero el embarazo no era pura imaginación. De eso estaba segura. Se había hecho el test por segunda vez para tener una certeza absoluta.

Las lágrimas le llenaban los ojos mientras le escuchaba. Deseaba que regresara ya, para poder decírselo. Deseaba pasar esto, ser franca con él, para que él pudiera decirle que todo iría bien, y poder ella relajarse y tener su bebé... bebé... era sorprendente, en sólo unos días toda su vida había dado un vuelco, y todo lo que ocupaba su mente ahora era este bebé. Siempre se había sentido perfectamente satisfecha con renunciar a la idea de tener hijos, por él, y ahora de pronto estaba dispuesta a trastornar toda su vida por un bebé desconocido. Estaba dispuesta a cambiar su apartamento, su estilo de vida, su trabajo si era preciso, renunciar a la habitación que utilizaban como estudio, a sus noches tranquilas, a su existencia independiente. Aún le daba miedo cuando lo pensaba, aún le preocupaba lo que sería ser una madre finalmente, aún le asustaba pensar que haría una chapuza de ello, pero a pesar de todo esto sabía que tenía que intentarlo.

Deseaba ir a recogerle al aeropuerto la noche del viernes, pero tuvo que quedarse a trabajar hasta tarde, y no le vio hasta que llegó a casa. Él estaba sacando sus cosas y mirando la televisión. El estéreo estaba puesto, y todo el lugar había renacido a la vida, ahora que Steven estaba de regreso de Chicago. Estaba canturreando cuando ella entró; sonrió al verla.

—Hola, ¿dónde has estado?

—En el trabajo, como siempre —sonrió ella nerviosa y se le acercó lentamente. Cuando él la rodeo con sus brazos ella le abrazó con fuerza como si se fuera a ahogar si lo soltaba un instante.

—Cariño, ¿qué pasa? —él sabía que algo había ido mal durante toda la semana, pero no podía decirlo así. Ahora, al verla, le pareció que estaba bien; entonces, con un sentimiento de consternación, se le ocurrió que quizá la habían despedido del trabajo y que ella no se atrevía a decírselo por vergüenza. Como que a él le iba tan bien en su trabajo, tal vez ella tenía miedo de decírselo. Y era un trabajo tan bueno, también, de verdad que lo iba a sentir si ella lo perdía—. ¿Es el trabajo? ¿Es que...? —se detuvo al ver la expresión de sus ojos. No sabía qué era, pero supo inmediatamente que había sucedido algo grave. La sentó en la cama junto a él rodeándola con el brazo, con el deseo de ofrecerle todo el apoyo posible. Podía permitírselo ahora, a él le iba tan bien la vida, y Mike ya le había dicho que tendría un enorme ascenso si la agencia conseguía a IMFAC—. ¿De qué se trata?

Ella le miró con los ojos empañados por las lágrimas, y por un momento no fue capaz de pronunciar una palabra. Éste debería haber sido el momento más feliz de su vida de casados, pero debido a las cosas que él le había dicho en el pasado, era en cambio el momento más aterrador.

—¿Te han despedido?

Ella negó con la cabeza, con más lentitud esta vez, y con los ojos fijos en los de él con muda desesperación.

—No... —dijo, y luego tomando un rápido aliento y rogando para que él lo aceptara, añadió—: Estoy embarazada.

Se hizo un silencio eterno en la habitación, en el que ella podía escuchar los latidos de su propio corazón y la respiración de él mientras la abrazaba. De pronto él se apartó con violencia y se puso de pie para mirarla con callada desesperación.

—No lo dices en serio, ¿verdad, Adrian?

—Sí, es en serio —ella ya sabía que esto iba a ser un

golpe para él. También lo había sido para ella, pero había sucedido por una honrada equivocación.

—¿Me has engañado?

—No —contestó ella, moviendo la cabeza con solemnidad—. No. Sencillamente ha sucedido.

—¡Qué mala suerte! —algo en su rostro se heló y ella al mirarlo se sintió invadida por el terror—. ¿Estás segura?

—Absolutamente.

—Fatal —dijo él en voz baja con una expresión de intenso disgusto—. Lo siento, Adrian. Es muy mala suerte.

—Yo no lo llamaría exactamente suerte —dijo ella—. Algo tuvimos que ver nosotros en ello, lo sabes.

Él asintió, lamentándolo por ella y por él.

—Supongo que tienes que cuidarte de ello la próxima semana.

A ella se le enfrió la sangre al mirarlo. Para él era así de sencillo. Cuidarse de ello. Pero para ella ya no era así de sencillo mientras observaba a su marido.

—¿Qué quiere decir eso?

—Sabes lo que quiere decir. No podemos tener un bebé, por el amor de Dios, lo sabes.

—¿Por qué no? ¿Hay algo que yo no sepa al respecto? ¿Alguna terrible enfermedad hereditaria, algún viaje a la Luna? ¿Hay alguna razón por la cual yo no pueda tener un hijo?

—Sí, una muy buena —su expresión se hizo inexorable ahora, los dos de pie y frente a frente en el dormitorio—. Hace mucho tiempo ambos acordamos que no deseábamos tener hijos. Y pensaba que los dos lo decíamos en serio.

—Pero, ¿por qué no? No hay ninguna razón verdadera por la cual no podamos tener hijos —lo miró suplicante—. Ambos tenemos buenos trabajos. Llevamos una buena vida. Podríamos mantener un bebé con facilidad con nuestros ingresos.

—¿Tienes idea de lo que cuestan los hijos? Educación, ropa, médico. Y no sería justo introducir en nuestra vida un hijo indeseado. No, Adrian, no está bien —parecía aterrorizado, más aún al ver que no la había convencido.

Ella sabía lo exageradas que eran sus opiniones debido a la pobreza de su juventud, pero la vida que llevaban ellos era totalmente diferente.

—El dinero no lo es todo. Tenemos tiempo y amor, un agradable hogar, y nos tenemos el uno al otro. ¿Qué más te hace falta?

—El deseo de tenerlos —dijo él en voz baja—, y no lo tengo. Nunca lo he tenido. No deseo hijos, Adrian. Nunca los he deseado y nunca los desearé. Te lo dije antes de casarnos, y si tú me fallas ahora, yo no lo voy a dejar así. Tienes que librarte de ese... —dudó, pero solamente un instante— embarazo. —Se negaba a llamarlo bebé.

—¿Y si no quiero?

—Serías una tonta si no lo hicieras, Adrian. Tienes una gran carrera por delante, si te pones a ello, y no hay forma de que puedas hacer lo que haces y tener un hijo.

—Puedo pedir un permiso de seis meses y luego volver. Muchas mujeres lo hacen.

—Sí, y finalmente abandonan su profesión, tienen otros dos hijos y se convierten en amas de casa. Y al final se odian a ellas mismas y a sus hijos por ello.

Él prestaba voz al peor de sus temores, pero ella seguía pensando que valía la pena hacer la prueba y tener su hijo. No quería renunciar a él sólo porque era más fácil no tener hijos. ¿Qué importaba si no eran millonarios? ¿Por qué tenía que ser todo tan rematadamente perfecto? ¿Y por qué él no era capaz de comprender lo que ella sentía?

—Creo que debemos reflexionar un tiempo antes de hacer algo drástico que después podríamos lamentar —tenía amigas que habían abortado y se odiaban por ello, y otras, tenía que reconocerlo, que no se odiaban. Pero Steven no estaba de acuerdo con ella.

—Créeme, Adrian —su voz se suavizó algo y dio un paso hacia ella—, y no lo lamentarás. Cuando lo pienses después, te sentirás aliviada. Este asunto podría ser una seria amenaza a nuestro matrimonio. —Este «asunto» era el hijo de ambos. El bebé que había comenzado a amar durante los cuatro días que sabía de su existencia.

—No tenemos por qué permitir que sea una amenaza a nuestro matrimonio —las lágrimas comenzaron a empañarle los ojos mientras se reclinaba contra él—. Steven... por favor... no me hagas hacer esto, por favor.

—Yo no te estoy haciendo hacer nada —su voz sonaba molesta mientras se paseaba por la habitación como un animal enjaulado. Se sentía amenazado hasta su misma médula y terriblemente asustado—. Sólo te digo que esto es demasiada mala suerte, y que es una locura pensar siquiera en continuar con ello. Están en juego nuestras vidas. Por el amor de Dios, haz lo que debes hacer.

—¿Por qué lo consideras de esa forma? ¿Por qué es tan gran amenaza un bebé? —no podía entender por qué él era tan radical al respecto, nunca lo había entendido. Él siempre había considerado los hijos como si fueran la amenaza de una invasión enemiga.

—No tienes la menor idea de lo que pueden hacer a tu vida los hijos, Adrian. Yo sí lo sé. Lo vi en mi propia familia. Mis padres nunca tuvieron nada. Mi madre tenía un mugriento par de zapatos, un solo par de zapatos durante toda mi infancia. Ella nos hacía todo lo que podía y nosotros lo usábamos hasta que se deshacía o se nos caía a pedazos en las espaldas. No teníamos ni libros ni muñecas ni juguetes. No teníamos nada, sólo pobreza y los unos a los otros.

Ella sintió lástima; debía de haber sido terrible, pero no tenía nada que ver con la realidad de sus vidas; en cierto modo, él se negaba a comprender esto.

—Lamento lo que te sucedió. Pero nuestros hijos jamás tendrían que vivir así. Los dos tenemos buenos sueldos y tenemos suficiente para vivir nosotros y nuestro hijo con más que comodidad.

—Eso es lo que tú crees. Y el colegio, ¿qué? ¿Y la universidad? ¿Tienes idea de lo que cuesta Stanford actualmente? —y luego añadió como un niñito triste—: ¿Y nuestro viaje a Europa? Ya nunca podremos hacer algo así. Tendremos que renunciar a todo. ¿Estás dispuesta a hacerlo?

—No entiendo por qué tienes que considerarlo de forma tan extrema. Si tuviéramos en realidad que hacer sacrificios, Steven, ¿no valdría la pena? —él no contestó, pero sus ojos lo dijeron todo, claramente le dijeron que para él no—. Y en todo caso, no estamos hablando de la posibilidad de tener hijos en el futuro, sino hablando de un bebé que ya está aquí. Es muy diferente —para ella lo era al menos, pero no para él. Eso estaba claro.

—No estamos hablando acerca de un bebé. Estamos hablando acerca de una nada. Un trocito de espermatozoide que tocó un óvulo del tamaño de un punto, un punto que es una posibilidad microscópica de nada. Es un signo de interrogación, un puede ser, una posibilidad y nada más, y no deseamos esa posibilidad. Todo lo que tienes que hacer es ir al médico y decirlo que no lo deseas.

—¿Y entonces qué? —dijo ella ardiendo de rabia en su interior mientras lo escuchaba—. ¿Entonces qué, Steven? Él dice: «Muy bien, Adrian, así que no quieres el bebé, ningún problema», ¿y marca una cruz en el recuadro para el «no» en una lista? No es así exactamente. Me lo saca con un aparato de succión, me rasca el útero con un escalpelo y mata a nuestro hijo. Eso es lo que hace, Steven. Eso es lo que significa «dile que no lo quieres». Y el asunto es que yo lo quiero, tienes que pensar en eso también. No es sólo tuyo sino mío también, es nuestro bebé, lo quieras o no. Y no me voy a librar sencillamente de él porque tú lo digas —había comenzado a sollozar mientras le hablaba, pero Steven actuó como si no la escuchara. Estaba tan espantado que todo lo que podía hacer era actuar como un hombre de hielo. Estaba literalmente congelado por el terror. Y Adrian se sentía abrumada por la angustia.

—Comprendo —dijo con voz glacial mirándola con un distanciamiento nuevo—. ¿Quieres decir que no te vas a librar de él?

—No quiero decir nada aún. Sólo te pido que lo pienses, y te digo que me gustaría tenerlo —al pedirle que la dejara tenerlo pareció como si estuvieran refiriéndose a un títere, no a su hijo, y eso la horrorizó.

Steven asintió tristemente, le tomó la mano y la hizo sentar en la cama junto a él y la rodeó con su brazo y entonces ella ya no pudo contenerse y continuó sollozando. Toda la impresión, tensión, temor y emoción se desbordaron en su interior y explotaron hasta que ya no pudo dejar de llorar, y continuó en sus brazos sollozando.

—Lo siento, cariño... lamento que nos haya sucedido esto... todo irá bien, ya verás... lo siento.

Ella no entendía muy bien lo que él le decía, pero se sentía contenta de que él la abrazara, y quizá después de pensarlo un poco cambiaría de opinión. Ella pensó que probablemente cambiaría, pero era agotador emocionalmente luchar contra esta resistencia.

—Yo también lo siento —dijo finalmente.

Él le secó las lágrimas y la besó. Después comenzó a acariciarla el pelo y a besarle las lágrimas en las pestañas y mejillas, luego le desabotonó lentamente la blusa y le quitó las bragas y la ropa interior. Ella quedó acostada desnuda y él acostado a su lado admirándola. Tenía un cuerpo hermoso, en su opinión profanarlo con un bebé habría sido un delito. Nunca habría vuelto a ser la misma, y él lo sabía.

—Te amo, Adrian —le dijo con dulzura. La amaba demasiado como para permitirle algo tan desesperadamente estúpido. Y él se amaba a sí mismo, la vida que llevaban, todo aquello por lo cual habían luchado, todo lo que habían realizado y adquirido, y nadie iba a venir jamás a amenazar esto; ciertamente, no un bebé.

La besó con cariño y ella lo besó a su vez, pensando que finalmente él había comprendido lo que sentía; hicieron el amor, en silencio y con suavidad. Fue un momento para sentirse unidos, poner la discusión a un lado, cada uno con la esperanza de que el otro hubiera comprendido su postura; después se quedaron acostados abrazados y se volvieron a besar, sintiéndose más unidos.

Al día siguiente era media tarde cuando despertaron; Steven sugirió que fueran a tomar un baño a la piscina, y así lo hicieron después de ducharse y tomar el desayuno. Adrian estaba silenciosa, y no dijo nada cuando salieron a la piscina tomados de la mano y pensativos. Era una piscina que compartían todos los residentes de la urbanización, pero ese día no había nadie. Era una hermosa y soleada tarde de mayo, la gente había ido a la playa o a visitar amigos, o bien, muchos estarían en sus terrazas privadas, tomando el sol, la mayor parte del tiempo desnudos.

Steven se dedicó a hacer largos de piscina. Adrian nadó un rato y después se tendió a tomar el sol y a dormitar. No quería hablar más del bebé, no ahora. Esperaba que, ahora que lo sabía, él acabaría por calmarse y adaptarse. Para ella también había significado hacer una gran adaptación, y sabía que para él aún sería mayor.

—¿Nos volvemos a casa ya? —le preguntó él finalmente, pasadas las cinco de la tarde. Apenas habían hablado en toda la tarde y después del debate emocional de la noche anterior Adrian aún se sentía agotada.

Entraron en la casa en silencio; después que Adrian se duchó, Steven puso el estéreo y escucharon UB40 mientras ella preparaba la cena.

Adrian deseaba pasar una noche tranquila con él. Tenían mucho en qué pensar, mucho que considerar.

—¿Te encuentras bien? —le preguntó él mientras ella preparaba pasta y una gran ensalada verde.

—Me siento bien. Sólo un poco cansada —dijo ella en voz baja; él asintió con la cabeza.

—Te sentirás mejor la próxima semana, cuando te hayas cuidado de ello.

No podía creer que hubiera dicho lo que acababa de decir, y se lo quedó mirando sorprendida.

—¿Cómo puedes decir eso? —dijo horrorizada, y repentinamente comprendió que él no lo iba a reconsiderar en absoluto. Estaba tan inflexible como siempre.

—Adrian, en estos momentos no es más que un problema físico. Te hace sentir mal, así que remédialo. Eso es todo. No tienes que pensar en eso como si fuera otra cosa.

Ella no podía creer que fuera tan completamente impasible, tan indiferente hacia el bebé de ambos.

—Es repugnante. Es mucho más que eso, y tú lo sabes. —No tenía intención de hablar de eso otra vez esa noche, pero ahora que él planteaba el tema, iba a discutirlo—. Es nuestro hijo, por el amor de Dios. —Se le volvieron a llenar los ojos de lágrimas y se odió por ello. Normalmente no lloraba, pero él la estaba sacando de quicio con su actitud despreocupada ante la idea de que ella abortara—. No lo voy a hacer —dijo de pronto dejando la cena en la mesa de la cocina y precipitándose escaleras arriba hacia su dormitorio; había pasado más de una hora cuando él subió al dormitorio a continuar la conversación. Ella estaba echada en la cama y él se sentó a su lado y le habló con suavidad.

—Adrian, tienes que hacerte un aborto —dijo con calma—. Si valoras nuestro matrimonio. Si no lo haces, lo estropearás todo.

Por lo que a ella se refería, lo estropearía de todas maneras. Si no tenía a su hijo, siempre sentiría la pérdida, y si lo tenía, Steven jamás la perdonaría.

—Creo que no puedo —dijo desde lo más hondo de la almohada, y era franca con él. Lo último que deseaba era un aborto.

—No creo que no puedas. Se destruirá nuestro matrimonio y te costará tu trabajo si no abortas.

—No me importa mi trabajo —y la verdad era que, comparado con el bebé, no le importaba. Era sorprendente la velocidad con que había llegado a importarle el bebé.

—Ciertamente que te importa tu trabajo. —Para Steven era como si de la noche a la mañana ella se hubiera transformado en otra persona.

—No, no me importa... pero no quiero destruir lo nuestro —dijo tristemente, volviéndose a mirarlo.

—Hay una cosa que puedo decirte con toda seguridad, Adrian, y es que yo no deseo el bebé.

—Puede que cambies de opinión, después. A muchas personas les sucede —dijo ella esperanzadamente, pero él movió la cabeza.

—No. No quiero hijos. Nunca los he querido, nunca los querré, y tú también solías pensar que eso estaba bien, ¿verdad?

Ella dudó un momento y luego le confesó algo que jamás le había dicho:

—Yo pensaba que tal vez al final... tú cambiarías de opinión algún día. Es decir... si realmente nunca tuviéramos hijos, entonces supongo que estaría bien. Pero en un caso como este... pensé que tal vez... No sé, Steven. Yo no pedí que sucediera esto. Pero ahora que está aquí, ¿cómo puedes borrarlo de nuestras vidas sin pensarlo dos veces? —era horrible.

—Porque la calidad de nuestras vidas será mejor si lo hago así, y tú eres mucho más importante para mí que un bebé.

—Hay espacio para ambos —suplicó ella, pero él movió la cabeza.

—No, en mi vida no lo hay. Sólo hay lugar para ti y nadie más. Y no quiero competir con un bebé por tu atención. No creo que mis padres se hayan dicho dos palabras en veinte años. Nunca tuvieron tiempo para la energía y la emoción. Estaban agotados. No les quedaba nada cuando nos hicimos mayores. Eran como dos personas gastadas, acabadas, muertas. ¿Es eso lo que deseas?

—Un bebé no va a hacer eso —dijo ella suavemente, suplicándole de nuevo, evidentemente sin conseguir nada.

—No estoy dispuesto a arriesgarlo, Adrian —dijo mirándola—. Quítatelo de encima —su voz tembló al decirlo; volvió a la planta baja y estuvo allí mucho tiempo, sólo para estar lejos de ella y de la amenaza del bebé que llevaba en su interior.

Ella pensó en esto durante mucho rato mientras esperaba que él volviera a subir, y supo que si renunciaba a este bebé perdería para siempre una parte de su propia alma.

7

El domingo y el lunes fueron una pesadilla de discusiones y recriminaciones entre ellos, y a las seis de la mañana del martes, antes de que Steven se marchara, Adrian finalmente se desmoronó en sollozos histéricos y accedió a hacer todo lo que él quisiera. No había ido a trabajar durante dos días, y no deseaba perder al marido que amaba, aunque eso significara renunciar al bebé. Le prometió ir a hacerse el aborto mientras él estaba fuera, y ese día todo lo que hizo fue quedarse en la cama y sollozar hasta ir a ver al médico a las cuatro y media.

Había estado en cama toda esa tarde con un sentimiento de temor que se convirtió en terror ciego cuando ya estaba vestida; deseó alejarse de todo cuando se apresuraba a salir del apartamento. Deseaba alejarse de lo que le estaba sucediendo, de lo que tenía que hacer, de lo que Steven esperaba de ella, y de lo que ella pensaba que le debía si valoraba su matrimonio.

—Adrian —llamó la enfermera, y ella se puso de pie muy nerviosa. Se había puesto pantalones negros, una blusa negra de cuello alto y zapatos negros, todo lo cual, con su piel blanca y cabello oscuro, la hacía parecer desacostumbradamente sombría.

La enfermera la condujo a una pequeña habitación y le dijo que se desvistiera de la cintura para abajo y se pusiera una bata. Ya había estado allí anteriormente, pero todo le había parecido menos siniestro las otras veces, cuando había venido para asesorarse sobre control de la natalidad o para el chequeo anual.

Se sentó sobre la camilla de exámenes con su negra blusa de seda, con la bata de papel azul que le cubría el resto del cuerpo, con los pies descalzos encogidos debajo de ella; parecía una niña pequeña, mientras trataba de apartar de su mente la razón de por qué estaba allí, y de lo que iba a suceder. Se repetía una y otra vez que lo iba a hacer por Steven, porque lo amaba.

Finalmente entró el doctor, y sonrió al mirar la cartilla y reconocerla. Era una chica agradable y siempre le había caído bien.

—¿En qué puedo servirla hoy, señora Townsend? —dijo el médico. Era un hombre agradable y a la antigua, más o menos de la edad de su padre.

—Yo... —no podía decidirse a pronunciar las palabras, y sus ojos se veían muy grandes en su rostro mientras él la miraba—. He venido... para un aborto —las palabras salieron, en voz tan baja que él apenas las oyó.

—Comprendo —se sentó en un pequeño taburete giratorio y miró su cartilla. Estaba casada, treinta y un años, buena salud, nada de esto lo explicaba. Tal vez el bebé no era de su marido—. ¿Alguna razón especial?

Ella asintió compungida. Todo en ella le decía que no deseaba estar allí. La forma en que estaba encogida sobre la mesa, como para protegerse de él, la forma en que se echaba hacia atrás cada vez que él se le acercaba, la forma de hablar, casi incapaz de decir las palabras. Había visto a muchísimas mujeres con problemas, mujeres que habrían hecho cualquier cosa por librarse de hijos que no deseaban, pero esta chica no era una de ellas. Estaba dispuesto a apostar a que ella no quería realmente hacerse un aborto.

—Mi marido piensa que no es éste el momento oportuno para que tengamos hijos.

El doctor asintió nuevamente como si comprendiera perfectamente.

—¿Hay algún motivo para que piense de esa forma, Adrian? —estaba tratando de descubrir por qué estaba allí esta chica, y sin un buen motivo no practicaría el aborto. Legal o no, él aún tenía una responsabilidad hacia sus pacientes. Pero ella movía la cabeza diciendo no a todas sus preguntas.

—No, sólo que... sólo que él piensa que no es éste el momento oportuno para tener hijos.

—¿Pero quiere tener hijos alguna vez?

Ella vaciló, luego movió la cabeza y sus ojos brillaron empañados por las lágrimas.

—No —fue sólo un susurro—. Creo que no en realidad. Eran cinco hijos en su familia, y tuvo una niñez muy desgraciada. Le resulta difícil entender que las cosas puedan ser diferentes.

—Yo creo que podrían ser. Usted tiene un excelente trabajo, y supongo que él debe de estar bastante estable. ¿Cree que con el tiempo pueda cambiar de opinión?

Ella movió la cabeza con tristeza mientras las lágrimas le corrían por las mejillas, y el doctor se apresuró a decirle algo que sospechaba le quitaría algo los nervios:

—No voy a realizar un aborto hoy, Adrian —había empezado a llamarla por su nombre de pila tan pronto se dio cuenta de la gravedad del problema. No era el momento para formalidades, ella necesitaba una persona amiga, y él deseaba ayudarla—. Primero tengo que asegurarme de que en realidad estás embarazada y de que no es un error. ¿Te has hecho el test de embarazo? —suponía que sí, si no no estaría allí.

—Sí, me lo hice en casa. Dos veces. Y tengo dos semanas de retraso.

—Eso significaría que llevas cuatro semanas de embarazo según la forma en que lo calculamos. Estoy seguro de que lo estás, pero lo comprobaré en un momento. Y después me gustaría que te fueras a casa y pensaras acerca de esto, sólo para estar segura. Si aún crees que deseas terminar con el embarazo después de pensarlo, puedes volver mañana. ¿Te parece razonable?

Ella asintió, sintiéndose estúpida e histérica. Sentía como si el trauma emocional por el que estaba pasando la fuera a matar. Pero el doctor era amable y discreto, le confirmó lo que ella ya sabía, y le dijo que volviera a su casa a pensarlo y que tratara de hablar nuevamente con su marido. Según él, en vista de que ella tenía tan fuertes sentimientos contra el aborto, seguramente su marido comprendería y aceptaría si ella se lo explicaba. Lo que él no podía tomar en consideración era el hecho de que Steven era un fanático respecto al tema.

Esa noche, cuando la llamó por teléfono, se mostró abiertamente enfadado porque no se había hecho ya el aborto.

—¿Por qué demonios no lo hizo hoy, maldita sea? ¿Para qué esperar?

—Desea que lo reflexionemos antes de hacer algo drástico. Y puede que no sea tan mala idea —la comprensión de lo que iba a hacer la dejó con una aplastante sensación de depresión—. ¿Cuándo regresas? —le preguntó angustiada, pero él no pareció notar el temor en su voz al preguntarle.

—No regreso hasta el viernes. Y el sábado por la mañana Mike y yo vamos a jugar al tenis. Tal vez tú y Nancy os podáis unir después para un doble.

Adrian no podía creer que le estuviera diciendo eso; o bien era absolutamente insensible, o sencillamente estúpido de remate.

—No estoy muy segura de poder jugar al tenis ese día —el sarcasmo en su voz fue evidente y brutal.

—Ah... de acuerdo... lo olvidaba.

—¿En diez segundos? ¿Cómo podía olvidarlo tan pronto? ¿Cómo podía permitirle que ella hiciera eso en primer lugar?

—Creo que deberías pensarlo nuevamente, también. Steven, no sólo es mi bebé, también es tuyo. —Pero podía sentir cómo se levantaba el muro tan pronto pronunció las palabras.

—Ya te he dicho lo que pienso al respecto, Adrian. No quiero volver a discutirlo. Sencillamente, preocúpate de hacerlo, maldita sea. No entiendo por qué tienes que esperar hasta mañana.

Ella no le contestó, anonadada por la brutalidad de sus palabras. Era como si el bebé le estuviera amenazando, que ella le hubiera traicionado al permitir que esto sucediera, y ahora ella tenía que arreglarlo a toda costa, fuera lo que fuese que le pasara a ella al hacerlo.

—Te llamaré mañana por la noche —continuó él, y ella retuvo el aliento mientras las lágrimas se le agolpaban en los ojos.

—¿Para qué? ¿Sólo para comprobar que lo he hecho?

Sintió como si el corazón se le rompiera cuando se despidió de él, pensando que en unas pocas horas más sería demasiado tarde para salvar a su bebé. Se pasó toda la noche despierta, llorando y pensando en este hijo que jamás conocería. El hijo que iba a sacrificar por su marido. Aún estaba despierta cuando salió el sol al día siguiente, y se sentía como si estuviera aguardando el momento de una ejecución. Se había tomado la semana libre en el trabajo, y todo lo que tenía que hacer era volver a la consulta del médico y obligarse a hacer el aborto.

Mientras se vestía, se repetía que en el último minuto llamaría Steven para decirle que no lo hiciera. Pero él no llamó. La casa estaba silenciosa cuando salió, con sandalias, falda pantalón de algodón y una vieja blusa de trabajo. Y a las nueve estaba en la consulta, tal como se le había dicho que hiciera si deseaba seguir adelante con el aborto. No había comido ni bebido nada desde la noche anterior, en caso de que tuvieran que administrarle anestesia. Iba temblorosa y pálida mientras conducía el MG por Wilshire Boulevard; llegó con cinco minutos de adelanto a la consulta. Le dijo a la enfermera que estaba allí, y se sentó en la sala de espera con los ojos cerrados y un sentimiento en el corazón que sabía jamás olvidaría por el resto de su vida; por primera vez en su vida, supo que odiaba a Steven. Tuvo un frenético impulso de llamarle, de encontrarle dondequiera que estuviese y de decirle que tenía que cambiar de opinión, pero sabía que era inútil.

Apareció la enfermera en la puerta y la llamó; le sonrió mientras la conducía por el pasillo. La introdujo en una habitación algo más grande y esta vez le dijo que se quitara toda la ropa, se pusiera la bata azul y se recostara en la mesilla. Junto a la mesa había una máquina de aspecto siniestro, Adrian sabía que ésta era la succionadora. Sintió que se le secaba la garganta, y los labios se le pegaron como papel mojado. Todo lo que deseaba era acabar con esto de una vez, irse a casa y tratar de olvidarlo; sabía bien que por el resto de su vida jamás volvería a descuidarse y quedar embarazada. Sin embargo, parte de ella aún deseaba conservar este bebé. Era una locura, estaba utilizando toda su fuerza interior para librarse de él; una parte de ella todavía deseaba aferrarse a él, pasara lo que pasase, dijera Steven lo que dijere, o por muy neurótico que estuviera respecto a su infancia.

—¿Adrian? —el doctor asomó la cabeza por la puerta y la miró con una amable sonrisa—. ¿Te encuentras bien? —Ella asintió con la cabeza, pero no le vino ninguna palabra a la mente mientras le miraba con terror imposible de ocultar. Él entró en la habitación, cerró la puerta y le habló con firmeza—: ¿Estás segura de que quieres hacerlo? —Ella volvió a afirmar con la cabeza mientras se le llenaban los ojos de lágrimas, y luego negó con la cabeza honestamente. Estaba confusa y aterrorizada, se sentía muy desgraciada, y no deseaba estar allí en absoluto. Deseaba estar en casa, con Steven, esperando a su hijo—. No tienes por qué hacer esto. No debes hacerlo si no lo deseas. Tu marido se adaptará. Muchos maridos arman un escándalo así al comienzo, y después son los más entusiasmados cuando llega el niño. Quiero que realmente lo pienses antes de hacerlo.

—No puedo —gimió—. Sencillamente no puedo —sollozaba abiertamente mientras se incorporaba en la mesa—. No puedo hacerlo.

—Tampoco yo —sonrió él—. Ve a casa y dile a tu marido que se compre un puro y lo guarde hasta, ah... —comprobó en la cartilla— yo diría que a comienzos de enero, y entonces le daremos un hermoso y gordo bebé. ¿Qué te parece esto, Adrian?

—Maravilloso —sonrió a través de sus lágrimas y el amable doctor le pasó un brazo por los hombros.

—Vete a casa, Adrian. Tómate un buen descanso y llora a gusto. Todo irá bien. Todo va a ir francamente bien. Y también tu marido.

Le dio unas palmaditas en el hombro y abandonó la habitación para que pudiera vestirse, irse a casa con su bebé. Ella sonrió mientras se vestía, lloró, y se sintió como si hubiera sucedido algo maravilloso. Se había salvado, y no estaba segura por qué, sólo que su médico había sido lo suficientemente listo como para saber que ella no podía hacerlo.

Empezó a conducir hacia casa y de pronto decidió ir a la oficina. Se sentía mejor que en todos los días pasados, y deseó ir a trabajar y perderse en el montón de papeles que había en su escritorio. Se dirigió hacia el estudio con el viento agitándole sus cabellos. Respiró hondo y sonrió consigo misma. Repentinamente la vida era dulce, y ella iba a tener un hijo.

Entró a la oficina con paso ágil, pero con la sensación de haber corrido una maratón. No había sido una mañana precisamente tranquila, ni los días pasados habían sido fáciles, y aún tenía que arreglárselas con Steven cuando volviera de Chicago. Pero ahora al menos sabía lo que hacía. Se sentía más relajada y el aplastante sentimiento de depresión había cedido.

—Hola, Adrian —asomó la cabeza Zelda a media mañana—. ¿Todo bien?

—Muy bien. ¿Por qué? —Adrian se veía algo aturdida con un lápiz detrás de cada oreja; no era habitual en ella venir al trabajo con ropas viejas y sin maquillar.

—Bueno, para ser franca no tienes muy buen aspecto. Parece como si te hubiera pasado una apisonadora por encima —y así había sido—. ¿Te sientes bien? —Zelda era más observadora de lo que creía Adrian. Tenía razón. Las cosas habían ido bastante mal.

—He tenido la gripe —sonrió, agradecida de que Zelda lo hubiera notado—. Pero ahora estoy bien.

—Creía que te ibas a tomar la semana libre —la miró con atención como tratando de decidir si podía creerle o no que estaba bien. Pero se la notaba feliz allí, sentada diligentemente entre la basura de su oficina.

—Pensé que echaba demasiado de menos esto.

—Estás chiflada —sonrió Zelda.

—Probablemente. ¿Te apetece salir después conmigo a comer un bocadillo?

—Por cierto.

—Ven cuando te vaya bien.

—De acuerdo.

Desapareció nuevamente y Adrian volvió a concentrarse

en su trabajo, sintiéndose mejor que en muchos días. La idea de tener un bebé aún la atemorizaba un poco, pero pensó que era algo a lo que se acostumbraría. Era mejor que la alternativa. Sabía que no hubiera podido soportarlo y aún se sentía dolida con Steven por intentar obligarla a hacerlo. Se preguntó cómo se iban a recuperar alguna vez de las heridas emocionales que se habían infligido esos días pasados, e intentó no pensar en ellas. Después tendría que pensar en lo que iba a decirle.

8

Y en un estudio más allá por el pasillo, se encontraba Bill Thigpen sentado en un taburete, conversando con el director y chillando:

—¿Cómo diablos voy a saber dónde está? Dejó el hotel hace una semana. No sé con quién está. No sé a dónde ha ido. Es una mujer adulta y no es asunto mío... hasta que comienza a fastidiarme la serie. Ahora sí es asunto mío, pero igual no sé dónde demonios se ha metido.

Sylvia Stewart no había regresado de Las Vegas ese domingo por la noche. Había abandonado la habitación el lunes por la mañana, dijeron en el hotel, hacía exactamente nueve días, pero aún no había vuelto al trabajo, y con cierto sentimiento de violencia Bill había ido a su apartamento a comprobar que tampoco había vuelto allí.

Durante la semana pasada habían escrito guiones alternativos, pero la cosa se estaba poniendo bastante desesperada sin ella.

Y dentro de unos pocos días tendrían que reemplazarla. Esto era lo que acababa de decirle Bill al director. Al no llamar para dar una explicación de lo que ocurría, Sylvia estaba violando claramente su contrato.

—Si no aparece mañana antes del programa, tenéis que

conseguirme otra persona —decía Bill al director y a uno de los ayudantes de producción. Éstos ya habían llamado a una agencia por la mañana, pero no iba a ser fácil reemplazarla sin fastidiar a la audiencia.

—¿Todo el mundo tiene el nuevo material para hoy? —preguntó el director, frunciendo el ceño ante lo que Bill acababa de entregarle.

Era todo un guión nuevo, y era evidente que Bill tenía a los guionistas trabajando noche y día durante la ausencia de Sylvia. Era un trabajo heroico, que mantenía a flote la historia mientras ella no estaba. Ocurrían tantos dramas al mismo tiempo en la serie que hasta aquí era creíble que a Vaughn William no se la hubiera visto durante nueve días, pero cada vez menos. Aún estaba en la cárcel, arrestada por el asesinato del hombre que su cuñado matara hacía nueve días, un viernes.

Bill permaneció en el estudio hasta que salieron en antena, y observó el programa completo, satisfecho de que todos se las arreglaran tan bien con los nuevos cambios de argumento y los nuevos guiones. Cuando acabó, felicitó a todos y volvió a su oficina. A la media hora le llamó su secretaria por el citófono y le dijo que alguien deseaba verlo.

—¿Alguien que yo conozco? ¿O tenemos que mantenerlo en secreto? —estaba cansado de sus largas noches de trabajo, pero contento de que las cosas resultaran bien. En su mayor parte se debía, pensaba, a un reparto grandioso, a dos guionistas fabulosos y a un extraordinario director—. ¿Quién es, Betsey?

Larga pausa.

—Miss Stewart.

—¿Nuestra miss Stewart? ¿La miss Stewart que hemos estado buscando por todo el estado de Nevada? —levantó las cejas con interés.

—Ella misma, única y en persona.

—Por favor, hazla pasar. No veo las horas de encontrármela.

Betsey abrió la puerta y entró Sylvia inmediatamente. Venía como una niñita asustada y estaba más hermosa que nunca. Su larga cabellera negra le caía a la espalda como a Blancanieves, y sus ojos que lo miraban con aflicción parecían enormes. Bill se puso de pie al entrar ella en la sala, y la miró como si estuviera viendo visiones.

—¿Dónde demonios has estado? —le preguntó con voz retumbante. Por un momento ella no supo qué contestar, así que comenzó a llorar mientras él la observaba—. Nos hemos vuelto locos llamando a todas partes en Las Vegas. Los chicos de «Mi casa» dijeron que te habían dejado con un tío. Ya íbamos a llamar a la policía de Nevada para dar parte de tu desaparición.

Él había estado francamente preocupado por ella la semana pasada, asustado por lo que le podría haber ocurrido. Ella dejó escapar un sollozo y se sentó en el sofá. Él le pasó pañuelos de papel.

—Lo siento.

—Al menos deberías sentirlo. Muchas personas estábamos preocupadas por ti. —Era como hablarle a una niña, y de pronto se sintió aliviado de que al menos en un aspecto, ya no era su problema—. ¿Dónde estabas?

No es que importara ahora, ya que estaba de regreso sana y salva. Eso era lo que lo había tenido preocupado. Se saben muchas cosas desagradables que suceden en Las Vegas, en especial a chicas con la apariencia de Sylvia Stewart. Sobre todo cuando se acuestan con desconocidos. Pero ahora ella le miraba y comenzó a llorar de nuevo.

—Me he casado.

—¿Te has qué? —por una vez se quedó perplejo. Había sospechado todo menos eso cuando trataba de imaginarse lo que podría haberle pasado—. ¿Con quién? ¿Con el tío que estaba en tu habitación la otra noche?

Ella asintió con la cabeza y se sonó la nariz.

—Trabaja en la industria de la ropa. Es de Nueva Jersey.

—Dios mío —Bill se sentó pesadamente a su lado en el sofá, preguntándose si alguna vez la había conocido—. ¿Y cómo es que has hecho algo así?

—No lo sé. Yo sólo... tú siempre trabajas tanto... y me he sentido tan sola.

Jo. Veintitrés años, preciosa a más no poder, y llorando porque se siente sola. La mitad de las mujeres de Estados Unidos darían su brazo derecho por parecerse a ella, y se casa con un fabricante de ropa a quien ni siquiera conoce y con quien ha pasado un fin de semana en Las Vegas. Y Bill de pronto se preguntó si sería por culpa suya. Quizá si no la hubiera descuidado, si no hubiera estado tan dedicado a su serie... el estribillo le sonaba a conocido. En cierto sentido, el coro hizo todo el viaje de vuelta a Leslie. ¿Pero es que era él responsable de todas ellas? ¿Era realmente su culpa? ¿Por qué no podían adaptarse a su forma de vivir? ¿Por qué tenían que escaparse y hacer estupideces? Y ahora esta niña tonta acababa de casarse con un completo desconocido. Bill la miró estupefacto.

—¿Qué vas a hacer ahora, Sylvia? —le preguntó ansioso por oír la respuesta.

—No lo sé. Irme a Nueva Jersey la próxima semana, supongo. Se llama Stanley, y tiene que estar de vuelta en Newark el martes.

—No me lo puedo creer —Bill echó la cabeza hacia atrás contra el sofá y comenzó a reírse, y durante un minuto no pudo dejar de reírse. Betsey podía escucharlo desde la oficina contigua, y se sintió aliviada de que no estuviera gritando. Rara vez lo hacía, pero ella se había imaginado que la desaparición de Sylvia le sacaría de sus casillas—. Así que tú y Stanley tenéis que estar de vuelta en Newark el martes... ¿es eso?

—Bueno... —de pronto ella pareció incómoda—. Más

o menos. Sólo que yo sé que tengo un contrato para hacer la serie durante otra temporada.

La verdad era que ella se había imaginado que él la despediría de la serie después de llamarle la anterior noche, y en un ataque de pánico se había casado con Stanley. No tenía idea de con quién se casaba, aunque él había sido muy amable con ella y le había comprado un anillo de diamantes bastante hermoso en Las Vegas, prometiéndole preocuparse de ella tan pronto llegaran a Newark. Le prometió conseguirle un trabajo fabuloso como modelo, y si lo deseaba también podría hacer trabajos de actriz en Nueva York, en anuncios comerciales, tal vez, o en las telenovelas de allá. Era todo un horizonte nuevo que se abría ante ella, y en cierto modo estar casada con un hombre de la industria del vestido de Newark no era un papel totalmente inapropiado para Sylvia Stewart.

—¿Qué voy a hacer respecto a mi contrato? —miró suplicante a Bill y éste casi se puso a reír nuevamente.

Era todo tan ridículo que casi no podía resistirlo. Era imposible tomárselo en serio. Era la vida como imitación del arte en grado sumo, y no estaba tan loco como para no ver el lado cómico del asunto.

—¿Sabes qué vas a hacer con tu contrato, Sylvia? Vas a darme dos días más en el plató, hoy y mañana, por los viejos tiempos, y vamos a matarte en la escena más dramática que hayas visto un viernes. Y después de eso, quedas libre para irte. Puedes irte a casa, a Newark, con Stanley y tener diez hijos, siempre que al primero le pongas mi nombre. Te libero del contrato.

—¿Sí? —dijo ella asombrada, y él la sonrió divertido.

—Sí. Porque soy un tío majo, y te lo hice pasar muy mal trabajando como un burro sin preocuparme de atenderte. Te lo debo, cariño. Y ése es el pago. —Se sentía agradecido de que hubiera aparecido, después de todo. Esto les iba a permitir arreglar las cosas limpiamente. John mataría a

Vaughn porque le había visto asesinar al camello. Y la saga continuaría desde allí al infinito—. Lo siento, cariño —le dijo amablemente, y lo sentía realmente—, supongo que no soy un buen partido estos días. Nunca lo he sido, en realidad. Estoy casado con esta serie.

—Está bien —Sylvia le miró casi con timidez—. ¿No estás enfadado conmigo? Por hacer lo que he hecho... por casarme, quiero decir.

—No, si tú eres feliz —y lo decía con sinceridad.

Su aventura con Bill había sido algo pasajero, y ambos lo sabían. Significaba muy poco para los dos, como ella lo había probado al pasar el fin de semana con un desconocido en Las Vegas, y Bill sospechaba acertadamente que eso era exactamente lo que había ido a hacer allí.

—¿Puedo besar a la novia? —dijo él poniéndose de pie, y ella también se puso de pie, todavía asombrada de que la hubiera dejado libre con tanta facilidad. Ella había supuesto que él iba a estar furioso y que la despediría de la serie sin liberarla del contrato. Le facilitaría mucho encontrar trabajo en Nueva York si se iba de esta forma. Levantó su rostro hacia él preparada para un apasionado beso, por los viejos tiempos, pero él la besó suavemente en la mejilla, y por un instante supo que le iba a echar de menos. Había una especie de dulzura en ella que le gustaba, un encanto, y además lo habían pasado bien en la cama. Ella le resultaba familiar, y eran buenos amigos, y ahora se quedaba solo otra vez. Pero le sería más fácil si no se volvía a enredar con alguien de la serie. Era un error y no lo volvería a cometer. Era un exceso de comodidad. No había ninguna mujer en su vida, y por el momento no estaba muy seguro de que le importara—. ¿Qué harás con las cosas que tienes en mi casa?

—Me imagino que será mejor que las vaya a recoger —dijo ella. Lo había olvidado por completo. No era mucho, pero había dejado en su armario ropa como para llenar una maleta.

—¿Quieres ir a buscarlas ahora?

—Claro. Tengo que encontrarme con Stanley a las cuatro en Beverly Wilshire, pero tengo tiempo de sobra.

Había algo más implicado en su tono, pero él hizo como que no lo notaba. Para él, esto ya había terminado. Ella había hecho lo que había hecho y él no le guardaba ningún rencor, pero tampoco la deseaba ya.

Abandonó con ella la oficina, y estaba seguro de que todo el mundo pensó que iban a su casa a pasar un buen rato juntos. Pero él se limitó a reírse, la condujo a su apartamento, la ayudó a poner sus cosas en cajas y después la condujo de vuelta al apartamento de ella.

—¿Quieres subir? —ella lo miró tristemente durante un minuto mientras sacaba sus últimas cajas de la furgoneta, pero él sólo negó con la cabeza. Un momento después se alejó en su coche, quedando así terminado ese capítulo de su vida.

9

El teléfono estaba sonando cuando Adrian llegó a casa después del informativo de las seis. Lo cogió justo cuando comenzaba a funcionar el contestador automático. Habló rápido por el teléfono, desconectó el aparato y contestó, sosteniendo aún su bolso, el periódico y algunas cosas que había comprado en la tienda camino a casa. Todo se detuvo cuando escuchó su voz. Era Steven.

—¿Te encuentras bien? —su voz sonaba nerviosa y tensa, y ella comprendió inmediatamente por qué—. Te he estado llamando toda la tarde. ¿Por qué no contestabas el teléfono? —Todo el día había estado desesperado de preocupación por ella; estaba llamando desde el mediodía y sólo le contestaba el automático. A las siete, cuando finalmente pudo comunicarse con ella, estaba frenético. No se le había ocurrido llamarla a la oficina, y tampoco ella había querido llamarle. Necesitaba tiempo para pensar cómo decirle que no se había hecho el aborto.

—No estaba aquí —dijo ella casi compungida, comprendiendo que tenía que hacer un rápido cambio de marcha. Ya temprano, por la mañana, se había conformado con todo lo que estaba sucediendo en sus vidas, pero él no tenía idea de esto, y aún suponía que se había hecho el aborto.

—¿Dónde estabas? ¿Te han retenido en la consulta todo el día? ¿Es que algo fue mal? —parecía frenético, y ella lo compadeció, pero también estaba enfadada con él. Había estado dispuesto a dejarla sola mientras se hacía el aborto, había tratado de convencerla de que no era nada importante, y lo era, o habría sido. Y ahora ella estaba enojada con él por este motivo.

—Nada fue mal —hubo una larga pausa, un silencio larguísimo, y decidió decírselo directamente ahora y no darle esperanzas—. No lo he hecho.

Hubo un momento de silenciosa incredulidad y luego él explotó:

—¿Qué? ¿Por qué no? ¿Te pasaba algo que no pudo hacerlo?

—Sí —dijo ella suavemente mientras se sentaba. De pronto se sintió muy vieja, muy cansada, se le agolparon todas las emociones reprimidas, y se apoderó de ella el agotamiento mientras escuchaba a su marido—. Algo fue mal. No quise hacerlo.

—¿Te acobardaste? —él parecía horrorizado y también furioso, lo cual la dolió aún más y aumentó su enfado.

—Si prefieres esa forma de decirlo. Resolví que deseaba tener nuestro hijo. La mayoría de las personas se sentirían halagadas por eso, o complacidas, o con un sentimiento algo más humano.

Pero ambos sabían que Steven no era humano respecto a este tema.

—Sucede que yo no soy una de esas personas, Adrian. No me siento conmovido... ni halagado. Creo que eres una tonta. Y pienso que lo haces para fastidiarme de alguna manera, pero quiero que te enteres de que no te lo voy a permitir.

—¿Pero qué dices? Hablas como un loco. Esto no es ninguna venganza, por el amor de Dios... es un bebé... sabes, una personita hecha por ti y por mí. La mayoría de las personas puede adaptarse a esto, no actúa como si sus vidas estuvieran amenazadas por un pistolero de la mafia.

—Adrian, no me hace ninguna gracia tu sentido del humor.

—Y a mí me hace mucha menos gracia tu juicio de valores. ¿Qué te pasa? ¿Cómo puedes dejarme así y esperar que vaya y me haga un aborto? No es una intervención de poca importancia como crees, no es «nada». Es algo, algo de importancia... y una de las razones que tuve para no querer hacerlo es que te amo.

—Eso son chorradas, y lo sabes —parecía sentirse amenazado, acorralado y muy asustado por todo lo que ella le decía, y Adrian comprendió que no iban a resolverlo por teléfono, ni posiblemente en el futuro próximo. Él tenía que calmarse y ver que el bebé no iba a arruinar su vida. Pero primero ambos tendrían que dejar de lado el enfado.

—¿Por qué no lo conversamos tranquilamente cuando vengas a casa? —dijo ella con sensatez, pero él estaba furioso.

—No hay nada de qué hablar. A no ser que recuperes el buen sentido y te hagas el aborto. No estoy dispuesto a conversar de nada mientras no lo hagas. ¿Está claro?

Eran chillidos los que lanzaba por el teléfono. Parecía un loco.

—Steven, basta ya. ¡Contrólate! —le dijo, como quien habla a un niño que ha perdido el control, pero él estaba más allá del punto de ser capaz de tranquilizarse. Estaba temblando de ira en su habitación del hotel de Chicago.

—No me digas lo que tengo que hacer, Adrian. ¡Me has traicionado!

—No te he traicionado —casi se puso a reír, era tan ridículo, pero la verdad era que no era nada divertido—. Fue un accidente. No sé cómo sucedió ni de quién fue la culpa. Ya no tiene importancia. No te culpo a ti ni a mí ni a nadie. Sólo quiero tener el bebé.

—Has perdido la razón y no sabes lo que dices.

Su voz le parecía la de una persona a quien no conocía. Cerró los ojos y trató de mantenerse tranquila.

—Por lo menos yo no estoy histérica. ¿Por qué no lo olvidas y hablamos cuando regreses a casa?

—No tengo nada más que decirte hasta que te cuides de ello.

—¿Qué se supone que debo entender con eso? —volvió a abrir los ojos. Había algo extraño en su voz que jamás había oído antes, una especie de frialdad que la asustó, y tuvo que acordarse que sólo se trataba de Steven.

—Significa exactamente lo que he dicho. Se trata de mí o del bebé. Líbrate de él. Ahora. Adrian, quiero que vuelvas al médico mañana y te hagas el aborto.

Ella sintió como si una mano le apretara el corazón durante un momento, y se preguntó si estaría hablando en serio, pero sabía que no podía ser. No podía hacerla escoger entre el bebé y él, eso era de locos. Y sabía que no podía querer decir eso.

—Cariño... por favor... no seas así. No puedo volver... no puedo. Sencillamente no puedo hacerlo.

—Tienes que hacerlo —él parecía a punto de llorar y ella sintió deseos de rodearle con sus brazos, consolarle y decirle que todo iba a ir bien. Y algún día, cuando el bebé ya hubiera nacido, él se reiría de lo dolido que se había sentido al comienzo. Pero ahora, esto era todo lo que era capaz de pensar—. Adrian, no deseo un bebé.

—Aún no tienes ninguno. ¿Por qué no te relajas y te olvidas de él durante un par de días? —se sentía agotada, pero más tranquila que nunca desde que tomara la decisión.

—No me voy a relajar hasta que te libres de él. Quiero que abortes.

Allí estaba ella sentada escuchando a su marido, por primera vez en tres años, incapaz de darle lo que él deseaba. Incapaz y no dispuesta, lo cual lo alteraba más todavía. Ella, simplemente, no podía prometerle que haría lo que él ordenaba.

—Steven, por favor —se le agolparon las lágrimas en los ojos de nuevo, por primera vez desde la mañana—. No puedo. ¿No eres capaz de comprenderlo?

—Todo lo que comprendo es lo que me estás haciendo. Te niegas con intención y crueldad a tomar en cuenta mis sentimientos —él recordaba demasiado bien cuánto se deprimía su padre cuando su madre volvía a quedar embarazada. Durante años trabajó en dos sitios, y finalmente en tres, hasta que al fin, gracias a Dios, ya estaba prácticamente muerto de cirrosis. Y para entonces sus hijos ya se habían marchado, y su vida estaba acabada—. A ti no te importa cómo me siento yo, Adrian. Te importo un maldito comino. Todo lo que deseas es a tu maldito bebé —ahora lloraba, y Adrian se preguntó qué había hecho ella. No lo entendía. Él le había dicho que tal vez estaría dispuesto a tener hijos al fin, cuando estuvieran «bien instalados», pero jamás había dicho que los odiaba, nunca le había dicho que no los querría tener de ninguna manera—. Bueno, Adrian, puedes tener tu bebé. Puedes tenerlo... pero no puedes tenerme a mí... —sollozó en el teléfono y ella lloraba también al escucharlo.

—Steven, por favor...

Mientras decía estas palabras, él colgó y el teléfono quedó silencioso en su mano. No podía creer que se hubiera puesto tan alterado, tan frenético, y durante las dos horas siguientes se torturó preguntándose si debería hacerse el aborto. Si esto significaba tanto para él, si le amenazaba de forma tan profunda, ¿qué derecho tenía ella a obligarle a tener el bebé? Y no obstante, ¿qué derecho tenía ella a matar al bebé porque un hombre adulto era incapaz de afrontar la perspectiva de ser padre? Steven podría adaptarse, podría aprender a manejar la situación, finalmente descubriría que ella no le amaba menos, que tal vez le amaba aún más, y que su vida no había acabado. Volvió a recordar lo que había sido ir al médico y prepararse para abortar, y supo que no podría hacerlo. Iba a tener su bebé y Steven iba a tener que aceptarlo. Ella se responsabilizaría totalmente de él; todo lo que tendría que hacer él sería sentarse y relajarse, y no permitir que esto le volviera loco.

Aún se decía esto cuando volvió al trabajo a las once. Al volver a casa después de la medianoche puso el contestador automático para ver si él había llamado; pero no. Continuaba alterada por ello al día siguiente, cuando llamó a la oficina de él desde el trabajo para preguntar en qué avión llegaba. Era perfecto. Llegaba a las dos de la tarde, ella tendría tiempo de sobra para ir al aeropuerto a recogerlo; si había suerte, esa noche ya todo se habría tranquilizado y la vida volvería a su ritmo normal. Todo lo normal que iba a ser durante algún tiempo, de todas maneras. Tarde o temprano tendrían que hacer los ajustes correspondientes al hecho de que estaba embarazada, de la forma en que lo hacían las demás parejas, comprando la cunita, decorando el cuarto y preparándose para la llegada de sus bebés. Ese solo pensamiento le hizo sonreír mientras iba de vuelta al trabajo y se obligaba a no pensar en Steven.

Todo el mundo estaba en el estudio para ver cómo mataban a Sylvia esa tarde. John le hizo una visita en la cárcel haciéndose pasar por su abogado. «Vaughn» se mostró tremendamente sorprendida al verle; unos momentos después, sin ser visto por el guardia que los había dejado solos en un calabozo, él le puso sus manos en el cuello y al instante ella estaba muerta. Ella hizo sonidos muy convincentes mientras la estrangulaba. Una fabulosa escena, y Bill se sintió enormemente complacido con todos mientras la observaba. Después llegó el momento de decir adiós a Sylvia una vez terminado el programa, y de pronto todo el mundo estaba llorando. Sylvia había estado un año en la serie y todos la iban a echar de menos. Resultaba fácil trabajar con ella, hasta las mujeres la apreciaban. El director había encargado champaña; también ofrecieron a Bill un vaso de papel mientras permanecía en un lateral del plató y observaba cómo la telenovela se hacía real. Allí estaba también Stanley, observándolos a todos, algo incómodo. Finalmente Bill trató de escabullirse pero Sylvia le vio antes que se marchara; se le acercó silenciosamente y le dijo algo que nadie pudo oír; él sonrió y levantó el vaso hacia Sylvia y luego se volvió y lo levantó hacia Stanley

—Buena suerte a los dos. Que viváis fenomenal en Nueva Jersey. Y no te olvides de escribir —dijo bromeando a Sylvia, y la besó en la mejilla; ella se puso a llorar otra vez, sabiendo que era un buen riesgo irse con Stanley. Éste había alquilado una limusina blanca para que los llevara desde el estudio al aeropuerto. Esa noche tomarían el avión a Newark, su equipaje ya estaba en el coche. Ella ya había dejado su apartamento.

Sylvia miró con nostalgia a Bill, mientras éste se marchaba y sin volver la vista atrás regresaba a su oficina. Para él había sido una larga semana, pero al final todo había acabado bien y ahora pensaba tomarse realmente el fin de semana libre y las cosas con calma. Y mientras Bill conducía hacia su casa después del programa, Adrian iba de camino hacia el aeropuerto. Toda su mente estaba ocupada en pensar qué le iba a decir a Steven.

Todo lo que vio Adrian al observar a Steven descender del avión fue la expresión de sus ojos al verla. Se dirigió directamente hacia ella sin decir una palabra, su mirada cargada de hostilidad y preguntas.

—¿Por qué has venido? —le espetó, aún furioso por la conversación de la noche anterior.

—Quise venir a recogerte —contestó ella con dulzura. Intentó cogerle el maletín, ayudarle, pero él no la dejó.

—No tenías por qué venir. Preferiría que no hubieras venido.

—Vamos, Steven... sé razonable...

—¿Razonable? —se paró de golpe en medio del aeropuerto—. ¿Razonable? ¿Tú me pides que sea razonable? ¿Con todo lo que me estás haciendo?

—Yo no te estoy haciendo nada. Sólo intento arreglármelas lo mejor posible con lo que ha sucedido. Nos ha sucedido a los dos. Y considero que no es justo obligarme a hacer algo tan terrible.

—Lo que me estás haciendo es mucho peor —reanudó la marcha hacia la salida mientras ella lo seguía, preguntándose hacia dónde iría. Ella había dejado el coche en el aparcamiento y él se encaminaba hacia los taxis.

—Steven, ¿adónde vas? —él ya estaba fuera de la terminal y acababa de abrir la puerta de un taxi—. ¿Qué haces? —de pronto comenzó a sobrecogerla la angustia. Él actuaba como alguien a quien no conocía. Y le asustó lo que esto significaba. No lograba entenderlo—. Steven... —el taxista los observaba con evidente irritación.

—Voy al apartamento...

—Yo también. Para eso he venido al...

—... a recoger mis cosas. He alquilado un estudio en un hotel hasta que vuelvas a la razón.

La estaba chantajeando. La dejaba hasta que ella se deshiciera del bebé.

—Por Dios santo... Steven... por favor...

Pero él cerró de un portazo en su cara, puso el seguro y dio la dirección al taxista. Un momento después, el taxi se alejaba dejándola a ella allí de pie, mirándolos incrédula, pensando hacia dónde iba su vida.

No podía creer lo que él le estaba haciendo ni que en realidad la abandonara. Cuando llegó al apartamento él ya tenía hechas tres maletas con ropa, dos raquetas de tenis, sus palos de golf y otra maleta llena de papeles.

—No puedo creer que hagas esto —dijo ella mirando a su alrededor incrédula—. No es posible que lo hagas en serio.

—Pues sí —dijo él con frialdad—. Y muy en serio. Tómate el tiempo que quieras para decidirte, puedes llamarme a la oficina. Volveré cuando te hayas librado del bebé.

—¿Y si no lo hago?

—Vendré a buscar el resto de mis cosas cuando me lo hagas saber.

—¿Así de sencillo? —algo profundo en su interior comenzaba a arder, pero otra parte de ella deseaba enterrarse en un agujero y morir; el terror no asomó a sus ojos cuando miró a su marido—. Te estás comportando como un lunático de remate. Espero que lo sepas.

—No lo veo yo así. Y por lo que a mí respecta, has violado toda base de confianza y decencia en este matrimonio.

—¿Por tener a nuestro hijo?

—Por ir contra algo que tú sabes que me afecta tan profundamente —su tono era tan afectado y estirado que ella sintió deseos de golpearle.

—De acuerdo. Soy humana. He cambiado. Pero creo que podemos hacer esto. Tenemos mucho para ofrecer a cualquier hijo. Y creo que cualquier otra persona pensaría lo mismo, con criterio normal.

—No quiero un hijo.

—Y yo no quiero un aborto sólo porque tú crees que no te gustan los niños y no quieres que éste te fastidie un viaje a Europa.

—Ése es un golpe bajo —parecía terriblemente ofendido—. El viaje a Europa no tiene nada que ver con esto. Es el cuadro total. Este bebé nos privará del estilo de vida por el que hemos trabajado como burros, y no estoy dispuesto a renunciar a eso por un capricho ni porque te da demasiado miedo hacerte un aborto.

—No es por demasiado miedo, maldita sea —chilló ella—. Yo quiero el bebé. ¿Es que aún no te has dado cuenta?

—Todo lo que me he imaginado es que lo haces porque deseas fastidiarme —a sus ojos ésta era la traición definitiva, suprema.

—¿Cómo puedes pensar eso? —le preguntó mientras él revisaba otra vez su armario para asegurarse de que no se dejaba nada que pudiera necesitar.

—No lo sé —contestó—. Eso aún no lo he pensado.

—¿De verdad quieres decir que si conservo el bebé me vas a dejar para siempre? —preguntó, y él asintió en silencio mirándola a los ojos. Adrian sólo fue capaz de mover la cabeza y sentarse en un escalón mientras él sacaba sus maletas—. Así que me dejas, ¿verdad? —comenzó a llorar nuevamente sentada en la escalera observándole luchar con sus maletas, incapaz de creer que en realidad se iba; pero era verdad. Después de dos años y medio de matrimonio, él la abandonaba porque ella iba a tener un hijo de él. Era difícil de creer, aún más difícil de comprender; pero mientras ella le contemplaba incrédula, él acarreó la última de sus maletas hacia el coche y volvió para mirarla desde la puerta.

—Hazme saber lo que decides —sus ojos eran de hielo y su rostro estaba tranquilo mientras ella sollozaba acercándose a él.

—Por favor, no me hagas esto... me portaré bien... te lo prometo, ni siquiera le dejaré llorar... y no me abandones... te necesito —se aferró a él como una niña pequeña.

Él retrocedió como con repugnancia, y esto sólo le produjo a ella más angustia.

—Contrólate, Adrian. Tienes una alternativa. Depende de ti.

—No, no depende de mí —ya no podía controlar el llanto—. Me pides que haga algo que no puedo hacer.

—Puedes hacer todo lo que quieras —le dijo fríamente, y ella se revolvió contra él con una mirada de furia.

—También tú. Puedes adaptarte a esto si quieres.

—De eso se trata justamente —le dijo mirándola—. Ya te lo he dicho, Adrian, no quiero.

Dicho esto recogió sus raquetas de tenis, con una última mirada y, sin decir otra palabra, salió y cerró la puerta tras él, mientras Adrian permanecía de pie contemplando el lugar donde había estado. Era difícil de creer lo que le había hecho. La había dejado.

10

De la cocina no subía ningún olor a beicon esa mañana del sábado, cuando Adrian despertó. No había ninguna bandeja con el desayuno esperándola. Ninguna tortilla preparada con manos amorosas. No había buenos olores ni agradables sonidos ni ruidos acogedores. No había nada. Sólo silencio. La comprensión de ello la golpeó como un peso que caía sobre su corazón, casi tan pronto como despertó. Se movió en la cama buscándole, y entonces recordó de pronto. Steven la había abandonado.

La noche anterior llamó diciendo que estaba enferma para el teleinformativo de las once. Se sentía demasiado alterada para ir a ningún sitio, se había quedado echada en la cama llorando hasta quedarse dormida con las luces encendidas. A las tres de la mañana se despertó, se quitó la ropa y se puso el camisón. Ahora, al despertarse, se sentía como un alcohólico después de una borrachera de dos semanas. Tenía los ojos hinchados, la boca seca, sentía el estómago en la garganta y todo el cuerpo molido. Había sido una noche infernal, toda una semana infernal. En realidad habían sido diez días muy desgraciados, desde que descubriera que estaba embarazada. Y todavía tenía la opción que le había ofrecido Steven. Aún podía abortar y él volvería, pero ¿qué tendrían si lo hacía? Resentimiento y rabia mutuos, y finalmente odio. Ella sabía que si renunciaba al bebé por él acabaría odiándolo y si no lo hacía, él siempre le guardaría rencor. En una corta semana se las habían arreglado para destruir lo que ella siempre había considerado como un matrimonio bastante decente.

Se quedó en la cama largo rato pensando en él y preguntándose por qué le había hecho esto. Evidentemente, los recuerdos de su infancia eran mucho peores de lo que ella jamás había imaginado, estaba verdaderamente traumatizado, no sólo disgustado ante la idea de tener hijos. No era algo que fuera a cambiar de la noche a la mañana, quizá nunca. Él habría tenido que desear ardientemente cambiar, cosa que no era así.

Sonó el teléfono y por un desesperado momento rogó que fuera Steven. Había vuelto a la razón... la deseaba a ella... deseaba al bebé... Cogió el teléfono con un gemido esperanzado y una mirada alicaída. Era su madre. Llamaba cada varios meses, aunque Adrian no disfrutaba conversando con ella. Sus conversaciones siempre se centraban en los brillantes hechos de su hermana, los cuales, por lo que a Adrian se refería, eran unas pocas y desagradables referencias a Steven. Sobre todo, su madre hacía comentarios no tan velados acerca de los muchos fallos de Adrian. Que no había llamado, que hacía muchos años que no iba a casa por Navidad, que había olvidado el cumpleaños de su padre, el aniversario de bodas de sus padres, que se había ido a vivir a California, se había casado con alguien que a ellos no les gustaba, y echaba más a perder todo aún al no tener hijos. Al menos su madre ya no le preguntaba si habían ido a ver al médico.

Adrian le aseguró que todo iba bien, le deseó un feliz día de la madre (atrasado, había sido la semana anterior), dándose cuenta que había vuelto a fallar, y dijo a su madre que había tenido tanto trabajo que ni siquiera sabía en qué día estaba. Sin contar el hecho de que había tenido sus propios problemas.

—¿Cómo está papá? —preguntó, sólo para escuchar que se estaba poniendo viejo, pero que su cuñado se acababa de comprar un Cadillac nuevo y, por cierto, ¿qué coche tiene Steven? ¿Un Porsche? ¿Qué es eso? Ah, ¿un coche extranjero? ¿Y Adrian todavía va con ese ridículo cochecito que tenía cuando estaba en la universidad? Su madre reconoció que le horrorizaba que Steven no le hubiera comprado un coche decente. Su hermana tenía dos coches ahora. Un Mustang y un Volvo. Era una conversación pensada para molestar de todas las formas posibles y lo consiguió. Adrian sólo dijo que todo iba bien y que Steven estaba afuera jugando al tenis. Qué maravilloso habría sido tener una madre con quien poder conversar, una persona sobre cuyo hombro llorar, alguien que le levantara el espíritu. Pero a su madre sólo le interesaba llevar la cuenta de los tantos; cuando ya había oído lo suficiente le dijo que diera a Steven sus «mejores» deseos, y colgó sin ofrecerle ningún consuelo.

Volvió a sonar el teléfono pero esta vez no contestó. Después escuchó el contestador automático y descubrió que había sido Zelda, pero no estaba segura de querer hablar tampoco con ella. Deseaba estar sola para lamerse las heridas, y la única persona con quien realmente deseaba conversar era Steven. Pero no llamó en todo el día; esa noche Adrian se sentó sola envuelta en su albornoz y arrebujada frente al televisor, compadeciéndose a sí misma y llorando.

Volvió a sonar el teléfono y lo cogió sin pensarlo. Era Zelda que la llamaba desde el trabajo para preguntarle algo. Zelda se dio cuenta inmediatamente de que algo iba mal. La voz de Adrian sonaba terrible.

—¿Estás enferma?

—Más o menos... — murmuró, deseando no haber contestado. Contestó las preguntas de Zelda sobre el trabajo y después Zelda pareció dudar, con deseos de volverle a preguntar si se encontraba bien. Hacía unos días que tenía el presentimiento de que Adrian tenía problemas.

—¿Hay algo que pueda hacer por ti, Adrian?

—No... yo... —Adrian se sintió conmovida por la pregunta—. Estoy bien.

—Por la voz no lo pareces —la voz de Zelda era cariñosa al otro extremo del hilo.

En el otro extremo, Adrian se había puesto a llorar.

—Sí... —dijo inhalando ruidosamente por el teléfono, sintiéndose estúpida por desmoronarse tan de repente, pero es que ya no podía continuar disimulando. Era demasiado duro, demasiado horrible, ahora que él la había dejado. Aún no podía creer que hubiera hecho una cosa así, deseaba tener a alguien con ella que la rodeara con sus brazos—. Supongo que no estoy bien, después de todo —rió a través de sus lágrimas, ahogándose con un sollozo.

Zelda no podía dejar de preguntarse qué habría sucedido. Entonces, Adrian decidió contárselo. No había ninguna otra persona a quien contárselo, y durante los años que llevaban trabajando juntas, siempre había habido una corriente de simpatía con Zelda—. Steven y yo... él... nosotros... me ha dejado... —las últimas palabras fueron sólo un gemido y comenzó a llorar de nuevo.

Zelda sintió pena por ella. Sabía lo difíciles que son estas cosas. Ya había pasado por esto, motivo por el cual ahora sólo salía con chicos jóvenes. Quería pasarlo bien, disfrutar, pero no más dolores de cabeza ni corazón roto.

—Lo siento, Adrian. De verdad. ¿Puedo servirte en algo?

—No —dijo Adrian moviendo la cabeza mientras le resbalaban las lágrimas por las mejillas—. Estaré bien. —¿Pero cuándo... volvería él, si volvía? Rogaba para que volviera a la razón.

—Claro que sí —la animó Zelda—. Sabes, por mucho que pensemos que no podemos vivir sin ellos, siempre podemos. De aquí a seis meses, estarás contenta de que esto haya sucedido. —Pero estas palabras de Zelda sólo la hicieron llorar más.

—Lo dudo.

—Espera y verás —dijo convincente, pero Adrian sabía algo que ella no sabía—. De aquí a seis meses estarás embarcada en un fabuloso romance con alguien a quien todavía no conoces.

Al oír estas palabras Adrian se echó a reír. Como mucho, la imagen era cómica. De aquí a seis meses estaría embarazada de siete.

—Lo dudo —volvió a sonarse las narices y suspiró.

—¿Cómo puedes estar tan segura?

—Porque voy a tener un hijo —ahora su tono era serio.

Hubo un momento de silencio al otro lado mientras Zelda asimilaba lo que acababa de escuchar. Se oyó un largo silbido.

—Eso lógicamente cambia las perspectivas. ¿Lo sabe él?

Adrian dudó pero sólo durante una fracción de segundo. Necesitaba hablar con alguien; Zelda era inteligente y prudente, sabía que podía confiar en ella.

—Por eso se fue. No desea hijos.

—Volverá —ahora Zelda parecía confiada—. Sólo es la reacción. Posiblemente sólo tiene miedo.

Y tenía razón. Steven estaba aterrorizado, pero Adrian no estaba plenamente convencida de que fuera a recuperar la sensatez. Ella deseaba que lo hiciera, lo deseaba más que cualquier otra cosa, pero era difícil imaginar qué haría. Era el mismo hombre que había abandonado a su familia sin volver jamás. De hecho, ella estaba segura de que jamás los había echado de menos. Una vez tomaba una decisión, era capaz de cortar un lazo que había amado si esto convenía a sus propósitos.

—Ojalá tengas razón —suspiró nuevamente Adrian, tomando aliento de los sollozos, como un niño que ha estado llorando. Luego recordó algo—: No lo digas a nadie en la oficina. —No estaba preparada en absoluto para anunciarlo. Deseaba arreglar las cosas con Steven primero. Sería más sencillo si él volvía y las cosas se tranquilizaban antes que ella contara a nadie que estaba esperando un hijo, y no quería poner nervioso a nadie en la oficina sobre si continuaría trabajando o no.

—No diré una palabra —le tranquilizó Zelda de inmediato—. ¿Qué vas a hacer? ¿Dejar el trabajo o acogerte al permiso?

—No lo sé. Aún no lo he pensado. Tomarme el permiso, supongo. —¿Pero y si Steven no estaba? ¿Qué iba a hacer sola? ¿Cómo se las iba a arreglar para trabajar y cuidar el bebé? Ni siquiera había comenzado a pensar en esto. Pero fuera como fuese, sabía que iba a hacerlo.

—Tienes tiempo. Y tienes razón. No digas nada. Sólo los pondrás nerviosos.

Adrian tenía un buen trabajo, tal vez uno fabuloso. Era un trabajo que Zelda no habría tocado ni con una pértiga de tres metros, implicaba demasiada responsabilidad y demasiados dolores de cabeza, pero Adrian sí era capaz para hacerlo, ella siempre se había imaginado que le gustaba su trabajo. La verdad es que este trabajo había sido idea de Steven, pero a Adrian también le gustaba, aunque a veces anhelaba algo un poco más esotérico. Trabajar día tras día con las noticias era brutal a veces, y todos sabían que podía ser muy deprimente. Estaban demasiado cerca de los horrores que comete el hombre contra el hombre, de las tragedias provocadas por la naturaleza, y había escasos ejemplos de historias que les levantaran el ánimo. Pero era una satisfacción hacer el trabajo bien, y Adrian lo hacía. Todos sabían eso.

—Tómatelo con calma, Adrian. No dejes que esta tontería te deprima. Lo del trabajo se arreglará solo finalmente, el bebé llegará cuando esté preparado para hacerlo, y Steven probablemente volverá dentro de dos días con los brazos cargados de rosas rojas, deseando hacer como si nunca te hubiera dejado.

—Ojalá tengas razón.

A los pocos minutos colgaron. Zelda no estaba segura de lo que haría Steven. Le había visto varias veces y se había quedado impresionada por él, pero en el fondo de su corazón no le gustaba. Había un algo de frío y calculador en el hombre. Miraba a través de ti, como si estuviera nervioso por ir a conversar con otra persona, y ella jamás había considerado que fuera tan correcto y acogedor como Adrian. Adrian tenía algo que a ella le gustó desde el primer momento que la conoció. Ahora sentía pena por ella. Es duro estar embarazada y que tu marido te abandone. No era justo, pensó Zelda indignada, y Adrian no se lo merecía. No lo merecía, pero no había nada que pudiera hacer al respecto. No podía hacer nada para que él volviera o cambiara de opinión.

Más tarde, por la noche, Adrian permaneció sentada frente al televisor, cegada por las lágrimas llorando. Finalmente se quedó dormida en el sofá; eran las cuatro de la mañana cuando despertó a los sombríos acordes del himno nacional. Apagó el televisor y se acomodó en el sofá; no deseaba subir a dormir en la cama vacía. Era demasiado deprimente. A la mañana siguiente despertó cuando entraban los primeros rayos de sol por las ventanas. Tendida allí en el sofá pensando en Steven, sentía los trinos de los pájaros afuera; era un hermoso día, pero sentía como si tuviera un elefante sentado en su corazón. Steven. ¿Por qué le hacía esto a ella y a él mismo? ¿Por qué los privaba a los dos de algo que tenía tanto significado? Era extraño cómo después de haberse resignado a no tener nunca hijos, ahora estuviera dispuesta a sacrificarlo todo por éste.

Todo era extraño, pensó mientras se incorporaba lentamente y se sentaba en el sofá. Se sentía como si la hubieran apaleado, le dolía todo el cuerpo y sentía los ojos hinchados de haber llorado tanto la noche anterior. Al minuto siguiente cuando entró al cuarto de baño, gimió al mirarse en el espejo.

—No me extraña que te haya dejado —le dijo a su imagen en el espejo. Se le volvieron a llenar los ojos de lágrimas y se rió. Era inútil. No hacía otra cosa que llorar. Se lavó la cara y los dientes y se puso unos tejanos y un suéter viejo de Steven. Era una manera de estar cerca de él. Ya que no podía tenerlo a él, tenía su ropa.

De mala gana se preparó una tostada y calentó café que había quedado del día anterior. Sabía fatal, pero en realidad no le importaba. Tomó un sorbo y se quedó contemplando el espacio, pensando nuevamente en él y en por qué la había dejado. Al parecer, su mente estaba obsesionada por un solo tema. Sonó el teléfono y de un salto corrió a cogerlo, sin aliento y excitada... él regresaba a casa... tenía que ser él. ¿Quién, si no, iba a llamar a las ocho de la mañana del domingo? Pero la voz habló en chino y colgó inmediatamente al oír la suya. Número equivocado.

Pasó la hora siguiente dando vueltas por el apartamento, cogiendo y dejando cosas; trató de separar la ropa para el lavado, pero la mayor parte era de él y comenzó a llorar de nuevo. Todo era doloroso, todo le recordaba lo que había ocurrido, y el solo hecho de estar en el apartamento sin él le resultaba ahora doloroso. A las nueve ya no lo pudo resistir y decidió dar un paseo. No sabía dónde ir, pero deseaba ir a alguna parte y tomar aire, alejarse de las ropas y cosas de Steven y de las vacías habitaciones que la hacían sentirse aún más sola. Tomó sus llaves, cerró la puerta y se dirigió hacia la fachada del complejo residencial. Hacía dos días que no recogía la correspondencia, y no le importaba, pero al menos era algo que hacer mientras salía a caminar. Se detuvo ante el buzón y se apoyó en la pared echando un vistazo a las facturas. Había dos cartas para Steven, ninguna para ella. Volvió a poner la correspondencia en el buzón y se dirigió lentamente hacia su coche, pensando que tal vez le vendría bien darse una vuelta. El día anterior había dejado su coche en la zona de aparcamiento delante del complejo; al acercarse vio que había una vieja furgoneta de madera aparcada al lado; luego vio a un hombre sacando una bicicleta de ella. El hombre estaba mojado y acalorado, como si hubiera salido temprano a andar en bicicleta. Él se volvió y la miró. Se quedó mirándola como si estuviera tratando de recordar algo, buscando en su mente, y luego sonrió y recordó el lugar exacto donde la había visto. Tenía una memoria fantástica para este tipo de cosas, detalles inútiles, rostros que había visto una sola vez, nombres de personas a las que nunca volvería a ver. No sabía el nombre de ella porque nunca lo había sabido, pero inmediatamente recordó que era la guapa chica que había visto en Safeways hacía unas semanas. Y también recordó que estaba casada.

—Hola —dijo él, colocando la bicicleta junto a ella, y ella se encontró mirando unos ojos azules francos, acogedores y amistosos. Le calculó unos cuarenta o cuarenta y un años, tenía unas arruguitas simpáticas alrededor de los ojos. Parecía una persona que disfrutaba de la vida y se sentía a gusto consigo mismo y con las personas que le rodeaban.

—Hola —dijo ella con apenas una vocecita, y él se fijó en que era diferente que la vez en que la vio hacía varias semanas. Parecía cansada, estaba pálida; se preguntó si habría estado trabajando demasiado o si tal vez había estado enferma. Y parecía deprimida, como una persona que ha tenido que sufrir mucho. Le había parecido más animada cuando la vio en el supermercado a medianoche, pero en todo caso, seguía siendo hermosa, y estaba feliz de verla.

—¿Vivís aquí? —preguntó. Deseaba hablar con ella, saber algo de ella. Era extraño cómo se habían vuelto a cruzar sus caminos. Tal vez sus destinos estaban entrelazados, se dijo a sí mismo bromeando, mientras la admiraba. No le habría gustado nada mejor, sólo que, ciertamente, se recordó mientras le sonreía, eso significaría tener su destino entrelazado con su marido también.

—Sí —sonrió ella en voz baja—. Vivimos en una de las casas de ciudad en el otro extremo. Normalmente no aparco aquí. Pero he visto su coche otras veces. Es fabuloso —con frecuencia había admirado el coche sin saber a quién pertenecía.

—Gracias. Yo lo adoro. También yo he visto su coche aquí —dijo al darse cuenta que era de ella. Siempre le había gustado el destartalado y pequeño MG cuando lo veía, y ahora se daba cuenta también de que la había visto a ella también una vez en el complejo. Iba con un hombre alto y guapo de pelo oscuro, en un coche aburrido, como un Mercedes o un Porsche. Y al pensar en ello, comprendió que tal vez ése era su marido. Formaban una buena pareja, pero él se había sentido mucho más impresionado por ella cuando la vio sola en Safeway. Pero claro, siempre despertaban mayor interés en él las mujeres solas que las parejas guapas y jóvenes—. Me alegro de volver a verla —prosiguió, sintiéndose de pronto algo azorado ante ella, luego se puso a reír—. ¿No se siente de nuevo como un crío cuando choca con personas así? Hola... me llamo Bill, ¿cómo te llamas? ¡Qué gracioso! ¿Vienes también a este colegio? —dijo imitando la voz de un niño, y ambos se rieron, porque era verdad. Casada o no, era una hermosa chica, él era hombre y a ambos les resultaba evidente que le gustaba—. Por cierto —añadió, extendiéndole la mano, sosteniendo aún con la otra la bicicleta de montaña—. Me llamo Bill Thigpen, y nos conocimos hace unas dos semanas en Safeway, alrededor de la medianoche. Yo intenté atropellarla con mi carro de compras y usted dejó caer unas catorce toallas de papel.

Ella sonrió ante el recuerdo y extendió la mano.

—Me llamo Adrian Townsend —le estrechó la mano con una sonrisa tímida y solemne, pensando en lo extraño que era encontrársele de nuevo. Ahora le recordaba aunque muy vagamente. Desde entonces, su vida había dado un gran giro. Todo... Hola, me llamo Adrian Townsend y toda mi vida se ha destrozado... mi marido me ha dejado... voy a tener un hijo...—. Encantada de volverle a ver —trataba de ser amable, pero sus ojos continuaban tristes. Con sólo mirarla le daban deseos de rodearla con sus brazos—. ¿A dónde va a andar en bicicleta? —trató de decir algo, él parecía desear seguir conversando.

—Ah... por aquí y por allá... esta mañana he ido a Malibu. Estaba precioso. A veces voy hasta allí y sencillamente camino por la playa para aclararme la cabeza si he estado trabajando toda la noche.

—¿Lo hace muy a menudo? —trataba de parecer interesada, aunque no sabía exactamente por qué. Simplemente sabía que era un tío simpático que se mostraba amigable y ella no quería herir sus sentimientos. Había un algo en él que la hacía desear quedarse allí, cerca de él, y hablar acerca de nada. Era como si al estar cerca de él estuviera a salvo durante un rato, y no le sucedería nada terrible. Le daba esa especie de sensación, de alguien capaz de hacerse cargo de las cosas, y mientras conversaba con él, él la miraba atentamente a los ojos. Estaba seguro. No sabía en qué, pero ella había cambiado. Parecía herida. De adentro. Y él sintió pena por ella.

—Sí... a veces trabajo hasta tarde. Hasta muy tarde. ¿Y usted? ¿Siempre va a hacer las compras a medianoche?

Ella se rió por la pregunta, pero sí que lo hacía, siempre que se olvidaba de comprar algo antes. Le gustaba ir de compras después del último informativo. Se sentía relajada del trabajo pero aún totalmente despierta, y la tienda estaba vacía a esa hora.

—Sí, a veces. Termino el trabajo a las once y media. Trabajo en el informativo de las once... y en el de las seis. Es buena hora para ir de compras.

—¿En qué canal trabaja? —parecía divertido.

Ella se lo dijo y él volvió a reírse. Quizá sus destinos estaban de verdad entrelazados.

—Yo trabajo en el mismo edificio, sabe —aunque nunca la había visto allí, su serie se emitía a unas tres plantas de su oficina—. Trabajo en una telenovela a unas tres plantas del estudio de los informativos.

—Qué gracioso —también ella estaba divertida por la coincidencia, aunque menos entusiasmada que él por ella—. ¿En qué serie?

—«Una vida digna de vivirse» —dijo despreocupadamente tratando de no desvelar que «Una vida» era su hija.

—Ésa es buena. Me encantaba verla entre horas antes de ir a trabajar en los informativos.

—¿Cuánto tiempo lleva allí? —sentía curiosidad por ella, y le encantaba estar parado a su lado. Se imaginaba que hasta podía olerle el champú en la cabellera. Estaba tan limpia, resplandeciente, que de pronto se encontró pensando cosas estúpidas, como si usaría perfume, y si lo usaba si sería del tipo que a él le gustaba.

—Tres años —contestó ella, contestándole el tiempo que llevaba en los informativos—. Solía hacer programas especiales y películas de dos horas. Lo mío es la producción. Pero tuve esta oportunidad de trabajar en las noticias... —su voz se quebró, como si aún no estuviera segura de ello, y él se peguntó por qué.

—¿Le gusta?

—A veces. A veces es bastante terrible y me deprime —se encogió de hombros como pidiendo disculpas por una debilidad intrínseca.

—A mí también me deprimiría. Creo que no podría hacerlo. Prefiero mucho más inventarlo... asesinatos, violaciones, incestos. Los temas interesantes y saludables que gustan en Estados Unidos —volvió a sonreír y se apoyó en su bicicleta mientras ella se reía, y por un instante, un brevísimo instante, ella pareció libre y feliz, como cuando la viera por primera vez.

—¿Es escritor? —no estaba segura por qué se lo preguntaba, pero era tan fácil hablar con él, y no tenía ninguna otra cosa que hacer esa mañana del domingo.

—Sí —respondió él—. Pero ya no escribo la serie. Sólo controlo desde los laterales —ella no había supuesto que él fuera el creador de la serie y él no deseaba decírselo.

—Debe de ser advertido. A mí me gustaba escribir, hace mucho tiempo, pero lo hago mejor en el lado de la producción —o al menos eso era lo que decía Steven. Tan pronto pensó en él, volvieron a ponérsele tristes los ojos, y como la estaba mirando, Bill lo notó.

—Apuesto a que lo haría bien si lo intentara. La mayoría de las personas piensa que escribir es un gran misterio, como las matemáticas, pero en realidad no lo es. —Mientras hablaba, casi podía ver cómo ella se alejaba y volvía a su tristeza inicial. Por un instante ninguno de los dos habló mientras él la observaba, y entonces ella sacudió la cabeza obligándose a pensar en escribir de nuevo, para quitarse a Steven de la mente.

—Creo que no podría escribir —le miró con tanta tristeza que él deseó alargar la mano y tocarla.

—Tal vez debería intentarlo. A veces es un alivio tremendo... —para lo que sea que está bullendo en tu interior causándote tristeza. Le envió sus mejores deseos, pero no podía decir nada. Después de todo eran desconocidos y él no podía preguntarle por qué se sentía tan desgraciada.

Entonces ella abrió la puerta de su coche y se volvió a mirarle mientras se subía al MG. Era como si lamentara dejarlo, pero ya no sabía qué más decirle. La conversación se estaba poniendo floja, y pensó que era mejor marcharse, aunque no deseaba hacerlo en realidad.

—Hasta una próxima ocasión... —dijo ella suavemente y él asintió.

—Así lo espero —sonrió, desafiando su alianza de matrimonio, lo cual era raro en él, pero es que ella era una chica especial. Sin siquiera conocerla, lo sabía.

Ella se marchó y él se quedó sosteniendo su bicicleta de montaña y observándola.

11

Pasados dos días Steven la llamó finalmente a casa antes que se marchara para el trabajo. Ya estaba desesperada por saber de él, se le elevó el ánimo al oír su voz y luego le volvió a bajar al escuchar que necesitaba su otra maquinilla de afeitar.

—Si la llevas a la oficina hoy, la pasaré a recoger en algún momento antes de ir al trabajo mañana por la mañana. La buena se me estropeó.

—Cuánto lo siento —trató de parecer animada para que él no supiera lo deprimida que se había sentido—. ¿Cómo está el resto de ti?

—Muy bien —su tono era frío—. ¿Y tú?

—Estoy bien. Te echo de menos.

—Por lo visto no es suficiente. A no ser que haya sucedido algo que yo no sé —fue derecho al centro del tema. No había ninguna señal de que fuera a transigir, o aplacarse, ningún cambio, y Adrian se preguntó si Zelda estaría equivocada y en realidad su matrimonio estaba acabado. Era difícil de creer, pero también lo era su traslado a causa del bebé.

—Lamento que aún pienses de ese modo, Steven. ¿Querrías venir este fin de semana y lo hablamos?

—No hay nada de qué hablar, a no ser que hayas cambiado de parecer —era casi pueril la forma en que continuaba insistiendo en que abortara.

—¿Qué entonces? ¿Continuamos viviendo así para siempre y te mando una tarjeta anunciándote que ha nacido el bebé?

Ella estaba para bromas pero él no.

—Quizá. Creo que debo esperar un tiempo a ver si piensas de otra manera las próximas semanas. Y si decides... seguir adelante... entonces comenzaré a buscar apartamento.

—Lo dices en serio, ¿no? —aún no se lo podía creer.

—Sí. Y creo que lo sabes. Me conoces lo suficiente para saber que no voy a seguir el juego durante mucho tiempo, Adrian. Decídete y comunícamelo para que ambos podamos continuar nuestras vidas. Esto no es saludable para ninguno de los dos.

No podía creerlo. Él deseaba recibir la notificación lo antes posible para poder comenzar a salir con chicas o buscar apartamento. Sencillamente no podía creerlo.

—Ciertamente no es saludable. Y será muy interesante explicárselo a tu hijo o hija —pero el dardo no dio en el blanco. A él no parecía importarle lo que ella le dijera a su hijo o hija.

—¿Por qué no lo dejamos estar por unas semanas y podrás decirme lo que piensas entonces? La próxima semana voy a Nueva York, y después de eso vuelvo a Chicago. En realidad me tocará viajar bastante las próximas semanas. ¿Por qué no lo dejamos hasta mediados de junio? Eso te da un mes para resolver lo que deseas hacer.

Ella deseaba matarse, eso es lo que deseaba hacer... o matarle a él... no deseaba esperar hasta junio para saber si él deseaba o no divorciarse.

—¿Estás verdaderamente dispuesto a tirar por la borda dos años y medio de matrimonio por una rabieta?

—¿Así que crees que es sólo eso? Entonces es que no lo entiendes muy bien, ¿verdad, Adrian? Es cuestión de objetivos en la vida, y por lo visto los tuyos y los míos son muy diferentes.

—Tienes razón, no estoy dispuesta a vender mi alma ni mi hijo por un tocadiscos nuevo y un viaje a Europa. No se trata de un partido de tenis. Se trata de nuestras vidas y de nuestro hijo. Me harto de decírtelo, pero en realidad creo que ni siquiera me escuchas.

—Te escucho, Adrian. Pero no estoy de acuerdo con lo que dices. Dentro de unas semanas hablaré contigo. Y —añadió—: llámame si cambias de opinión en el intervalo.

—¿Cómo te encuentro? —¿y si surgía una emergencia y lo necesitaba? Aún figuraba él como su pariente más cercano en todos sus documentos. Esto le produjo angustia también. Todo le producía angustia. Se sentía completamente abandonada.

—Llámame a la oficina, aquí saben dónde estoy.

—Afortunados ellos —dijo ella con sarcasmo.

—No te olvides de mi máquina de afeitar.

—No... claro...

Él colgó y ella se quedó sentada en la cocina un largo rato, pensando en lo que le había dicho, y preguntándose si alguna vez le había conocido. Estaba comenzando a dudarlo.

Ese día llevó a la oficina su maquinilla de afeitar y al día siguiente ya no estaba. Él la había pasado a recoger la noche anterior y ni siquiera le había dejado una nota, pero no le dijo nada a nadie acerca de eso. Ni siquiera a Zelda. No le había contado a nadie del trabajo que Steven la había dejado. Era demasiado violento. Y cuando volvieran a reunirse dentro de unas semanas, sería menos embarazoso si nadie sabía que se había ido, sólo Zelda.

Cuando le contó a Zelda lo de la conversación telefónica, ella le aseguró que Steven no tardaría en volver a la razón.

Pero mientras tanto, los fines de semana eran interminables. Él no llamaba, y de pronto Adrian se dio cuenta de que estaba tan acostumbrada a estar con él que ya no sabía qué hacer sin él. Y Zelda tenía su propia vida. Ahora salía con un chico de veinticuatro años que era modelo. Y por muy preocupada que estuviera por Adrian, estaba ocupada llevando su propia vida; Adrian no deseaba ser una molestia.

Todo era tranquilo mientras Adrian sabía que Steven estaba fuera, en cierto sentido era un descanso. Dejó de esperar saber de él o de encontrarse con él. No estaba en la cama deseando que él viniera al apartamento a buscar algo, o que apareciera en su oficina a decirle que había sido un estúpido y que lo sentía mucho. Estaba en Chicago en esos momentos, y hacía semanas que no tenía noticias suyas, pero tal vez cuando volviera, finalmente podrían solucionar las cosas y reemprender la vida.

Mientras tanto, sentía como si todo estuviera en suspenso. Trabajaba, comía, dormía, no iba a ningún sitio, no salía. Ni siquiera iba al cine. Una vez fue al médico, que le dijo que el embarazo iba bien y que todo estaba normal. Todo, excepto el hecho de que su marido la había abandonado, pensó ella. Pero sintió un gran alivio al saber que el bebé estaba bien. Había llegado a significar todo para ella, era todo lo que le quedaba... una pequeña cosita para amar... un ser que ni siquiera había nacido todavía. Se sintió tan sola una o dos veces que estuvo tentada de llamar a sus padres, pero resistió el impulso. Almorzaba en el trabajo con Zelda de vez en cuando. Al menos, ella sabía y podía hablar sobre el bebé con ella.

También se encontró con Bill Thigpen en el trabajo; y ahora que se habían conocido oficialmente, parecían encontrarse en todas partes, en el ascensor, en el aparcamiento, incluso se habían vuelto a encontrar en Safeway. Se volvió a encontrar con él en el complejo, y él no le dijo que había visto salir del apartamento a su marido hacía unas semanas, cargado de maletas. Él sabía que iría a alguna parte, pero no preguntó dónde, y Adrian tampoco lo mencionó cuando se encontraron en la piscina. En su lugar, hablaron muchísimo rato de libros y películas que les habían gustado, y él le habló de sus hijos. Era evidente que estaba loco por ellos y ella se sintió conmovida por la forma en que los mencionaba.

—Se ve que son muy importantes para ti.

—Lo son. Son lo mejor de mi vida —le sonrió mientras ella se ponía bronceador. Le pareció más feliz que la vez anterior, y en cierto modo más tranquila, pero aún estaba muy callada. Se preguntó si sería siempre así o si sólo es que era tímida con desconocidos.

—Vosotros no tenéis hijos, ¿verdad? —suponía que no, pues nunca la había visto con ninguno, ella no lo había mencionado y seguramente habría dicho algo si tuviera hijos. La mayoría de la gente que vivía en el complejo no tenía hijos. Había unas pocas parejas con recién nacidos, pero generalmente se mudaban y compraban casas más grandes cuando tenían bebés.

—No —pareció dudar y él la miró, preguntándose si habría algo más en el asunto—. No tenemos. Yo... hemos... ambos hemos estado muy ocupados trabajando.

Él asintió, preguntándose cómo sería ser amigo de ella. Hacía mucho tiempo que no era amigo de una mujer de forma puramente platónica, y había veces que, de extraña manera, le recordaba a Leslie. Tenía el mismo tipo de seriedad e intensidad, los mismos valores decentes acerca de muchas cosas. Más de una vez Bill se encontró pensando si le iría a gustar su marido. Tal vez todos podrían ser amigos. Todo lo que tenía que hacer era olvidar que la encontraba sensacional y que tenía un cuerpo realmente sensual.

Se obligó a mirarla a los ojos y a conversar sobre su futuro en la sala de informativos. Era una forma de olvidar cómo estaba ella en bañador, y el hecho de que habría dado cualquier cosa por inclinarse y besarla.

—¿Cuándo vuelve tu marido? —le preguntó en tono familiar; ella pareció sorprendida por la pregunta. No sabía que Bill supiera que no estaba. Quizás ella había dicho algo, pensó.

—Muy pronto —contestó tranquilamente—. Está en Chicago.

Cuando volviera ambos iban a intentarlo y decidir de una vez por todas el asunto de su matrimonio. No era ninguna pequeñez, y ella a la vez temía y deseaba su regreso. Se moría por verle, pero también tenía miedo de decirle que no había cambiado nada respecto al bebé. El bebé formaba ahora parte de ella, y de esa forma iba a continuar hasta que naciera. Sabía que Steven no iba a sentirse feliz al escuchar esto.

Steven llamó por fin el segundo lunes de junio, a las nueve en punto, casi en el justo momento en que ella llegaba a su oficina. Su secretaria le dijo que él estaba al teléfono y ella se precipitó a cogerlo. Llevaba casi un mes esperando esta llamada, había lágrimas en sus ojos cuando escuchó su voz, se sentía muy feliz. Pero su tono no era amable. Le preguntó cómo estaba, haciendo notar intencionadamente que preguntaba por su salud. Ella sabía qué deseaba saber, así que decidió afrontarlo directamente.

—Steven, aún estoy embarazada y seguiré estándolo.

—Me lo imaginaba. Lamento saberlo —era cruel de su parte decir eso, pero honrado—. ¿Entonces no has cambiado de parecer?

—No —dijo ella moviendo la cabeza mientras le brotaban las lágrimas de sus ojos y le resbalaban por las mejillas—. No, no he cambiado de parecer. Pero me gustaría verte.

—Creo que no es buena idea. Sólo nos confundiría a los dos.

¿Por qué le tenía tanto miedo? ¿Por qué hacía esto? Aún no lograba comprenderlo.

—¿Qué es una pequeña confusión entre amigos? —rió ella entre las lágrimas, tratando de mantener las cosas alegres, aunque no lo eran.

—Sacaré mis cosas dentro de unas semanas. Comenzaré a buscar un apartamento.

—¿Por qué? ¿Por qué haces esto? ¿Por qué no te vienes a casa por un tiempo? Inténtalo siquiera. —Jamás habían tenido ningún problema, nunca una pelea, jamás un problema de adaptación desde que se casaron. Solo esto. El hijo de ambos. Y de pronto, todo estaba terminado.

—No tiene ningún sentido torturarnos, Adrian. Tú has tomado tu decisión, ahora hagamos lo posible por recoger los restos y continuar. —Hablaba como si ella lo hubiera traicionado, como si ella fuera la culpable y él hubiera sido decente y razonable. Ella se preguntó si en realidad él buscaría un abogado—. ¿Qué deseas hacer respecto a la urbanización?

¿Su casa? ¿Qué quería decir con esto de qué deseaba hacer ella con la casa? Iba a vivir allí mientras tenía su hijo.

—Tenía la intención de vivir allí. ¿Tienes algo que objetar?

—No ahora. Pero después sí. Ambos deberíamos recuperar nuestro dinero de la casa, y luego cada uno puede comprarse otra cosa, a no ser que desees comprar mi mitad.

Pero ambos sabían que ella no podía.

—¿Cuándo quieres que me vaya? —La estaba poniendo en la calle, y todo porque estaba embarazada.

—No hay prisa. Te lo comunicaré cuando desee hacer algo en ese sentido. Por el momento sólo deseo alquilar.

Qué simpático. Qué cómodo para él. Se sintió enferma mientras le escuchaba. Ya no había para qué seguir engañándose. Él la abandonaba. Todo había terminado. A no ser que después... cuando hubiera nacido el bebé, él regresara y comprendiera cuán equivocado había estado. Siempre quedaba una pequeña esperanza. No creería que se había ido realmente hasta que él viera a su hijo y le dijera que no lo quería. Ella estaba dispuesta a esperar hasta entonces, por muy neurótico que se pusiera él en el intervalo. E incluso si se divorciaba de ella, siempre podrían volver a casarse después.

—Haz lo que quieras —le dijo con calma.

—Esta semana iré a buscar mis cosas.

Finalmente fue a la semana siguiente porque tuvo la gripe; Adrian lo contempló tristemente mientras él ponía en cajas todas sus pertenencias.

Le llevó horas empaquetarlo todo. Había alquilado un camión pequeño, que trajo consigo, y un amigo vino con él a ayudarle a cargarlo. A ella le resultó violento quedarse allí. Se había sentido feliz al principio, al verlo; pero él se mostró frío y mantuvo las distancias.

Mientras ellos cargaban el camión, ella salió y estuvo en su coche conduciendo, para no tener que verle ni despedirse de nuevo. Ya no era capaz de resistir el dolor, y al parecer él deseaba evitarla.

Pasadas las seis de la tarde volvió a casa y vio que el camión ya no estaba. Entró en la casa y se quedó sin aliento al mirar a su alrededor. Cuando él dijo que se iba a «llevar todo», había querido decir exactamente eso. Se había llevado todo lo que era técnicamente suyo, todo lo que le pertenecía de antes del matrimonio, y todo aquello por lo cual había pagado o para lo cual le había dado a ella parte del dinero, después de casados. Sin querer comenzó a llorar. Habían desaparecido el sofá y las sillas, la mesa de cóctel, el estéreo, la mesa de desayuno, las sillas de la cocina, todo en absoluto de lo que una vez había colgado de las paredes. En la sala de estar no quedaba ni una sola silla, y cuando subió, lo único que quedaba en el dormitorio era la cama. Toda su ropa de la cómoda había sido puesta cuidadosamente doblada en cajas. La cómoda no estaba, así como tampoco las lámparas y las confortables sillas de cuero de dormitorio. Se había llevado todos sus juegos, aparatitos y artilugios. Ella ya no tenía televisor, y cuando entró al cuarto de baño para sonarse la nariz, descubrió que también se había llevado su propio cepillo de dientes. Entonces comenzó a reírse ante lo ridículo de la situación. Era de locos. Se había llevado todo. A ella no le quedaba nada. Todo había desaparecido. Todo lo que le había dejado era su cama, sus ropas, la alfombra de la sala de estar y alguna que otra cosa suelta, todo lo cual había tenido especial cuidado en dejarlo en el suelo, y la vajilla de porcelana que ella había traído cuando se casaron, la mayor parte de la cual ahora estaba rota.

No había habido ninguna discusión, ni pelea ni conversación sobre qué pertenecía a cada uno, o sobre quién deseaba qué. Sencillamente se había llevado todo porque él había pagado la mayor parte de las cosas, porque él pensaba que era suyo y que tenía derecho a ello. Mientras recorría nuevamente la primera planta se acercó a la nevera para beber algo y descubrió que también se había llevado todas las botellas de agua gaseosa. Entonces comenzó a reír nuevamente. No había otra cosa que hacer. Y aún estaba mirando asombrada a su alrededor cuando sonó el teléfono. Era Zelda.

—¿Qué pasa?

—No mucho —dijo Adrian mirando tristemente a su alrededor—. De hecho, absolutamente nada.

—¿Y eso qué quiere decir? —preguntó Zelda.

Pero esta vez no estaba preocupada. Adrian parecía estar muchísimo mejor. Por una vez casi parecía feliz. Pero no lo estaba. Sólo que había pasado el límite y ya no podía deprimirse más. Todo había ido demasiado lejos y quizá todo lo que podría hacer ahora era reírse.

—Ha pasado por aquí de saqueo Atila el Huno.

—¿Te han entrado a robar? —preguntó Zelda horrorizada.

—Supongo que lo puedes decir así —rió Adrian y se sentó en el suelo junto al teléfono. La vida se había vuelto muy sencilla—. Steven ha venido a recoger el resto de sus cosas hoy. Me ha dejado la alfombra y la cama, y se ha llevado todo lo demás, incluido mi cepillo de dientes.

—Dios mío. ¿Cómo lo has dejado hacer eso?

—¿Qué crees que tenía que haber hecho? ¿Seguirle con una escopeta? ¿Qué se supone que tenía que hacer? ¿Pelear por cada trapo de cocina y alfiler? Al demonio con todo. Si lo quiere todo, que se lo quede. —Y si alguna vez volvía, cosa que ella sospechaba podría hacer él algún día, lo traería todo de vuelta, y no creía que esto importara en realidad. Ella pasaba de estar peleando por mesitas y sillones.

—¿Necesitas algo? —le preguntó Zelda con sinceridad, y Adrian sólo pudo reírse.

—Claro. ¿Tienes por casualidad una camioneta llena de mesas y sillas, unas dos docenas de platos, unos cuantos manteles, una cómoda, unas pocas toallas... ah, se me olvidaba, un cepillo de dientes?

—Lo digo en serio.

—Yo también. No tiene importancia, Zelda. De todas formas él quiere vender esta casa.

Zelda no lo podía creer. Tampoco Adrian. Se lo había llevado todo. Pero le quedaba lo único que le importaba. Su bebé.

Se encontraba de sorprendente buen ánimo y sólo al día siguiente acusó el golpe. Estuvo largo rato echada junto a la piscina pensando en él, y preguntándose cómo se las había arreglado su vida en común para desmoronarse con tanta rapidez. Algo tenía que haber ido mal desde el comienzo, algo esencial tenía que haber faltado siempre, en él quizá, si no en su matrimonio. Pensó en los padres y hermanos que había abandonado antes, en el amigo al que había traicionado, sin jamás volver la vista atrás. Tal vez había una parte de él que sencillamente no sabía amar. De otra forma no era posible que todo se hubiera desmoronado de ese modo. No era posible... pero lo era. En unas pocas semanas había acabado su matrimonio. Tendría que hacerse una nueva vida, pero no era capaz ni de comenzar a pensar cómo. Tenía treinta y un años, había estado casada dos años y medio, y estaba embarazada. No estaba apenas para salir con nadie, ni tampoco se sentía en ánimos de hacerlo. Ni siquiera quería reconocer que Steven la había dejado. Continuó diciéndole a todo el mundo que estaba fuera. Le dolía demasiado y era demasiado embarazoso decir que la había dejado. Y esa tarde, cuando apareció Bill Thigpen en la piscina con expresión de extrañeza y le preguntó si estaban de mudanza, ella se encogió visiblemente y le dijo que iban a vender el mobiliario para comprar todo nuevo, pero ni a ella le pareció convincente la forma en que lo dijo.

—Parecía mucha cosa fabulosa —dijo él con cautela observándola mientras ambos estaban tendidos junto a la piscina. Y él había visto algo en el rostro de Steven que le había recordado a Leslie cuando le dejó.

Pero Adrian parecía muy feliz allí recostada tomando el sol con un libro entre sus manos. Sostenía el libro patas arriba mientras sentía que le dolía el corazón pensando en Steven.

12

La semana en que se mudó Steven, Adrian se sintió como si estuviera viviendo un sueño. Se levantaba, iba a trabajar, volvía a casa por la noche, y cada noche esperaba encontrarlo allí al llegar. Por entonces él ya habría vuelto a la razón, se sentiría mortificado, arrepentido y horrorizado por lo que había hecho, ambos se reirían y subirían al dormitorio a hacer las paces en la cama, y pasados diez años él le contaría a su hijo lo absurdo de su comportamiento cuando ella le dijo que iba a tener un bebé.

Pero al llegar a casa él no estaba allí. Jamás había llamado. Y entonces se sentaba en el suelo en la sala de estar tratando de leer o haciendo como que revisaba papeles.

Tan pronto él se marchó, ella pensó en comprar nuevos muebles, pero después decidió no hacerlo, por si él volvía, cosa que aún pensaba que haría. ¿Con qué fin tener dos juegos de muebles para un apartamento? La mayor parte del tiempo tenía puesto el contestador automático, escuchaba las llamadas. Nunca era Steven, sino normalmente amigas, o de la oficina, y con mayor frecuencia, Zelda. Pero Adrian no se sentía con ánimos de hablar tampoco con ella. Su única concesión ante su vida era ir al trabajo y volver a casa. Se sentía como un robot, levantándose cada mañana, regresando a casa, preparándose algo de comer y volviendo al trabajo para el informativo de las once. Se sentía como caminando sobre una interminable cinta transportadora. Día tras día había en sus ojos una ciega mirada de dolor; a Zelda le dolía verla así, pero ni siquiera ella la podía ayudar. Aún no podía creer lo que había hecho Steven, o que lo hubiera hecho en serio. Pero cuando intentaba llamarle, su secretaria siempre le decía que estaba fuera; ella no estaba segura de si era cierto o no. Aún tenía esa sensación angustiosa de qué le ocurriría si realmente le necesitaba, pero por el momento no había ocurrido, y sabía que sólo tenía que sentarse derecha hasta que él volviera a la razón.

El viernes del fin de semana del Cuatro de Julio se encontró nuevamente con Bill Thigpen en Safeway. Acababa de terminar el último informativo cuando se dio cuenta de que no tenía nada en casa para el día siguiente, y tendría todo el fin de semana libre. Él iba haciendo malabarismos con dos carritos de compra llenos, carbón, dos docenas de filetes, varios paquetes de salchichas para perritos calientes, carne picada, panecillos, y todo ese tipo de cosas que dan la impresión de que preparaba un picnic.

—Hola —dijo él cuando chocaron en el pasillo donde él estaba sacando dos grandes botes de ketchup—. No te he visto en toda la semana —bromeó, comprendiendo al verla que la había echado de menos. Había algo tan refrescante y atractivo en su rostro que se contentaba con solo mirarla, y la intensidad de su sonrisa siempre le encantaba—. ¿Qué tal las noticias?

—Lo mismo de siempre. Guerras, terremotos, explosiones, maremotos, lo de costumbre. ¿Cómo van las cosas en «Una vida»? —aún le divertía el hecho de que él estuviera metido en una telenovela.

—Lo mismo que las noticias... guerras... maremotos... terremotos... explosiones... divorcios... hijos ilegítimos...

asesinatos... los mismos felices sucesos. Quizá los dos estamos en el mismo asunto.

—Lo tuyo parece más divertido —dijo ella sonriendo.

—Lo es... a veces.

Desde que Sylvia dejara la serie se sentía solo, pero tenía que reconocer que eso era estúpido. Lo había pasado bien con ella de vez en cuando, y ambos se habían ofrecido mutuamente algo cómodo y fácil. Pero en realidad ella no mejoraba para nada la calidad de tu vida, ni él la de ella, seguro que estaba mucho mejor con el fabricante de ropa de Nueva Jersey. Después de irse, Sylvia había mandado una postal a los actores de la serie, cantando las alabanzas de la casa que Stanley acababa de comprarle. Mirando atrás, se sentía tonto por haber estado con ella. Esto le pasaba ahora al pensar en todas las mujeres con las que había salido. Y había decidido dar vuelta a la hoja, enredarse sólo con mujeres que significaran algo para él; el problema era que la mayor parte de las mujeres que conocía no le significaban nada. Por su trabajo conocía a muchas actrices, a muchas mujeres que sólo deseaban irse a la cama con él a cambio de un papel fabuloso, o una oportunidad de aparecer en la serie. Para ellas, el precio era justo, y esta actitud no era mucho como para conducir a un gran romance. Por tanto, hacía más de un mes que no salía con nadie, y la verdad era que tampoco lo echaba de menos. Lo que echaba de menos era tener a alguien con quien conversar hasta muy entrada la noche, alguien con quien comentar ideas sobre la serie, alguien con quien compartir sus penas y alegrías. Pero eso tampoco lo había tenido con Sylvia, de todos modos. De hecho, no lo había tenido desde Leslie.

—¿Vas a venir a la barbacoa mañana? —le preguntó esperanzado a Adrian. Le gustaba conversar con ella, y sentía mucha curiosidad acerca de su marido. Ella le había dicho que trabajaba en publicidad, pero a Bill le había parecido más un actor. Pero hacía casi dos semanas que no lo veía, desde que lo vio cargar los muebles en la camioneta y llevárselos—. La barbacoa del Cuatro de Julio en nuestro complejo de apartamentos es mi mayor hazaña culinaria del año. Francamente, no deberías perdértela —dijo señalando las cosas que llevaba en su carrito; le sonrió—. Lo hago todos los años, al comienzo ante la demanda popular, y ahora por costumbre. Los bistecs que hago son fenomenales —volvió a sonreír—. ¿Vinisteis el año pasado? —no recordaba haberlos visto, aunque sabía que los recordaría. Jamás habría olvidado a una chica como ella, o tal vez era que había estado distraído.

Pero ella movió la cabeza.

—Generalmente salimos. Creo que el año pasado lo pasamos en La Jolla.

—¿Vais a salir también esta vez? —preguntó desilusionado.

—No —dijo negando con la cabeza también—. No... Steven... mi marido está fuera nuevamente. En Chicago —las palabras le salieron con dificultad, y Bill pareció sorprendido.

—¿El Cuatro de Julio? Eso es desastroso. ¿Qué vas a hacer mientras él no está? —no se mostraba fresco sino amistoso. Varias veces habían disfrutado charlando junto a la piscina. Él sabía que estaba casada y lo comprendía.

—No gran cosa —dijo ella vagamente, con aspecto nervioso.

—Ven a la barbacoa entonces. Te prepararé un famoso bistec a la Thigpen.

Ella sonrió ante la expresión de su cara, parecía tan entusiasmado y le caía tan bien.

—Voy... voy a cenar con amigos —sonrió, pero sus ojos continuaban tristes y él lo notó—. Quizás el próximo año.

Él asintió y vio el reloj de la pared que había detrás de ella. Eran las doce y media de la noche y estaban conversando como si fueran las diez de la mañana.

—Supongo que tengo que buscar las demás cosas —dijo con pena—. Si cambias de parecer, ven a la barbacoa. Puedes traer a tus amigos. Tengo comida suficiente para un ejército.

—Lo intentaré.

Pero no tenía intención de ir a la barbacoa, pensó, mientras compraba el resto de alimentos. Recordaba haber visto una hoja para apuntarse en el buzón hacía unas semanas, pero la había tirado. Tenía otras cosas en su cabeza en esos momentos y no lo lamentaba. Lo último que deseaba era encontrarse vagando entre solteros solitarios del complejo. Tenía su propia vida y no le interesaba cultivar nuevas relaciones, ni salir con nadie. Estaba casada, todo lo que tenía que hacer era esperar que Steven volviera a la razón. Era sólo cuestión de tiempo, de eso estaba segura. Cuando él volviera podrían concentrarse en tener el bebé. Mientras tanto, también eso lo tenía puesto en reserva. Apenas pensaba en ello. Había tomado la decisión de seguir adelante con el embarazo, pero ahora pensaba en eso lo menos posible. Y por el momento aún le resultaba fácil ignorarlo; excepto por malestares ocasionales, por el voraz apetito que la consumía el resto del tiempo y una ligera fatiga, podía olvidarse de que estaba embarazada. Sólo tenía tres meses de embarazo y no se le notaba nada. Todo lo que necesitaba era pensar en su trabajo y esperar a Steven. Después que él se fuera, al principio ella había pensado que todo había terminado, que él jamás volvería, y que si volvía, su relación estaría dañada para siempre. Pero durante las dos últimas semanas se las había arreglado para convencerse a sí misma de que era un lapso, un momento de locura en la por otra parte sana vida de su matrimonio. Se negaba a creer que el hecho de que él jamás llamara, que no contestara cuando ella lo llamaba, y que no hubiera sabido de él desde que se llevara todo lo que le pertenecía era una señal de que para él el matrimonio estaba realmente terminado.

Volvió a divisar a Bill en la cola para pagar, con tres carritos llenos a rebosar tras él. Llevó al coche su magra compra con un sentimiento de tristeza. Ahora le cabía la compra para una semana en dos bolsas. Todo en su vida parecía haberse encogido desde que Steven la dejara. Y al llegar a casa le pareció ridículamente vacío el apartamento. Colocó las verduras en la nevera, apagó las luces y subió a la segunda planta, donde el muelle y el colchón aún reposaban en el suelo del dormitorio, y sus ropas aún estaban en las cajas en el suelo donde Steven las había dejado. Se echó en la cama y se quedó despierta mucho rato, pensando en él, preguntándose qué iría a hacer todo el fin de semana. Estuvo tentada de llamarle, de suplicarle que volviera a casa, de decirle que haría cualquier cosa... cualquier cosa, menos el aborto. Ése ya no era el problema. El problema era continuar con su vida sin marido. Aún se sorprendía al comprender lo perdida, lo desprovista y abandonada que se sentía. Después de dos años y medio, ni siquiera era capaz de recordar qué hacía antes de casarse para divertirse. Era como si nunca antes hubiera vivido sola, como si nunca hubiera llevado una vida antes de Steven.

Eran las tres de la mañana cuando finalmente se quedó dormida, y casi las once cuando se despertó a la mañana siguiente. Esto era lo único que parecía hacer con facilidad ahora. Podía dormir todo el día si tenía ocasión. El doctor le dijo que esto se debía al bebé. El bebé. Aún le parecía irreal la idea. El pequeño ser que le había costado su matrimonio. Sin embargo aún lo deseaba. De alguna forma aún le parecía que valía la pena.

Se levantó y se duchó. Al mediodía se preparó huevos revueltos, después pagó algunas facturas e hizo limpieza. Miró la vacía sala de estar y se echó a reír. Ciertamente, últimamente le resultaba fácil mantener limpia la casa. No había nada que alisar, nada a qué quitar el polvo, ninguna manchita de qué preocuparse en el sofá, ni plantas que regar, pues también se las había llevado. Todo lo que tenía que hacer era su cama, y pasar la aspiradora. A las dos y media fue a la piscina y vio a Bill ocupadísimo preparando la barbacoa. Estaba conferenciando con dos hombres que Adrian había visto anteriormente, también había dos mujeres colocando un gran jarrón con flores en una larga mesa de picnic. Obviamente, iba a ser un acontecimiento, y casi lamentó no asistir. No tenía nada que hacer, ningún sitio adónde ir. Zelda estaba en México con un amigo y todo lo que se le ocurría hacer era ir al cine.

Lo saludó con la mano al acercarse a la piscina, y se tendió a tomar el sol un largo rato; después se echó en una de las tumbonas boca abajo. Él se aproximó y se sentó a su lado un ratito, con aspecto feliz pero agotado.

—Recuérdame no hacer esto el próximo año —le dijo, como si fueran viejos amigos. Pero es que en realidad estaban entrando en confianza de sólo encontrarse regularmente en los mismos sitios. Vivían y trabajaban en el mismo lugar, e incluso hacían la compra en el mismo supermercado de medianoche—. Cada año lo repito —y bajó la voz con aire conspirador—. Esta gente me vuelve loco.

Ella sonrió al mirarle. Era divertido sin quererlo. Se le notaba maravillosamente preocupado, pero también parecía disfrutarlo.

—Apuesto a que te lo pasas en grande haciendo esto.

—Claro que sí. Probablemente Sherman lo pasó en grande organizando la marcha sobre Atlanta. Pero posiblemente eso fue mucho más sencillo de orquestar que esto —se acercó más para que nadie lo oyera—: Los tíos piensan que debería haber comprado langosta este año, dicen que he preparado bistecs, hamburguesas y perritos los tres últimos años y que eso ya es anticuado. Las mujeres opinan que deberíamos hacerlo preparar para todos los gustos. Jo, ¿alguna vez fuiste de niña a un bar de perritos calientes para todos los gustos el Cuatro de Julio? —parecía indignado y ella se rió, le divirtió la idea—. ¿Ibas a picnic de Cuatro de Julio cuando eras niña?

—Sí —asintió ella—. Solíamos ir a Cape Cod. Cuando era mayor íbamos a Martha's Vineyard. Me encantaba. No hay nada como eso por aquí. Esa sensación maravillosa de las ciudades de veraneo, las playas perfectas y los chicos con quienes juegas todos los veranos y esperas todo el año para verlos. Era fantástico.

—Sí —sonrió él con sus propios recuerdos—. Nosotros íbamos a Coney Island. Subir a la montaña rusa y mirar los fuegos artificiales. Mi padre solía hacer una gran barbacoa por la noche en la playa. Cuando era mayor, tenían una casa en Long Island y mi mamá preparaba un verdadero picnic en el patio de atrás, pero yo siempre consideré que los tiempos en que íbamos a Coney Island fueron los mejores —aún tenía maravillosos recuerdos de las cosas que había hecho con sus padres cuando niño. Había sido hijo único y adoraba a sus padres.

—¿Aún lo hacen?

—No —movió la cabeza, pensando en ellos, pero todos sus recuerdos eran agradables ahora. La aflicción había desaparecido. El dolor de perderlos había pasado. Miró a Adrian y le gustó lo que vio en sus ojos. Le gustó la forma en que su pelo oscuro le caía sobre los hombros—. Murieron. Después que compraron la casa en Long Island. Hace mucho tiempo... —Dieciséis años. Él tenía veintidós años cuando murió su padre, y veintitrés cuando murió su madre al año siguiente—. Creo que hago toda esta producción del Cuatro de Julio por ellos. Tal vez es mi forma de decir que los recuerdo —le sonrió con simpatía—. Aquí parece como si la mayoría de nosotros no tuviéramos familia, tenemos chicas, hijos, perros y amigos, pero nuestros tíos y tías, padres, abuelos y primos están todos en otra parte. En serio, ¿has conocido a alguien que se haya criado en Los Angeles? Quiero decir alguien normal, no alguien que se parezca a Jean Harlow y sea un tío que está locamente enamorado de su hermana. —Ella se rió. Era tan real, tan profundo y serio y al tiempo tan ligero, alegre y divertido—. ¿De dónde eres?

Ella deseó decir de Los Angeles, pero no lo hizo.

—De Connecticut. Nuevo Londres.

—Yo soy de Nueva York. Pero casi nunca voy allí. ¿Vas a Connecticut de vez en cuando?

—No, si puedo evitarlo —sonrió ella—. Dejó de ser divertido más o menos en la época en que dejamos de ir a Martha's Vineyard, cuando entré a la universidad. Mi hermana vive allí, sin embargo. —Ella y sus hijos y su marido tan aburrido. Era difícil relacionarse con cualquiera de ellos, y desde que se casó con Steven ni siquiera lo intentó. Sabía que un día de estos tendría que comunicarles lo del bebé, pero deseaba esperar hasta que Steven volviera a casa, cuando recuperara la razón. Sería demasiado complicado explicarles que estaba embarazada y que él se había marchado, y mucho más sus motivos. Todas estas cosas eran las que la hacían tratar de no pensar en el embarazo por el momento.

—Es una pena que no puedas venir esta noche —dijo él con tristeza.

Ella asintió avergonzada por la mentira, pero le resultaba más fácil no acudir. Se zambulló en la piscina para nadar un poco y él volvió a sus preparativos; al poco rato fue a su apartamento a poner a marinar la carne para bistecs. La barbacoa iba a ser una gran producción, al parecer.

A las cinco, ella se volvió a su apartamento, se echó en la cama e intentó leer. Pero era incapaz de concentrarse. Este último tiempo le resultaba difícil concentrarse casi siempre; sencillamente había demasiadas cosas en su cabeza. Echada allí oía los sonidos de la barbacoa. A las seis comenzó a llegar la gente. Había música y risas; por lo que oía habría unas cincuenta personas. Salió a la terraza después de un rato, donde podía escuchar el ruido y sentir los olores de la comida sin ser vista. Pero tampoco ella podía verlos. Todo parecía muy festivo. Hubo choque de vasos, alguien puso discos antiguos de los Beatles y música de los sesenta. Parecía divertido y lamentó no haber ido. Pero era demasiado violento explicar por qué no estaba Steven allí, aunque ella había dicho que estaba en Chicago en viaje de negocios. Era embarazoso ir sola. No había salido sola aún y no estaba preparada para comenzar a hacerlo. Pero el olor de la comida la puso desesperadamente hambrienta. Finalmente bajó y miró en la nevera, pero nada le pareció tan bueno como lo que olía, y todo eso era demasiado complicado de preparar. De pronto sintió que se moría de ganas de comer una hamburguesa. Eran las siete y media y estaba muerta de hambre. No había comido nada desde el desayuno, y se preguntaba si se podría deslizar dentro del grupo, sacar algo para comer y volver a desaparecer. Siempre podría hacerle un talón a Bill Thigpen por su participación en la cena. No había ningún mal en ello. No era lo mismo que salir. Sólo era comer. Como ir a un sitio de comida rápida, o comprar comida china para llevar. Incluso podría coger una hamburguesa y traérsela a casa. No tenía para qué quedarse en la fiesta.

Subió nuevamente, deprisa, se miró en el espejo del cuarto de baño, se arregló el pelo, echado hacia atrás y atado con una cinta blanca de satén, luego se colocó un vestido de encaje blanco mexicano que había comprado con Steven durante un viaje a Acapulco. Era bonito, femenino y fácil de llevar; además le escondía el pequeño bultito que aún no se notaba, pero que le impedía ponerse pantalones o tejanos. Con los vestidos aún no se notaba. Se puso sandalias plateadas y unos grandes pendientes colgantes de plata. Dudó sólo un momento antes de bajar. ¿Y si todos tenían acompañantes y ella no conocía a nadie? Pero aunque incluso Bill estuviera acompañado, al menos ella le conocía y él se mostraba siempre amistoso y acomodaticio. Entonces bajó, y un momento después estaba rondando alrededor de la multitud, cerca de una de las mesas de picnic donde estaba servida la comida. Había grupos de personas en todas partes, riendo, charlando, contando anécdotas, algunos estaban sentados cerca de la piscina con los platos en las rodillas, bebiendo vino, o simplemente pasándolo bien y disfrutando de la fiesta. Todo el mundo parecía estar pasándolo muy bien. De pie junto a la barbacoa, con camisa a rayas rojas y blancas, pantalones blancos y un gran delantal azul encima, se encontraba Bill Thigpen.

Adrian dudó, observándole; estaba sirviendo bistecs con aire profesional, conversando con todo el mundo a medida que iban y venían, pero parecía estar solo, sin que ello pareciera tener ninguna importancia. Adrian se dio cuenta de que ni siquiera sabía si tenía una chica, y no era que esto fuera a cambiar las cosas de alguna forma. Pero sin saber por qué, había supuesto que no estaba comprometido con nadie. Siempre parecía muy libre. Se dirigió lentamente hacia él; y el rostro de éste se iluminó con una sonrisa al verla. Se fijó en todo, el vestido de encaje blanco, el resplandeciente pelo oscuro, sus grandes ojos azules; estaba hermosa y se emocionó al verla. Se sentía como un crío enamorado de una vecinita. Pasas semanas sin verla y de pronto das la vuelta a la esquina y allí está ella, preciosa, y te sientes como un estúpido, tropezándote contigo mismo, y ya no está, y todo el mundo se te acaba, hasta que vuelves a verla. Últimamente se había sentido como si toda su vida, o la única parte de ella que valía la pena, fuera sólo una serie de encuentros casuales.

—Hola —se ruborizó y deseó que ella pensara que era debido al calor de la barbacoa. No sabía por qué, pero era la primera vez que se sentía atraído en serio por una mujer casada. Y no era sólo que le gustara mirarla. También le gustaba conversar con ella. Lo peor del asunto era que le gustaba todo en ella—. ¿Has traído a tus amigos?

—Llamaron en el último minuto para decir que no podrían venir —soltó su mentira con tranquilidad, y le miró feliz mientras él la observaba.

—Me alegro... quiero decir... pues, sí, me alegro —e indicó hacia la carne que estaba preparando—. ¿Qué te sirvo? ¿Perritos, hamburguesa, bistec? Personalmente recomiendo los bistecs —trataba de ocultar lo que sentía con pasatiempos corrientes como preparar la cena. Realmente se sentía como un crío cada vez que la veía. Pero también le ocurría así a ella. Lo extraño del caso es que todo lo que deseaba era conversar con él. Era fácil estar y conversar con él.

Pocos minutos antes se moría por comer una hamburguesa, pero ahora, de pronto, los bistecs le parecían fabulosos.

—Me serviré un bistec, por favor. Poco hecho.

—Viene en seguida. Hay muchísimas otras cosas allí en la mesa. Catorce tipos diferentes de ensalada, una especie de suflé frío, queso, salmón de Nueva Escocia, yo no tengo nada que ver con todo eso. Yo soy el especialista en barbacoa, pero echa un vistazo, y cuando vuelvas te tendré listo el bistec.

Así lo hizo ella; él se fijó que se había llenado el plato de ensaladas, camarones y otras cosas que había encontrado en la mesa. Tenía buen apetito, lo cual era sorprendente por lo delgada que era. Evidentemente, era muy atlética.

Él le puso el bistec en el plato, le ofreció vino, pero ella no quiso, y se fue a sentar cerca de la piscina; él deseó que aún estuviera allí cuando él terminara con la cocina. Pasada media hora, Bill decidió finalmente que ya había hecho su parte; todo el mundo estaba servido y la mayoría había repetido. Otro hombre de la urbanización se ofreció a sustituirle; él aceptó contento y fue a reunirse con Adrian, que estaba acabando el postre satisfecha, sentada tranquilamente sola, escuchando a la gente que conversaba a su alrededor.

—¿Cómo estaba? No puede haber estado muy malo —el bistec había desaparecido, así como todo lo demás que se había puesto en el plato.

Ella pareció algo avergonzada y se rió con timidez.

—Me alegro. Detesto cocinar para gente que no come. ¿Te gusta cocinar? —sentía curiosidad por saber de ella, cómo era, qué hacía, cuán feliz era con su marido. No debería importarle, pero le importaba. Escuchaba campanillas de alarma en su mente, y se decía: es mejor detenerse, pero otra voz más fuerte le decía que no.

—A veces. Pero no cocino bien. No tengo mucho tiempo para cocinar. —Y nadie para quien cocinar. Ahora, al menos. Pero Steven tampoco era muy bueno para comer. Siempre prefería prepararse una ensalada.

—No, si tienes que hacer los dos programas informativos. ¿Vienes a casa entre programas? —quería saberlo todo acerca de ella.

—Casi siempre. A no ser que pase algo muy extraordinario y entonces no puedo salir entre programas. Pero generalmente vengo a casa alrededor de las siete y regreso a las diez o diez y media. Luego estoy de nuevo en casa alrededor de la medianoche.

—Lo sé —sonrió él. Ésa era la hora en que generalmente se encontraban en Safeway.

—Tú también debes de trabajar largas horas —sonrió ella. Estaba jugando con el pastel de manzana que tenía en el plato, avergonzada de devorárselo mientras él la observaba.

—Sí. Algunas noches duermo en el sofá de mi oficina —éste le hacía gran compañía, como muchas mujeres habrían estado encantadas de contárselo—. Nuestros guiones cambian con tanta rapidez a veces, que modifican las posiciones de todos en la serie. Es como una especie de onda y a veces cuesta seguirla. Pero también es divertido. Deberías ver la serie —a ella le gustó esto y durante un rato conversaron sobre la serie, sobre cómo había comenzado en Nueva York hacía diez años, y finalmente se había trasladado a California—. Lo peor de venirme aquí fue dejar a mis hijos —dijo él en voz baja—. Son unos chicos fenomenales. Los echo muchísimo de menos. —Él había hablado de ellos antes, pero aún había mucho que ella no sabía, así como no sabía muchas cosas acerca de su padre.

—¿Los ves mucho?

—No tanto como quisiera. Vienen durante el año para las vacaciones escolares, y durante un mes en el verano. Dentro de dos semanas estarán aquí —todo su rostro se iluminó al decir esto y ella se conmovió al verlo.

—¿Qué haces con ellos cuando están aquí? —trabajando como trabajaba no le resultaría fácil cuidar de ellos.

—Trabajo como un loco antes que vengan, y luego me tomo cuatro semanas libres. Voy de vez en cuando para echar un vistazo a cómo va todo, pero fundamentalmente, por mucho que odie reconocerlo, la serie va muy bien sin mí —sonrió tímidamente al admitir esto—. Nos vamos de camping durante dos semanas, y las otras dos semanas las pasamos aquí. A ellos les encanta. Yo pasaría muy bien sin salir de camping. Mi idea de acampar es una semana en el hotel Bel-Air. Pero a ellos les gusta ensuciarse, estar incómodos y dormir en el bosque. En realidad, eso lo hacemos durante una semana y luego nos alojamos en algún hotel durante la otra semana. Como en el Ahwahnee de Yosemite, o subimos al lago Tahoe. Una semana es todo lo que puedo aguantar en una tienda y un saco de dormir, pero nos va bien a todos. Me mantiene humilde —se rió y Adrian se terminó el pastel de manzana mientras le escuchaba. Se sentían algo nerviosos de estar juntos esta vez, pero más que nervios era como una especie de excitación. Era la primera vez que estaban juntos intencionadamente en un ambiente social.

—¿Qué edad tienen?

—Siete y diez años. Son chicos fabulosos. Los verás en la piscina. Ellos creen que California lo es todo en cuanto a piscinas. Es muy diferente de Great Neck, en las afueras de Nueva York, donde viven con su madre.

—¿Se te parecen? —preguntó Adrian sonriendo; le podía imaginar con dos pequeños ositos de felpa iguales a él.

—No estoy seguro. Dicen que el pequeño se me parece, pero yo encuentro que los dos se parecen a su madre. —Y luego añadió nostálgico—: Tuvimos a Adam en seguida. Fue muy duro. Leslie tuvo que dejar de trabajar, mi esposa entonces era bailarina en Broadway. Y yo luchaba de verdad. Hubo épocas en que pensé que nos moriríamos de hambre. Pero no nos morimos. Y el bebé fue lo mejor que pudo sucedernos jamás. Creo que es una de las pocas cosas en que estamos de acuerdo. Adam y la serie ocurrieron más o menos al mismo tiempo. Siempre pensé que fue la providencia que nos enviaba lo que necesitábamos para él y para nosotros. La serie ha sido buena para mí durante mucho tiempo —su actitud era de agradecimiento al hablar de esto, como si en realidad él no se lo mereciera sino que hubiera tenido mucha suerte y él lo supiera. Al escucharle, se le ocurrió pensar a Adrian qué diferente era de Steven. Sus hijos significaban mucho para él, y era muy modesto con respecto a su éxito. Los dos hombres tenían muy poco en común—. ¿Y qué hay de ti? —le preguntó a ella—. ¿Piensas que vas a continuar con los informativos?

—No lo sé —ella también se lo había preguntado, y quizá cuando tomara su permiso maternal, tendría tiempo de reflexionar sobre lo que deseaba hacer con el resto de su vida, aparte de ser madre.

—A veces me hace ilusión comenzar otra serie. Pero al parecer nunca tengo tiempo para pensar en ello, y no digamos de hacerlo. «Una vida» es aún un compromiso de jornada completa.

—¿De dónde sacas las ideas para la serie? —preguntó ella bebiendo limonada que alguien le había servido.

—Dios lo sabe —sonrió él—. De la vida real, de mi cabeza. Cualquier cosa que se me ocurre y que ligue. Trata de todo tipo de cosas que suceden en las vidas de las personas, todas metidas en una olla y revueltas. La gente hace las cosas más desgraciadas y se mete en las situaciones más increíbles.

Ella asintió pensativa. Sabía exactamente lo que quería decir, y él estaba observándole la expresión. Cuando volvió a levantar la mirada, sus ojos se encontraron; ella pareció como que iba a decir algo, pero no lo dijo.

Ya iba quedando poca gente, muchas personas se le habían acercado a darle las gracias. Por lo visto, él conocía a todo el mundo, y en todo momento se mostraba amistoso y agradable. A ella le gustaba estar con él, estaba sorprendida por lo cómoda que se sentía a su lado. Se podía imaginar contándole prácticamente cualquier cosa. Casi. Excepto, tal vez, sobre Steven. En cierto modo, se sentía fracasada porque él la había dejado.

—¿Quieres beber algo? —preguntó él. Llevaba toda la noche con el mismo vaso de vino, y cuando ella declinó la oferta, él dejó a un lado el vaso y se sirvió café—. No bebo mucho —explicó—. Si lo hago, no puedo trabajar en toda la noche.

—Yo tampoco —sonrió ella.

Había varias parejas jóvenes sentadas en las cercanías, conversando y riendo, tomados de la mano; al observarlos se sintió sola. De pronto recordó nuevamente que estaba sola. Después de trabajar su relación con Steven durante cinco años, estaba sola, y no había nadie que la abrazara y la amara.

—Así que, ¿cuándo vuelve tu marido? —preguntó él tranquilamente, casi lamentando que volviera. Era un tío con suerte, Bill aún deseaba que Adrian no estuviera casada.

—La próxima semana —dijo ella algo evasiva.

—¿Y dónde está ahora?

—En Nueva York —dijo ella con rapidez.

De pronto, Bill recordó algo que ella había dicho. La miró extrañado.

—Creí que habías dicho que estaba en Chicago —parecía perplejo; entonces se quedó mudo al ver la expresión de terror en su rostro. Algo la había alterado de forma terrible y él no sabía qué era. Ella cambió el tema rápidamente.

—Ha sido una gran idea esto —dijo poniéndose de pie, y mirando nerviosamente a su alrededor—. Lo he pasado muy bien.

Se iba, y él estaba desconsolado. La había asustado y no quería que se fuera. Sin pensarlo, la tomó la mano con el deseo de hacer algo para que se quedara junto a él.

—No te vayas, por favor, Adrian... es una noche tan hermosa, y es tan agradable estar aquí, simplemente conversando contigo.

Se le notaba muy joven y muy vulnerable; le conmovió el corazón la forma en que lo dijo.

—Es que pensé... tal vez... tenías otros planes... no deseaba molestar... —parecía incómoda, pero él no lograba saber por qué; ella se volvió a sentar y él le retuvo la mano preguntándose qué hacía. Ella estaba casada y a él no le hacía ninguna falta romperse el corazón.

—No me molestas. Eres maravillosa, y lo estoy pasando fabuloso. Cuéntame acerca de ti. ¿Qué te gusta hacer? ¿Qué deporte prefieres? ¿Qué tipo de música te gusta?

Ella se rió. Hacía años que nadie le preguntaba eso, pero era agradable conversar con él, mientras no la interrogara con respecto a Steven.

—Me gusta todo... la música clásica... el jazz... el rock... el country... me encanta Sting, los Beatles, U2, Mozart. Solía esquiar muchísimo cuando era niña, pero hace mucho que no lo hago. Me gusta la playa... y el chocolate caliente... y los perros... —de pronto se puso a reír—, y el pelo rojo, siempre he deseado ser pelirroja —y entonces pareció ponerse triste—. Y los críos. Siempre me han gustado los bebés.

—A mí también —sonrió él, deseando poder pasar con ella toda una vida y no sólo una noche—. Mis niños eran muy monos cuando pequeñitos. Cuando me vine, Tommy aún no tenía un año. Eso casi me mató —y en sus ojos apareció el recuerdo de verdadero pesar al decirlo—. Me gustaría que los conocieras cuando vengan, dentro de un par de semanas. Tal vez podríamos pasar todos una tarde juntos. —Sabía que si Adrian y él iban a ser amigos tendría que hacerse amigo de su marido. Era la única relación posible para ellos y estaba dispuesto a hacerlo con tal de conocerla. Tal vez su marido era más simpático de lo que parecía, aunque a Bill se le antojaba improbable.

—Me encantaría estar con ellos alguna vez. ¿Cuándo vais de camping?

—Dentro de dos semanas —sonrió—. En realidad vamos a ir al lago Tahoe, pasando por Santa Barbara, San Francisco y el valle de Napa. Cuando lleguemos allí, acamparemos cinco días.

—Parece un viaje muy civilizado —ella había esperado algo mucho más accidentado.

—Tengo que hacerlo así. Demasiado aire fresco es como un golpe para mi organismo.

—¿Juegas al tenis? —preguntó vacilante. No era que los estuviera comparando, pero sentía curiosidad. En Steven esto era como una idea fija.

—Si a eso se le puede llamar así —se disculpó—. No soy muy bueno.

—Yo tampoco —rió ella, deseando comerse otro trozo de pastel de manzana, pero no se atrevió a ir a buscar más. Él iba a pensar que era una verdadera cerda si comía una cosa más, pero toda la comida había estado exquisita. El equipo de «limpieza» estaba retirando las cosas y ya había oscurecido mientras estaban junto a la piscina. El grupo se había reducido más aún, pero ella estaba disfrutando de su compañía, y no tenía deseos de marcharse, aunque estaba comenzando a pensar que debería hacerlo.

De pronto, en lo alto del cielo, comenzaron los fuegos artificiales. Los lanzaban desde un parque cercano y eran muy hermosos, toda la gente se detuvo a contemplarlos; Adrian también, como una niña maravillada, mientras Bill le sonreía. Era hermosa, acogedora y simpática. Parecía una niñita con el rostro levantado hacia el cielo, una niñita guapa, y él sintió el impulso de besarla. Ya había tenido el impulso anteriormente, pero se iba haciendo más agudo cada vez que la veía.

El espectáculo continuó durante media hora y finalmente explotó con una salvaje lluvia de rojo, blanco y azul que siguió y siguió, al parecer eternamente. Y luego el cielo volvió a estar oscuro, con sólo las estrellas en lo alto, y el polvo negro dejado por los fuegos artificiales; los vestigios de humo comenzaron a caer a la tierra lentamente mientras Bill se sentaba cerca de ella y aspiraba su perfume. Era Chanel 19, a él le gustaba.

—¿Tienes algo proyectado para este fin de semana? —le preguntó él vacilante, no muy seguro de si era correcto incluso preguntarle. Pero después de todo podían ser amigos. Siempre que él se controlara, no había ningún motivo para que no pudieran estar juntos—. Pensé que tal vez te agradaría ir a la playa o algo así —ya que ella le había dicho que le gustaba la playa.

—Yo... bueno... no estoy segura... es posible que llegue mi marido... —se sentía azorada y, sin embargo, deseaba ir, y no sabía cómo arreglárselas con la invitación.

—Pensé que él estaba en Nueva York... o Chicago... hasta la semana próxima. Estoy seguro de que no le importará. Yo soy muy respetable. Eso es mejor que estar sentada aquí todo el fin de semana, siempre que no tengas que ir a trabajar. Podríamos ir a Malibu, tengo amigos que me dejan una casa allí. Ellos viven en Nueva York, y mantienen el lugar por puro gusto. Yo se la cuido. Te gustaría.

—De acuerdo —le sonrió ella, no muy segura de por qué lo hacía. Pero había algo irresistiblemente agradable y encantador en el hombre. Entonces se puso de pie y se preparó para volver a su apartamento—. Me gustará.

—¿Te parece bien a las once?

Ella asintió. Le parecía perfecto. Pero también algo espeluznante.

—Te acompañaré a tu casa —se había quitado el delantal hacía rato; estuvo simpático mientras la acompañaba a su casa. Cuando llegaron a la puerta, ella la abrió con cuidado, sólo un poquitín, sin encender la luz. No deseaba que él viera lo vacía que estaba su casa.

—Muchas gracias, Bill. Lo he pasado maravillosamente bien. Gracias por invitarme esta noche —era muchísimo mejor que estar sentada en casa compadeciéndose a sí misma y pensando qué estaría haciendo Steven.

—Yo también lo he pasado muy bien —sonrió él, feliz, relajado y satisfecho—. Mañana vendré alrededor de las once.

—Muy bien. Puedo esperarte en la piscina.

—No es necesario que hagas eso. Te recogeré aquí —su tono era firme y ella pareció nerviosa, preparándose para saltar a través de la puerta, antes de que él pudiera mirar dentro.

—Gracias nuevamente —le echó una última mirada y repentinamente desapareció, como una aparición. Hacía un instante que estaba parada delante de él y al siguiente estaba dentro, la puerta estaba cerrada, y él no sabía cómo lo había hecho. Era una de las despedidas más rápidas que había tenido jamás, pensó mientras se dirigía hacia su casa sonriendo.

13

A la mañana siguiente, Bill fue a recoger a Adrian a las once en punto; ella estaba esperándole afuera cuando llegó. Vestía tejanos, una camisa suelta, pamela para el sol y zapatillas. Llevaba una bolsa de playa llena de toallas, cremas, libros y un Frisbee. Él se puso a reír cuando la vio.

—Parece que tienes catorce años con ese atuendo. —La camisa había sido de Steven, pero a ella siempre le había gustado, y ocultaba el hecho de que sus tejanos le quedaban algo ceñidos, pero Bill no lo notó mientras la observaba.

—¿Eso es un cumplido o un reproche? —le preguntó ella con confianza. Se sentía totalmente a sus anchas con él y comenzó a seguirle por el complejo.

—Un cumplido. De todas maneras —entonces él se detuvo, había olvidado algo, y se volvió a ella—. ¿Tienes algunas gaseosas en casa? A mí se me acabaron.

Todo estaba cerrado. Era domingo.

—Claro.

—¿Por qué no cogemos algunas por si nos da sed?

Ella se volvió hacia su casa y él la siguió, pero cuando llegaron a la puerta, ella se detuvo y miró por encima de su hombro.

—Yo iré de una carrera a buscarlas. ¿Por qué no te quedas aquí con nuestras cosas? —actuaba como si pensara que alguien iba a robarle el bolso de playa.

—Mejor entro para ayudarte.

—No. Mejor no. Está todo en desorden. No he tenido tiempo de limpiar desde que Steven se fue... el otro día... quiero decir... cuando se fue a Nueva York.

«¿Era Nueva York o Chicago?», se preguntó Bill, pero no dijo nada, porque era obvio que ella no quería que entrara, así que no entró.

—Te esperaré aquí —le dijo desde la puerta sintiéndose algo tonto.

Ella dejó la puerta sin pestillo pero cerrada de modo que él no pudiera mirar hacia adentro. Era como si ocultara algo en su apartamento. Un momento después oyó un tremendo golpe y, sin pensarlo dos veces, se precipitó dentro de la casa a ayudarla. Se le habían caído dos botellas de gaseosa y corría el agua por toda la cocina.

—¿Te has hecho daño? —preguntó en seguida con mirada preocupada; ella movió la cabeza mientras él tomaba una toalla y le ayudaba a limpiar el desastre.

—Qué tonta soy —dijo ella—. Debo haberlas agitado sin darme cuenta y luego se me cayeron.

Tardaron unos dos minutos en limpiar; él no había notado nada especial en el lugar, hasta que ella trajo más botellas y entonces se fijó en que no había muebles en la cocina. El lugar donde podría haber estado una mesa de cocina estaba vacío; había un taburete solitario cerca del teléfono en el otro extremo de la cocina. Cuando pasaron por la sala de estar era casi terrible. No había muebles en ningún sitio, en la pared se notaban las marcas donde habían colgado los cuadros; entonces él recordó a Steven cargando muebles en una camioneta hacía casi dos meses. Ella había dicho que vendían todo para comprar muebles nuevos, pero mientras tanto el apartamento se notaba desnudo y deprimente. Bill no dijo nada, y ella se apresuró a explicarle:

—Hemos encargado mucha cosa nueva. Pero ya sabes cómo va todo. Todas las cosas tardan de diez a doce semanas en traerlas. En agosto este lugar estará algo más decente. —La verdad era que ella no había encargado nada. Aún estaba esperando que Steven volviera a casa con las cosas que se había llevado.

—Ciertamente. Ya sé cómo son estas cosas. —Pero algo no sonaba a verdad, y él no sabía qué. Tal vez eran demasiado pobres para comprar muebles. Tal vez habían tenido que devolver todo por no haberlo pagado. La gente vivía así en Hollywood. Él tenía amigos que lo hacían. Y era evidente que Adrian estaba avergonzada por algo.

—Está limpio y es simpático —bromeó—. Y es más fácil de mantener.

Ella pareció azorada de nuevo y él le dijo con simpatía:

—No te preocupes. Quedará fabuloso cuando lleguen las cosas nuevas —pero mientras tanto, ciertamente no. La casa parecía como abandonada.

Tan pronto salieron, se olvidaron completamente de ello, y lo pasaron maravillosamente bien en la playa. Se quedaron hasta las cinco, cuando comenzó a refrescar, conversando de teatro, de libros, de Nueva York y Boston, de Europa. Conversaron de hijos y de política, de la ideología que había detrás de las telenovelas y de los informativos, del tipo de cosas que a él le gustaba escribir, y de las narraciones cortas que ella había escrito en la universidad. Conversaron de todo, y continuaron conversando camino de regreso al complejo en su furgoneta.

—Por cierto, estoy enamorado de tu coche. —Había admirado su MG la primera vez que lo vio.

—Yo también —dijo ella complacida por el cumplido—. Todo el mundo trata de convencerme de que me desprenda de él, pero yo no puedo. Me gusta demasiado. Forma parte de mí.

—Como mi coche —dijo con una amplia sonrisa.

Ésta era una mujer que sabía lo que era gustarle un coche. Ésta era una mujer que entendía de muchas cosas, como de cariño y pérdidas, de integridad, de amor y respeto, e incluso compartía su pasión por las películas antiguas. Su único defecto, aparte de comer como por dos familias, era el hecho de estar casada. Pero había decidido no hacer caso de eso, dejar de irritarse por ello y sencillamente disfrutar de su amistad. Era muy raro que los hombres y mujeres fueran amigos sin esperar nada de tipo sexual, y si ellos eran capaces de una verdadera amistad, iba a considerarse muy afortunado.

—¿Te apetece parar a cenar en el camino? Hay un lugar mexicano fabuloso en Santa Monica Canyon, si te interesa probar. —La trataba como a una vieja amiga, conocida y querida de siempre—. O sabes qué, me quedan un par de esos bistecs. ¿Te vienes a mi casa y te preparo la cena?

—Podríamos prepararla en mi casa —dijo ella. Había estado a punto de decir que probablemente tendría que irse a casa, pero no había ninguna razón para hacerlo y en realidad no lo deseaba. Era una solitaria noche de domingo, y lo estaba pasando demasiado bien con él como para irse ya. Además, no había ningún verdadero motivo para no cenar con él.

—La verdad es que no me muero de ganas de cenar sentado en el suelo —bromeó Bill—. ¿O hay por allí algún mueble que no he visto?

Sólo la cama, pero no lo dijo.

—Esnob. De acuerdo —dijo alegremente sintiéndose niña de nuevo—, vamos a cenar a tu casa.

Hacía años que no había dicho eso a un hombre. Con Steven había estado saliendo dos años antes de casarse. Y he aquí que, de pronto, cinco años más tarde, iba a cenar en el apartamento de un hombre. Pero no le importaba, tenía que admitirlo. Bill Thigpen era fantástico. Era inteligente, interesante, amable y daba la impresión de preocuparse por ella, hiciera lo que hiciese. Siempre estaba atento por si tenía sed, si tenía hambre, si quería un helado, agua mineral, si necesitaba una sombrilla, si no tenía frío, si se sentía cómoda, feliz, al mismo tiempo que la divertía contándole historias sobre su telenovela, o acerca de la gente que conocía, o de sus dos hijos, Adam y Tommy.

Al entrar a su apartamento vio otra dimensión de él. En las paredes había hermosas pinturas modernas. Tenía algunas interesantes esculturas que había ido coleccionando en sus viajes. Los sofás eran de pie, muy cómodos y bien usados. Los sillones, enormes, mullidos y acogedores. En el comedor tenía una hermosa mesa que había descubierto en un monasterio italiano, una alfombra comprada en Pakistán, y por todas partes había preciosas fotografías de sus hijos. Todo el ambiente era tan hogareño que daban ganas de curiosear por todas partes, paredes de libros, un hogar de ladrillos, una enorme y hermosamente diseñada cocina de campo. Parecía más un hogar que un apartamento. En el acogedor estudio donde trabajaba había una máquina de escribir casi tan vieja como su bienamada Royal, más libros y una gran silla mecedora tapizada en piel y algo destartalada que había pertenecido a su padre. Había un simpático dormitorio para huéspedes, decorado en lana beige con una gran alfombra de piel de carnero y una cama con dosel moderna; por su aspecto no parecía haber sido usada. El gran dormitorio para los niños estaba decorado en vivos colores, con literas de rojo fuerte en forma de locomotora. Su propio dormitorio quedaba al final del pasillo, todo en cálidos tonos tierra y tejidos suaves, con ventanales soleados que daban a un jardín que Adrian jamás imaginó existiera en el complejo. Era perfecto. Igual que él. Guapo, cálido y amoroso. Había partes gastadas por las manos que las habían tocado. Era un lugar en el que uno desearía permanecer un año para mirarlo y conocerlo todo; era enorme el contraste de la cara esterilidad que ella había compartido con Steven hasta que él se marchara con todo, dejándola sólo con la cama y la alfombra.

—Bill, esto es precioso —dijo con franca admiración.

—A mí también me gusta —reconoció él—. ¿Has visto la cama de los niños? Me la hizo un tío de Newport Beach. Fabrica dos al año. Tuve que elegir entre ésa y un autobús de dos pisos. Un chico inglés compró ése y yo compré la locomotora. Siempre me han gustado los trenes. Son tan grandes, anticuados y acogedores —parecía como si se estuviera describiendo a él mismo y Adrian le sonrió.

—Me encanta. —No era de extrañar que se hubiera reído al ver su apartamento vacío. El suyo tenía carácter y ambiente hogareño. Era un lugar maravilloso para vivir y para trabajar.

—Llevo años intentando convencerme de comprar una casa, pero me disgusta mudarme y esto es muy cómodo. Funciona. Y a los niños les encanta.

—Ya adivino por qué. —Él siempre dejaba la habitación más grande para ellos, aun por el poco tiempo que pasaban con él, pero en su opinión esto valía la pena.

—Espero que pasen más tiempo aquí cuando sean mayores.

—Estoy convencida de que lo harán. —Quién no, con un padre como él y un hogar así donde llegar. No era que el lugar fuera lujoso ni tan grande. Pero era cálido y acogedor; el solo hecho de estar allí era como un gran abrazo. Adrian tuvo esa sensación al acomodarse en el sofá y mirar a su alrededor. Entonces se levantó y fue a la cocina a ayudarle a preparar la cena. La mayor parte de la cocina la había construido él mismo y era aficionado a preparar la cena.

—¿Qué no sabes hacer?

—Soy fatal para los deportes. Te lo he dicho. Juego muy mal al tenis. No sé encender una hoguera en el bosque para salvar mi vida. Cuando vamos de camping tiene que hacerlo Adam. Y tengo terror a los aviones. —La lista era corta en comparación con lo que sabía hacer.

—Al menos es agradable saber que eres humano.

—¿Y tú, Adrian? ¿Para qué no eres buena? —Siempre es interesante oír lo que la gente dice acerca de sí misma. Él le hizo la pregunta mientras picaba albahaca fresca para la ensalada.

—No soy muy buena para un montón de cosas. Para esquiar. Tenis, más o menos; para el bridge, fatal. Soy pésima para los juegos, jamás recuerdo las reglas y de todas maneras no me importa si gano o no. Los ordenadores, odio los ordenadores —se quedó seria pensando un momento—. Y transigir. No sirvo para transigir cuando creo en algo.

—Yo diría que eso es una virtud y no un defecto, ¿no te parece?

—A veces —dijo ella pensativa—. A veces te puede resultar muy caro. —Pensaba en Steven. Había pagado un elevado precio por aquello en lo cual creía.

—Pero vale la pena, ¿verdad? —dijo él con suavidad—. ¿No es preferible pagar un precio y ser fiel a lo que uno cree? Yo siempre lo prefiero. —Pero también había terminado estando solo, aunque ahora no le importara en realidad.

—A veces es difícil saber qué es lo correcto.

—Se hace lo mejor que uno puede, niña. Intenta lo mejor y confía en que eso resulte. Y si a los demás no les gusta —dijo encogiéndose de hombros filosóficamente—, allá ellos.

Fácil de decir. Pero ella aún no podía creer lo que había sucedido a causa de mantenerse firme con Steven. Pero no había elección. No podía haber hecho otra cosa. Sencillamente no. No había motivo para hacerlo. Era el bebé de ambos, y ella lo amaba. Esto hacía imposible deshacerse de él por un capricho, sólo porque atemorizaba a Steven. Así que lo había perdido.

—¿Te aferrarías a lo que crees a pesar de lo que sienta o piense otra persona? —le preguntó cuando estaban sentados a la mesa sirviéndose los jugosos bistecs que él había preparado mientras ella le observaba. Ella había puesto la mesa y preparado el aliño para la ensalada, pero nada más, y la comida estaba exquisita. Bistec, ensalada, pan de ajo. Para postres tenían fresas bañadas en chocolate—. ¿Mantendrías tu posición pasara lo que pasase?

—Eso depende. ¿Quieres decir a expensas de otra persona?

—Puede ser.

Reflexionó durante unos instantes mientras ella se servía ensalada.

—Creo que dependería de lo sólido de mis convicciones. Probablemente. Si verdaderamente estuviera en juego mi identidad, o la integridad de la situación. A veces no importa hacerse impopular, uno no puede desviarse de aquello en que cree. Yo sé, con la edad se supone que uno se hace más moderado, y en ciertos aspectos yo me he hecho así. Tengo treinta y nueve años y soy más tolerante que antes, pero aún soy partidario de ser fiel a las cosas que a uno le importan. Esto no me ha significado ganarme muchas estrellas de oro, pero por otro lado mis amigos saben que soy una persona con la que pueden contar. Eso vale algo, supongo.

—Yo también lo creo —dijo ella.

—¿Qué piensa Steven sobre eso? —Le estaba entrando curiosidad por saber algo acerca de Steven. Adrian hablaba muy poco de él y se preguntaba si se llevarían bien. Cuánto tendrían en común, le gustaría saber. Con sólo mirarlos, le parecía que eran diferentes.

—Creo que él se aferra bastante a sus opiniones también. No es siempre muy bueno para entender las posiciones de los demás.

Era la descripción clásica.

—¿Se adapta bien a ti? —le intrigaba su matrimonio. Deseaba conocer a los dos ya que no podía tenerla para él solo, por mucho que le hubiera gustado.

—No siempre. Él se adapta bien a... —trató de encontrar las palabras—, vidas paralelas es la mejor descripción que se me ocurre. Él hace lo que desea hacer y te deja hacer lo que tú quieres sin interferir. —Mientras le pareciera que estabas haciendo lo correcto para triunfar. Como trabajar en los informativos.

—¿Y funciona eso?

Solía funcionar. Sí. Hasta que él se fue de su vida porque no quiso hacer lo que ella hacía. Adrian tomó aliento mientras trataba de explicárselo a Bill Thigpen:

—Creo que para que un matrimonio funcione tiene que haber más compromiso que eso, más interacción, tiene que estar todo más entrelazado. No es suficiente dejar ser al otro, es necesario ser algo juntos.

Esto tenía sentido para él, y eso pensaba cuando estaba casado con Leslie.

—Pero eso lo he descubierto últimamente —continuó ella.

—Ése es todo el secreto. Hay muchas personas que te pueden dejar hacer lo tuyo. El problema es que hay muy pocas personas que deseen hacer lo mismo que tú haces. Yo jamás he encontrado una, aunque tengo que reconocer que tampoco he buscado mucho este último tiempo. En realidad no he tenido ni el tiempo ni el deseo —añadió.

—¿Por qué no? —también ella se sentía intrigada por él. Daba la impresión de que había disfrutado en su matrimonio.

—Creo que tenía miedo. Me dolió tanto cuando Leslie y yo rompimos y cuando se llevó los niños, que nunca quise volver a hacerlo. Nunca he querido amar lo suficiente para quedar herido así, ni tener hijos que alguien me hubiera quitado, simplemente porque el matrimonio no funcionaba. Nunca me ha parecido justo. ¿Por qué habría de perder a mis hijos, porque la mujer con quien estoy ya no me ama? Así que he tenido cuidado. —Y pereza. Durante mucho tiempo no había buscado una relación seria diciéndome que no estaba preparado.

—¿Crees que alguna vez ella te entregará los niños para siempre, o para estancias más largas, que unas pocas visitas al año?

—Lo dudo. Ella cree que tiene derecho sobre ellos, que son suyos y que me hace un gran favor con enviármelos. Pero la verdad es que yo tengo tanto derecho como ella a estar con ellos. Es pura mala suerte que yo esté viviendo en California. Siempre tengo la posibilidad de volverme a Nueva York, para verlos más a menudo, pero he pensado que se me haría aún más difícil allí. No deseo estar separado de ellos diez manzanas cada noche, preguntándome qué estarán haciendo. Quiero poder entrar y salir de la habitación mientras ellos hablan por teléfono, hacen sus deberes, están con amigos. Quiero estar allí con los ojos llenos de lágrimas mientras los contemplo dormir por la noche. Quiero estar allí cuando están enfermos y con mocos en las narices. Quiero estar allí para las cosas reales. No sólo unas semanas de Disneylandia y del lago Tahoe en verano —se encogió de hombros; ya le había contado cuánto le importaba, y eso la conmovió—. Pero supongo que esto es todo lo que consigo. Así que lo aprovecho al máximo. En general acepto las cosas como son y no me preocupo. Hubo un tiempo en que deseaba tener hijos algún día, para poderlo «hacer bien» esta vez, pero creo que ahora ya he decidido que es mejor así. No quiero pasar nuevamente por todo ese dolor de la ruptura, en caso de que alguien decide que ya no le gusto.

—Tal vez la próxima vez podrías quedarte con los niños —dijo ella sonriendo tristemente y él movió la cabeza. Él sabía que no.

—Quizá la próxima vez sería más inteligente no casarse y tener hijos. —Y esto era lo que había hecho durante años, pero en lo más profundo sabía que tampoco ésa era la respuesta—. ¿Y vosotros? ¿Crees que tú y Steven tendréis hijos? —era de mala educación preguntar eso, pero se sentía tan a gusto con ella que se atrevió.

Ella se quedó indecisa un buen rato, sin saber qué decirle. Durante un momento casi deseó decirle la verdad, pero no lo hizo.

—Tal vez. No, por un tiempo. Steven... le ponen algo nervioso los hijos.

—¿Por qué? —esto le extrañó. Él pensaba que los hijos eran una de las mejores cosas del matrimonio. Pero claro, él lo sabía por experiencia.

—Tuvo una infancia muy difícil. Sus padres eran pobrísimos. Y desde muy pequeño le dio por pensar que los hijos eran la causa de todo lo malo.

—Dios, es uno de ésos. ¿Y eso cómo va contigo?

—No siempre es fácil —suspiró y miró a Bill a los ojos—. Espero que finalmente cambie de opinión. —En enero, por ejemplo.

—No esperes demasiado, Adrian. Lo lamentarás si lo haces. Los hijos son la mayor alegría en el mundo. No te prives de ella si puedes evitarlo. —Para él no tener hijos era una verdadera privación.

—Comentaré a Steven lo que has dicho —sonrió y Bill le devolvió la sonrisa maldiciendo a Steven.

Habría sido fantástico si ella fuera libre. Estiró la mano y tocó la de ella, no de forma grosera sino con amabilidad.

—He pasado un día maravilloso, Adrian. Quiero que lo sepas.

—Yo también —dijo ella feliz, y acabó de comerse el bistec, mientras Bill acababa su ensalada.

—Comes muchísimo, sabes, para estar tan delgada —lo decía con sinceridad aunque bromeando, y ambos rieron.

—Lo siento. Debe de ser por el aire fresco. —Sabía exactamente el motivo pero no se lo iba a decir.

—Tienes suerte de poder hacerlo. —Tenía una hermosa figura, y él estaba feliz por el hecho de que evidentemente disfrutara de su cocina.

Conversaron hasta alrededor de las diez y ella le ayudó con la limpieza en la cocina; finalmente él la acompañó hasta su casa, llevándole el bolso de playa. Era otra hermosa noche, casi no se veía *smog*, y las estrellas brillaban sobre sus cabezas. Le fastidiaba ir a trabajar al día siguiente. Era el lunes de fiesta del fin de semana de tres días, pero ella había dicho que iría a trabajar porque no tenía otra cosa que hacer fuera de esperar que llamara Steven. Y a pesar del largo fin de semana tenían el programa informativo regular. También Bill tenía el suyo.

—¿Quieres pasar por mi oficina mañana? —le preguntó Bill—. Debo estar allí a las once.

—Será divertido.

—Salimos en antena a la una. Ven si tienes libre un minuto. Puedes quedarte a ver el episodio, será bueno el de mañana.

Ella sonrió ante la perspectiva; esta vez estaba más relajada al abrir la puerta de su casa. Él ya había visto su apartamento vacío. Ya no tenía nada que ocultarle. Aparte del hecho de que Steven la había dejado hacía dos meses y de que estaba embarazada.

—¿Quieres entrar a tomar un café?

Él estuvo a punto de decir que no, pero entonces decidió que sí, sólo para prolongar la noche. Ella sacó el taburete y se lo ofreció mientras ella preparaba el café, y luego fueron a sentarse en la sala de estar con las tazas. Se sentaron en el suelo puesto que no había otra cosa en qué sentarse. Qué diferencia con el cómodo apartamento de él.

Él se fijó en que ni siquiera tenía televisor o radio, y entonces vio las marcas de donde habían estado los altavoces. Y repentinamente se le ocurrió que en realidad no los había vendido. No quedaba nada en la casa excepto las instalaciones fijas y los pomos de las puertas, una alfombra en la sala de estar y un contestador automático en el suelo junto al teléfono. Incluso faltaba la mesita donde había estado el teléfono. Parecía un lugar que alguien había abandonado para trasladarse, y al pensar en esto de pronto comprendió lo que debió haber ocurrido. La miró como si lo hubiera dicho en voz alta, con mirada sorprendida, al tener el pensamiento, pero no se atrevió a preguntárselo.

—Cuéntame de las cosas nuevas —le dijo simulando un aire despreocupado, mientras se ponía de pie y miraba a su alrededor—. ¿Qué tipo de muebles vais a poner?

—Ah... lo de siempre —contestó ella evasivamente, y siguió comentando la política del departamento de informativos, con la esperanza de distraerlo.

—Sabes, la distribución de tu casa es muy diferente a la mía, no parecen ni remotamente relacionadas.

—Ya lo sé. Raro, ¿verdad? Yo también me fijé cuando estuve en tu casa —le sonrió. Lo había pasado muy bien ese día, se sentía totalmente relajada, aun cuando estaba algo cansada.

—¿Cuánto espacio tenéis arriba?

—Sólo un dormitorio y un cuarto de baño —contestó ella tranquilamente—. Tenemos otro dormitorio abajo, pero jamás lo usamos.

—¿Puedo echar una mirada?

Él la había dejado vagar por toda su casa y habría sido muy poco amistoso no dejarle hacer lo mismo en la suya, así que ella dudó pero asintió mientras él subía tranquilamente las escaleras y le pedía otra taza de café. Cuando ella entró en la cocina a preparar el café, él entró como una tromba en el dormitorio. Estaba tan vacío como había supuesto; en segundos abrió los dos armarios empotrados, revisó los armarios del cuarto de baño, metió la mano en las cajas donde estaba su ropa, y descubrió lo que se había imaginado pero que ella jamás había dicho... a no ser que las cosas de él estuvieran abajo. Y de pronto deseó saber pero no se atrevía a preguntárselo. Un sexto sentido le decía que por algún motivo Steven Townsend había cargado todas sus pertenencias en una camioneta, y el motivo no era que fueran a redecorar el apartamento. Hasta la fotografía de la boda en marco de plata estaba ahora en el suelo junto a la única lámpara del dormitorio, porque Steven se había llevado el tocador y las mesas.

—Me gusta la distribución —dijo bajando las escaleras con aspecto relajado ya que su inspección torbellino no había sido observada. Entonces le preguntó si podía pasar al lavabo. Había dos puertas en la planta principal, y con toda intención escogió la que supuso era del armario empotrado; la abrió y lo encontró vacío, excepto por un montón de colgadores sin nada en ellos. Luego abrió la puerta correcta y la cerró después de entrar. Abrió los cajones lo más silenciosamente posible, tiró de la cadena e hizo correr el agua. Sentado nuevamente con ella tomando café, le observó los ojos en busca de una respuesta a sus interrogantes. Pero no había ninguna. Ella no le había dicho nada. Durante semanas había hecho como que Steven estaba fuera por negocios, que volvería dentro de unos días, que todo iba bien, aunque durante la cena había admitido que no siempre era fácil. Era una hermosa chica y él sabía que estaba casada. Aún llevaba su anillo de bodas. Pero también sabía otra cosa, después de haber revisado todos los armarios de la casa. Por el motivo que fuera y que ella no quería revelar, Steven Townsend ya no estaba viviendo con su esposa, y al marcharse se había llevado todo con él.

Después de un rato Bill le dio las gracias y le dijo que al día siguiente pasaría por la oficina de informativos. Durante todo el camino de vuelta a su casa al otro extremo del complejo, pensó en ella sin lograr resolver el asunto. De nuevo volvía a sentirse intrigado con ella. ¿Qué estaba haciendo? ¿Por qué? ¿Por qué hacía como si todo fuera bien? ¿Por qué no admitía que estaba viviendo sola? ¿Qué ocultaba? ¿Y por qué?

Pero cuando volvió a pensar en los armarios vacíos, Bill Thigpen se sintió encantado.

14

Al parecer eran interminables los cambios de argumentos que Bill era capaz de inventar. Por el momento, John, el marido de Helen, acababa de ser arrestado, acusado de los asesinatos de Vaughn, hermana de Helen, representada por la fabulosa Sylvia antes de irse a Nueva Jersey, y del joven narcotraficante Tim McCarthy. Se habían descubierto la drogadicción de Vaughn y sus fechorías como chica de citas, causando enorme vergüenza a su familia. Un político con el que estaba liada y por quien se había hecho un aborto estaba a punto de caer en desgracia públicamente cuando todo el escándalo apareciera en la prensa. Pero lo más importante, el hecho de que Helen estaba embarazada, se iba a saber esta semana. El verdadero escándalo era que el bebé no era de su marido, cosa que era una suerte dadas las circunstancias, pero que traería consigo innumerables juegos de adivinanzas en las cocinas de todo el país durante varios meses. ¿Quién era el padre del bebé? Finalmente el matrimonio de Helen y John acabaría en divorcio, cuando él terminara cumpliendo cadena perpetua por los dos asesinatos, y se conocería la identidad del padre del bebé de Helen, pero para eso faltaba mucho. Y Bill mientras tanto se lo pasaría en grande con la serie.

Bill iba pensando en Adrian cuando conducía hacia el trabajo al día siguiente. ¿Por qué no le había contado que Steven la había abandonado? No era muy diferente a alguno de sus argumentos, aunque sin duda los motivos serían mucho más sencillos. Y siempre quedaba la posibilidad de que él estuviera equivocado, pensó, pero no veía cómo podía estarlo. No había ni una hilacha de ropa de hombre en la casa. No había ningún artículo de hombre en el cuarto de baño, ninguna maquinilla de afeitar, crema para afeitar, nada. Estaba completamente seguro después de su breve investigación. Pero ¿qué ocultaba ella? ¿Por qué no se lo había dicho? Se preguntó si tal vez se sentiría avergonzada, o quizá sencillamente era que aún no estaba preparada para salir.

Cuando llegó al trabajo ya no tuvo tiempo para seguir pensando en esto. Uno de los actores estaba enfermo y los dos principales guionistas de la serie estaban ante una importante batalla. Ya era casi mediodía cuando pudieron dar un respiro, y él deseaba ir a buscar a Adrian a su oficina para que viera la emisión de la una.

En su oficina, Adrian se encontraba ante el descubrimiento de que la noche anterior habían raptado y asesinado de forma espeluznante al hijo de un senador por la localidad. Era un caso espantoso, y la familia estaba anonadada. El chico sólo tenía diecinueve años, todos en la sala de noticias estaban deprimidos. Adrian se ponía enferma al ver los vídeos que iban llegando. Le habían dejado con el cuello cortado en los escalones de entrada de la casa de sus padres.

Estaba ocupadísima, asignando trabajos a los redactores con lo que había llegado y a los reporteros para que entrevistaran a los amigos de la familia, cuando alguien le dijo que había una llamada para ella. No reconoció el nombre al tomar el teléfono y no tenía idea de quién se trataba. Un hombre llamado Lawrence Allman.

—¿Sí? —estaba ocupada en diez cosas y escribiendo notas frenéticamente mientras esperaba saber qué deseaba.

—¿Señora Townsend?

—Sí.

—Su marido me ha pedido que la llame.

Se le paró el corazón al oír estas palabras.

—¿Que ha tenido un accidente? ¿Se encuentra bien?

Allman sintió pena por ella al escuchar su reacción. Ésta no era una mujer a quien su marido no le importara un pepino, contrariamente a lo que le había dicho Steven.

—No, está bien. Yo le represento. Soy abogado.

Ella pareció confundida al oírle. ¿Para qué la llamaba un abogado y por qué Steven le había pedido que la llamara?

—¿Pasa algo? —preguntó.

Durante un momento él no supo qué decirle. Por lo visto estaba completamente desprevenida sobre lo que iba a suceder. Se sintió como un canalla por haberla llamado.

—Pensé que tal vez su marido le había dicho algo. Pero veo que no. —O tal vez le estaba tomando el pelo, pero lo dudaba. No parecía ese tipo de persona—. Su marido está en trámites de divorcio y quería que yo solucionara algunas cosas con usted, señora Townsend.

Se sintió como si hubiera estado todo el día en una montaña rusa y de repente ésta se hubiera parado, lanzándola fuera del asiento y quedándosele el corazón unos veinte kilómetros detrás. Apenas pudo contener el aliento al escucharle. Steven estaba ¿qué?

—Perdone... este... no entiendo. ¿De qué se trata?

—Un divorcio, señora Townsend —le habló con la mayor amabilidad posible. Era un hombre decente y no era éste su caso preferido. Steven no se había mostrado muy razonable cuando habían conversado—. Divorcio. Su marido quiere divorciarse.

—Eh... comprendo... ¿No es algo precipitado?

—Le pregunté si quería hablarlo con usted, pero insistió en que hay diferencias irreconciliables.

—¿Puedo negarme...? Al divorcio, quiero decir —cerró los ojos tratando de no ponerse a llorar ante el teléfono, o el hombre habría pensado que estaba loca. Tenía que mantener la calma, pero estaba perdiendo el control con sólo escucharle. No podía creerlo. Steven deseaba divorciarse, y ni siquiera quería hablar con ella. Había hecho que la llamara un desconocido.

—No, no puede negarse —explicó el abogado—. Esas leyes cambiaron hace mucho tiempo. Usted o el señor Townsend tienen el derecho a solicitar la disolución sin el consentimiento del cónyuge. —Ella no podía dar crédito a sus oídos, y aún faltaba—. Hay otros documentos adicionales sobre los cuales el señor Townsend desea que la ponga al corriente.

—Quiere vender el apartamento, ¿verdad? —las lágrimas anegaron sus ojos mientras le escuchaba; todo se desmoronaba a su alrededor.

—Bueno, sí. Pero está dispuesto a concederle tres meses de gracia antes de ponerlo a la venta, a no ser, naturalmente, que usted quiera comprarlo, a un precio justo de mercado. —Ella sintió náuseas, allí, de pie en su oficina. Steven quería el divorcio. Y quería vender el apartamento—. Pero no era eso a lo que me refería. El señor Townsend está dispuesto a mostrarse razonable con respecto a la casa. Yo me refería... —pareció vacilar. Había tratado de convencer a Steven de que no lo hiciera, pero la única conclusión que pudo sacar fue que la paternidad del bebé estaría en duda, al no querer Steven atenerse a razones—. Hay otros documentos que me ha pedido que redacte. Me gustaría que usted los viera.

—¿De qué se trata exactamente? —preguntó y tomó aliento, tratando de recuperar la calma y limpiándose las lágrimas de las mejillas con dedos temblorosos.

—De su... eh... del bebé. El señor Townsend desea renunciar a todo derecho parental sobre el bebé antes que nazca. Esto es algo prematuro, y debo decirle que le aconsejé que no lo hiciera. Es un procedimiento muy poco usual. Pero él reitera inexorablemente en que es eso lo que desea. He redactado algunos documentos en borrador, para que usted pueda verlos. En ellos se declara sencillamente que él renuncia a todo derecho sobre el bebé. Por tanto no tendrá derecho a visitas, ni ningún derecho sobre el bebé una vez nazca. No podrá llevar su apellido. A usted se le pedirá que vuelva a su apellido de soltera, y éste será también el apellido del bebé. El nombre de él no deberá aparecer en el certificado de nacimiento cuando nazca, y, por supuesto, usted ni el niño tendrán ningún derecho ni legal ni económico sobre el señor Townsend. Él quería ofrecer cierta remuneración económica por esto, pero le expliqué que según la ley del estado de California, no podíamos hacer eso. No puede haber ninguna transacción monetaria en la renuncia a los derechos parentales, o podría después declararse nula.

En este punto ella ya estaba llorando abiertamente y le importaba un rábano que él la escuchara.

—¿Qué quiere de mí? ¿Y por qué me llama hoy? —sollozó—. Hoy es día festivo, ni siquiera debería estar trabajando.

Steven le había dicho que probablemente ella estaría en el canal y que sería buen momento para encontrarla, así que él la estaba llamando desde su casa. Se sentía un absoluto canalla por decirle esas cosas, pero había pensado que sería peor si las encontraba al abrir el buzón. Steven le había insistido en que no peleara con ella, había sido una buena esposa y habían sido felices, sólo que él no deseaba al bebé y ella se habían negado a abortar. A él le parecía sensato. Y Larry Allman se preguntaba si Townsend no sería algo menos que razonable en ese tema. Pero no era su trabajo discutir con él. Había tratado de aconsejarle, le había pedido que lo reconsiderara, y no hacer nada acerca de los derechos parentales hasta que el niño naciera y por lo menos lo hubiera visto. Pero Steven no quiso escucharlo.

—Señora Townsend —dijo suavemente Allman—. De verdad lo siento. No hay ninguna forma agradable de comunicarle esto. Pensé que quizás una llamada por teléfono...

—No es culpa suya —sollozó ella, pensando que ojalá pudiera cambiar los sentimientos de Steven, pero sabía que no podría—. ¿Está bien él? —le preguntó dejando perplejo a Allman.

—Está muy bien. ¿Se encuentra bien usted? —esto le parecía muchísimo más importante.

—Estoy bien —dijo ella asintiendo con la cabeza mientras le caían más lágrimas por las mejillas.

—Siento decirlo —dijo él sonriendo tristemente en el otro extremo de la línea—, pero no lo parece.

—Es que ha sido un día horrible... el hijo del senador y ahora esto. —Era todo horrible. Y había pasado un fin de semana muy agradable—. ¿Cree usted...? —se sintió estúpida al preguntarle, pero deseaba saber si él pensaba que Steven podría cambiar de opinión una vez naciera el niño, y quizá al verlo. Aún creía en cierto modo que si lo veía cambiaría todo. Al fin y al cabo él era el padre del bebé—. Usted no cree que cambiará de opinión, ¿verdad? Quiero decir... después...

—Podría. Está tomando medidas muy radicales. Exageradamente radicales en algunos aspectos, pero por lo visto está resuelto a hacer esto ahora, para su propia tranquilidad. Quiere que todo quede escrito y resuelto legalmente.

—¿Cuándo será el divorcio? —No es que tuviera importancia, ¿qué cambiaba? Sólo que hubiera sido agradable estar casada cuando tuviera el bebé.

—En realidad entabló la demanda hace dos semanas.

Lo cual significa que el divorcio será definitivo... yo diría a mediados de diciembre. —Fabuloso, dos semanas antes de que naciera el bebé. Sin el apellido del padre en el certificado de matrimonio. Excelentes noticias. Estaba ciertamente contenta de que la hubiera llamado.

—¿Eso es todo?

—Sí... yo... mañana le enviaré los documentos.

—Gracias —se secó los ojos nuevamente; todavía le temblaban las manos.

—Me pondré en comunicación con usted dentro de un par de meses acerca de la casa. Y naturalmente, cualquier requerimiento de ayuda conyugal tendría que venir de su abogado.

—No tengo abogado. Y no quiero ayuda económica conyugal.

—Creo que debería buscar asesoramiento, señora Townsend. Usted tiene derecho a ayuda conyugal según las leyes de California. —Además pensaba que sería tonta si no la aceptaba. Le disgustaba este caso. Y le habría gustado que al menos ella obtuviera algún dinero de Steven. Él le debía algo, por Dios santo. Y se lo había dicho a él también—. Estaré en contacto con usted.

—Gracias.

Oyó el clic del teléfono después que él se despidió, y se quedó allí parada con el aparato en la mano durante mucho rato, como si fuera a oír una voz diciéndole que todo era una equivocación, que sólo estaban bromeando. Pero no estaban bromeando. Steven había entablado demanda de divorcio, quería documentos que acreditaran que él renunciaba a sus derechos sobre el bebé. Era lo peor que había escuchado jamás, y se quedó allí temblando mientras lo pensaba, preguntándose qué iba a hacer ahora. La verdad era que nada había cambiado en realidad. Aún ella tenía la casa por un tiempo, aún él tenía todos los muebles, y aún ella tenía al bebé. Pero en realidad todo había cambiado. Ya no tenía ninguna esperanza, sólo una loca fantasía de que finalmente él regresaría y se enamoraría totalmente de su bebé. Pero sabía que hasta eso era poco probable. Lo que ahora tenía que afrontar era tener el bebé sola, conservar el trabajo, encontrar otra casa, y al menos comprar un sofá para sentarse. Pero más importante aún, tenía que encarar el hecho de que él se divorciaba de ella y que legalmente el bebé no tendría padre. Era un golpe increíble y los hombros le temblaban con los sollozos al colgar el teléfono.

Estaba de espaldas a la puerta y no había oído a nadie entrar a su oficina. Y al verle sólo la espalda, él no se había dado cuenta de que estaba llorando. Ella se dio vuelta lentamente con la cara mojada por las lágrimas y a través de la niebla le vio. Era Bill Thigpen.

—Dios mío... lo siento... no quise... supongo que éste es mal momento.

Era una descripción muy suave, y ella intentó sonreír a través de las lágrimas mientras buscaba un pañuelo bajo su escritorio.

—No... en realidad... está bien... —entonces se desmoronó en una silla, llorando nuevamente, escondiendo la cara entre sus manos—. No. Es terrible —no había forma de explicárselo y tampoco deseaba hacerlo—. Es sólo que... no estoy... no puedo... —no era capaz ni de armar una frase. Él se le acercó y le masajeó los hombros.

—Tranquila, Adrian. Todo irá bien. Sea lo que fuere, tarde o temprano se arreglará.

Se preguntó si la habrían despedido, o si habría muerto alguien. Temblaba toda entera, estaba blanca, tremendamente pálida. Por un momento creyó que se iba a desmayar. La hizo respirar hondo, le dio un vaso de agua; pasado un minuto, pareció encontrarse mejor.

—Por lo que veo has tenido una mañana fantástica —le

dijo mirándola comprensivo. Ella trató de sonreír pero el esfuerzo fue inútil.

—Vaya día —dijo. Se volvió a sonar las narices y le miró con una mezcla de vergüenza y de gratitud—. Primero raptan y matan al hijo del senador y nos llegan ocho mil kilómetros de cinta sobre ello, con primeros planos del corte en el cuello —volvió a sollozar recordándolo—. Y luego... —dudó, mirando a Bill, debatiéndose sobre si decírselo o no. Pero no tenía ningún sentido continuar con el secreto, e incluso si ella era la culpable, no había sido su decisión—. Entonces... recibo esta estúpida llamada del abogado de mi marido —se le volvieron a llenar los ojos de lágrimas y le tembló la voz al decirlo.

—¿El abogado? ¿Para qué te llamaba? Y hoy es día festivo, además.

—Se lo dije.

—¿Qué quería? —dijo ceñudo sintiéndose protector.

Ella respiró hondo apretando en su mano el pañuelo de papel y miró a otro lado. No podía mirarlo mientras lo decía.

—Llamó para decirme que mi marido... —bajó la voz y Bill casi no lograba oírla— acaba de solicitar el divorcio. Hace dos semanas, en realidad.

Por un momento, Bill se quedó sorprendido. Pero más por la forma en que lo decía que por el hecho mismo. Era su evidente angustia lo que lo conmovía. La noche anterior, él ya se había imaginado que estaban separados, y ahora se sentía aliviado de que se lo dijera. Pero lo sentía por ella; al parecer se lo estaba tomando mal, como si fuera algo que no se esperaba.

—¿Y esto ha sido una sorpresa para ti, Adrian? —su voz era muy dulce.

—Sí —suspiró y lo miró. Él estaba apoyado en el escritorio, mirándola comprensivo—. En realidad nunca pensé que lo haría. Me lo había dicho. Pero yo no le creí.

—¿Cuánto tiempo lleva esto?

—Unas seis semanas... siete tal vez... Se llevó sus cosas hace unas tres semanas. Mis cosas también —sonrió y ambos pensaron en el apartamento vacío—. Eso no me importa. Sólo que no pensé que... no quería...

—Lo comprendo. Yo sentí lo mismo cuando Leslie se divorció de mí. Yo nunca quise divorciarme. Pero de repente ella decidió que todo había terminado. No parece justo cuando otra persona toma la decisión.

—Eso es más o menos lo que él ha hecho —comenzó a llorar nuevamente, y se sintió avergonzada de hacerlo delante de Bill, pero él parecía tomárselo con calma—. Lo siento... estoy hecha un lío.

—Tienes derecho a estarlo. Puedes irte a casa y tomarte la tarde libre. Yo te llevo.

—Creo que no. Tenemos un reportaje especial programado para antes de las noticias esta noche.

—¿Por qué no te llamó él mismo?

—No lo sé —parecía deprimida al sentarse a su escritorio mientras él se sentaba en el rincón—. Supongo que ya no quiere hablar conmigo.

—Ésa es la parte más difícil de divorciarse, cuando no se tienen hijos. Por lo menos, cuando hay hijos hay que conversar, hasta que crecen en todo caso. A veces te vuelve loco, pero al menos es una especie de contacto continuado. —Ella asintió, pensando que sí tenían un hijo. O al menos ella. Steven había «renunciado» a él—. ¿Qué crees que fue lo que ha provocado esto, lo sabes? ¿O no es asunto mío?

—Lo sé —sonrió tristemente—. Y la verdad es que no importa. Él tomó una posición y yo la mía. Yo no pude hacer lo que él quería, y supongo que cada uno consideró que estaba en juego personalmente, y cada uno se mantuvo firme sin ceder. Él ganó, supongo. O ambos perdimos. Algo así. No me dio ninguna oportunidad una vez que tomó la decisión.

—Algo parecido a Leslie. Pero había otra persona implicada en ese momento y yo no lo sabía. ¿Crees que está implicado con otra también?

—Puede ser. Pero no lo creo. Creo que esto tiene que ver con lo que él desea en la vida, y con lo que no desea, y así de repente nuestros caminos se hicieron demasiado divergentes.

—Una decisión muy brutal a causa de «caminos divergentes». —Pero las personas eran raras y hacían cosas raras, y ambos lo sabían—. Te venía a invitar al estudio a tomar una taza de café, pero tal vez hoy no sea el momento —sentía lo que le había sucedido y se inclinó y le tocó la mejilla suavemente con la mano—. ¿Para otra vez?

Ella asintió con la cabeza; se sentía como si las palabras de Allman la hubieran apaleado.

—Tengo que volver al trabajo. Vamos a hacer un especial sobre la familia del senador. El chico estaba en el equipo de fútbol de la UCLA, una estrella del fútbol en la universidad, y estaba muy comprometido con los servicios públicos. Su novia era la sobrina del gobernador. Esto va a partirle el corazón a todo el mundo. —Al menos, a ella le había partido el corazón. Y Steven había pisoteado lo que le quedaba. Se sentía como si hubiera muerto antes de la hora del almuerzo—. Estaré aquí hasta la una de la mañana, quizá hasta las dos. —Y se la notaba francamente cansada.

—¿No puedes tomarte un descanso? ¿Por lo menos salir y comer algo?

—Lo dudo. Mañana volveré tarde.

Lo único que le faltaba ahora era perder el bebé. Pero no podía ni pensar en eso.

Simplemente tenía que pasar el día, y luego otro día, y continuar funcionando.

—Yo también me quedaré hasta tarde. Tenemos montones de cosas nuevas en la serie. Asesinatos, juicios, divorcios, bebés ilegítimos. Todas las cosas felices de costumbre. Estaré bastante ocupado. Y quiero asegurarme de que los guionistas avanzan bastante antes de que lleguen mis hijos.

—Parece la historia de mi vida —sonrió ella débilmente, y él la besó suavemente en la frente al ponerse de pie para marcharse.

—Trata de aguantarlo. Vendré más tarde. Cualquier cosa que necesites, comunícamelo. Hoy la cocina de nuestro estudio está llena de comida, ya que todos los restaurantes de por aquí están cerrados.

—Gracias, Bill.

Le miró con gratitud y él se deslizó hacia afuera haciéndole un gesto con la mano. Ella se quedó un minuto mirando por la ventana. El mundo estaba loco. Steven se marchaba y los abandonaba a ella y al bebé de ambos. Y alguien mataba a un inocente joven de diecinueve años, de corazón de oro, y toda su vida por delante quedaba truncada en un instante.

Entonces volvió al trabajo e intentó olvidar sus problemas, pero se lo pasó pensando en Bill y en el increíble apoyo que le brindaba.

El especial que produjo se emitió a las cinco y resultó muy conmovedor, y hasta las personas de la sala de informativos lloraron al verlo. Luego hicieron todo el informativo de las seis y después se quedó viendo las películas para decidir qué iban a añadir al especial que pondrían a medianoche. Fue un día eterno, y sólo a las nueve de la noche encontró la comida que le había enviado Bill. A medianoche, sentada en el estudio mirando el programa especial, le vio entrar. Le señaló una silla junto a ella para que se sentara. Él se sentó en silencio y miró el programa con ella, evidentemente muy conmovido por él.

—Qué cosa más asquerosa —dijo cuando acabó el programa.

El senador había llorado abiertamente frente a las cámaras. Y luego hablaron de Dios, de su amor por todos ellos, y de su fe en Él, pero esto servía muy poco para cambiar la pena por lo sucedido. Bill la miró. Se la notaba peor aún que antes.

El día había sido interminable.

—¿Cómo te sientes?

—Cansada.

La palabra resultaba muy frágil para describir su estado, pero él no deseaba mostrarse intruso. Sí quería ayudarla. Se la notaba muy agotada, aniquilada como para no conducir ella misma a casa; así que se ofreció a llevarla.

—¿Te parece que te lleve a casa? Mañana puedes tomar un taxi para venir. Deja tu coche aquí. O si prefieres, puedo conducirlo yo. —No se atrevía a dejarla conducir sola. Estaba demasiado exhausta, pensó, y podría quedarse dormida sobre el volante. Ella no tuvo la energía para oponerse.

—Dejaré el coche aquí. Y gracias por la cena, por cierto. —Él era capaz de pensar en todo por muy tarde que se quedara a trabajar. Ambos firmaron a la salida y ella gimió al acomodarse en el asiento de la cómoda furgoneta—. Dios mío, me siento como si me fuera a morir.

—Y podría sucederte si no duermes —se sentó al volante; ella estaba demasiado cansada siquiera como para conversar de camino a casa por la autopista Santa Mónica. Al llegar al complejo, él aparcó el coche y la acompañó hasta su puerta sin decir palabra. Tan pronto ella abrió la puerta, él la miró seriamente cuando ella se volvió hacia él en el umbral—: ¿Vas a estar bien?

—Creo que sí —dijo ella asintiendo, pero no parecía muy convincente. Jamás en su vida se había sentido tan sola. Se sentía como si Steven la hubiera vuelto a abandonar.

—Llámame si me necesitas. No estoy tan lejos —dijo él tocándole el brazo.

Ella sonrió y cerró la puerta. Estaba agotada. Subió lentamente las escaleras sin ni siquiera encender la luz. No tenía deseos de ver las paredes desnudas y las habitaciones vacías.

Entró en el dormitorio y se echó en la cama; allí se quedó sollozando hasta quedarse dormida, con la ropa puesta y con el bebé de Steven en su interior.

15

Durante las dos semanas siguientes Adrian se sintió como si estuviera viviendo un sueño. Llegaron los documentos que Lawrence Allman había prometido enviarle. Firmó en todos los lugares adecuados y marcó la casilla que decía que no deseaba ningún apoyo económico conyugal. Accedió a poner en venta la casa el primero de octubre. Le contó muy poco a Bill de todo esto. Él pasaba a verla por su oficina casi diariamente pero no le presionó para que saliera con él. Tenía la correcta sensación de que aún se sentía muy alterada por el *shock* del divorcio. Le habían sucedido muchas cosas. En el trabajo había una actividad frenética y él estaba ocupadísimo con los cambios de guión y con el hecho de que estaba tratando de dejar limpio su escritorio para sus vacaciones anuales de cuatro semanas.

De todas maneras, tuvo tiempo para llevarla al plató una tarde; ella contempló fascinada la emisión del programa en directo. Le recordó la época en que ella trabajaba en otros programas. Después la presentó a todo el mundo, y al volver a su oficina ella admiró sus Emmys y él le mostró las historias del momento de la serie. En ella había esbozado el argumento de la serie para los meses futuros, con soluciones alternativas a los problemas que pudieran presentarse. Sobre su escritorio descansaba amontonados un montón de guiones que aún tenía que aprobar. Se lo explicó todo; ella se sintió deseando poder trabajar en una serie así, y no en los informativos. Al leer sus notas le hizo varios comentarios interesantes.

—¿Qué te parece si me ayudas alguna vez con las historias... o con ideas para los guiones? A los guionistas les encantará recibir alguna ayuda, siempre pueden aprovechar ideas nuevas. No es fácil inventar cinco programas a la semana.

—Me lo imagino... —y entonces le miró con entusiasmo—: ¿Lo dices en serio, Bill? Quiero decir respecto a tomar apuntes sobre ideas para la serie.

—Claro que lo digo en serio. ¿Por qué no? Entre los dos podemos inventar muchas cosas alguna noche mientras cenamos, si quieres. Te pondré al corriente de los antecedentes de los personajes. Te puedes divertir muchísimo.

Su actitud era como si pensara que esto era una idea fenomenal. También lo pensaba ella. Se fueron conversando sobre esto de camino hacia la sala de informativos. Lo volvieron a conversar en la noche siguiente cuando, por fin, pasadas dos semanas desde la barbacoa del Cuatro de Julio, ella accedió a salir a cenar.

Era una noche de sábado. Por la mañana temprano se habían encontrado en la piscina. Ella tenía mejor aspecto que en todos los días pasados. Al parecer había finalmente asimilado el golpe de todo lo sucedido. Aún estaba entusiasmada por haber visto la serie el día anterior. Y mientras hablaba de ella, se veía más guapa que nunca.

—¿Me permites tentarte para un famoso bistec Thigpen esta noche? ¿O qué te parece algo más atractivo, como una cena en Spago?

Aquél era el lugar más frecuentado por cualquiera que se moviera en el ambiente de la televisión y el cine. Wolfgang Puck lo había convertido en el lugar favorito para ir a comer. Ofrecía exquisiteces en pasta y pizzas, además de los milagros de la *nouvelle cuisine* de su creación.

Durante las dos semanas pasadas, Adrian había comenzado a conformarse con las realidades de su vida, y la perspectiva de una noche fuera le pareció sumamente atractiva. Además, él había mostrado una paciencia increíble con ella. La observaba discretamente sin inmiscuirse jamás. La hacía visitas en la oficina, la enviaba comida por la noche, una o dos veces se ofreció a llevarla a casa, pero jamás la había presionado para que saliera con él, cosa que evidentemente ella no habría podido aceptar. Incluso le había recomendado un abogado que se había hecho cargo de sus asuntos y ya había conversado varias veces con Lawrence Allman. Pasadas estas dos semanas de aflicción y angustia, se sintió por fin algo más animada, y las dos sugerencias de Bill le parecieron fabulosas.

—Lo que quieras —le dijo sonriéndole agradecida. En poco tiempo se había convertido en un buen amigo.

—¿Qué te parece ir a Spago?

—Me parece fantástico —sonrió ella.

Ambos volvieron a sus respectivas casas a hacer las cosas que tenían que hacer, como la limpieza y pagar facturas nuevamente, tarea de nunca acabar, sobre todo ahora que no estaba Steven para hacerlo. Su sueldo le cubría todo pero este último tiempo estaba ahorrando al máximo para cuando necesitara dinero para el bebé. Ahora que Steven no iba a contribuir con nada, deseaba ser más cuidadosa.

Bill fue a recogerla a las ocho. Llevaba pantalones caqui, camisa blanca y chaqueta azul. Ella se puso un vestido que tenía desde hacía años. Era un vestido de suave seda color rosa melocotón que le caía suelto desde los hombros. Se dirigieron hacia Sunset conversando acerca del trabajo, de la febril actividad que ambos habían tenido las pasadas semanas. Él no ocultaba la emoción y el entusiasmo ante la perspectiva de la llegada de sus hijos el miércoles próximo. Iban a pasar dos días en la ciudad con él y luego se embarcarían en su gran aventura.

Bill pidió una pizza preparada con pato caliente, y ella pidió *capelletti* con tomate y albahaca frescos. Para postre compartieron un enorme trozo de tarta de chocolate que llegó bañado en crema batida de confección casera. Como era su costumbre, ella se comió todo, y Bill volvió a bromear acerca de lo bien que comía, sin ganar peso por lo visto, pero ella pareció nerviosa al escucharle.

—Debería tener más cuidado con mi dieta.

Él observó que no estaba flaca como un fideo, pero tampoco tenía sobrepeso. Lo único que sí notaba era que los pechos le crecían casi a diario, pero no estaba seguro si esto se debía a que su observación anterior no había sido muy precisa.

—De aquí en adelante no comeré otra cosa que ensaladas —continuó ella.

—Qué deprimente —dijo él y retuvo el aliento haciendo como que hundía la barriga. Tenía una figura sólida pero tampoco estaba pesado—. Durante dos semanas voy a comer hamburguesas y patatas fritas en los restaurantes de comida rápida de carretera, y será un milagro si no hago una regresión y acabo con acné de adolescente. —Ambos se echaron a reír ante la idea; entonces él la miró de forma extraña. Hacía semanas que deseaba hacerle la sugerencia, desde que se enteró de la demanda de divorcio de Steven, pero no había querido precipitarse. Se preguntó si estaría preparada para oírla—. Tengo que hacerte una pregunta especial, Adrian —mientras lo decía ella pareció repentinamente angustiada—. No te pongas nerviosa. No es ninguna cosa terriblemente personal, y no herirás mis sentimientos si contestas no. Sólo quiero preguntártelo por si hay alguna posibilidad de convencerte —hizo una pausa como si estuviera esperando un redoble de tambores—. ¿Qué posibilidades tienes de conseguir una o dos semanas de vacaciones?

Ella tuvo la sospecha de lo que iba a preguntarle, y sonrió sintiéndose muy halagada. Sabía cuánto significaban sus hijos para él, y el hecho de que estuviera dispuesto a compartirlos con ella, o siquiera presentárselos, era de gran significado para ella.

—No es imposible. Tengo cuatro semanas a la vista. Las estaba guardando para hacer un viaje a Europa en octubre. —Viaje que ciertamente no iba a hacer ahora. No iba a ir a ninguna parte con nadie. Y para entonces ya tendría seis meses de embarazo.

—¿Crees que te las darán si las pides a última hora? Estaba pensando si te gustaría unirte a nosotros en nuestro peregrinaje al norte. ¿Tienes algún interés? Si no, respetaré tu cordura y tu criterio. No será un viaje precisamente cómodo. Hablamos de pasarnos metidos en un coche todo el día con dos niños pequeños, escuchándoles discutir día y noche, viéndoles comer cosas incomibles de un extremo de California al otro, y de acabar durmiendo en saco de dormir sobre suelo duro cerca del lago Tahoe. —Pero la verdad era que a él esto le encantaba, y ella lo sabía. Era un verdadero honor para ella que él la invitara a unirse a ellos.

—Me parece fantástico —dijo sonriendo.

—¿Crees que puedes conseguirlo?

—No lo sé. Puedo pedirlo. —No sabía muy bien qué dirían, pero era posible que la dejaran ir, ciertamente por una semana, si no dos, y esto le parecía ser exactamente lo que necesitaba.

—Si no logras conseguir libre la primera semana, podrías volar directamente a Reno y reunirte con nosotros en el lago Tahoe para la segunda. Pero la primera parte también será divertida. Vamos a detenernos en el rancho San Ysidro, cerca de Santa Bárbara; en San Francisco vamos a alojarnos en un hotel que nos encanta y luego iremos al valle de Napa. Allí hay fabulosas posadas pequeñitas y creo que sería un simpático alto en el camino hacia el lago Tahoe.

—Me parece maravilloso —le sonrió, relajada por primera vez en semanas—. Sabes, en realidad te debo una disculpa. Creo que las dos semanas pasadas he vivido en estado de *shock*, desde que recibí la llamada del abogado de mi marido.

Su mención del tema le dio a él pie para una pregunta que había estado deseando hacerle.

—¿Por qué no me contaste lo que sucedía antes de eso?

—No lo sé, Bill. Supongo que me daba vergüenza. Es que... me sentí como fracasada cuando Steven me dejó.

Él asintió con la cabeza. Lo entendía, pero si se lo hubiera dicho le habría ahorrado a él cierta aflicción. Por primera vez en su vida había estado considerando de verdad poner su interés en una mujer casada, y esto le había significado días de lucha consigo mismo. Ella podría haberle ahorrado todo eso, pero ahora ya no importaba. Además, a ella se la notaba mejor. El *shock* ya había pasado, y fuera del primer día no la había visto llorar. Era una mujer fuerte. Mucho más fuerte de lo que él jamás imaginara.

—En todo caso, ¿qué te parece el viaje? ¿Crees que te dejarán libre?

—Lo preguntaré. Será lo primero que haga el lunes por la mañana. Creo que es posible. Las cosas van algo flojas. Y no hay demasiadas personas de vacaciones. La mayoría de la gente prefiere primavera u otoño, cuando no hay tanta aglomeración.

—Yo también lo preferiría, pero tengo que ir cuando los niños están aquí.

Ella le miró preguntándose cómo se las arreglarían. No deseaba dormir en la misma habitación que él, pero ni siquiera conocía a los niños, y probablemente no les caería bien la idea de compartir su habitación con una desconocida. Sería más fácil cuando estuvieran en tiendas. Pero iba a ser algo más complicado en los hoteles, a no ser que pidiera una habitación para ella y la pagara, y esto era lo que estaba a punto de decirle a Bill cuando él se echó a reír.

—¿Qué es tan divertido?

—Tú. Puedo ver cómo dan vueltas las ruedas en tu cabeza. ¿Estás preocupada por los arreglos para dormir?

—Sí —dijo ella sonriendo—. No es que no tenga confianza en ti. Confío, pero...

—Pues no deberías confiar —confesó él—. No estoy muy seguro de confiar en mí mismo. Pero también tengo un sano temor de mi ex esposa. Lo haremos todo muy respetable, te lo prometo. Probablemente yo dormiré con los niños, generalmente lo hago y a ellos les encanta. Y tú puedes ocupar mi habitación.

—¿No te resultará muy incómodo?

—No —dijo él en voz baja—, significaría muchísimo para mí tenerte allí. Me gustaría que pasaras algún tiempo conmigo y con los niños.

Deseaba hablarle más acerca de sus sentimientos, pero sabía que no era éste el momento. Aún estaba recuperándose del golpe recibido de Steven. Y además el camarero estaba nervioso, esperando que desocuparan la mesa. Era una noche de sábado muy ocupado, y los clientes hacían cola en las escaleras y hasta en la calle. Cuando salían, Adrian vio a Zelda con el joven astro de una serie de televisión. Era toda una conquista, y nunca había visto a Zelda más feliz o de mejor aspecto. Ésta vio a Adrian con Bill y le hizo un círculo con el pulgar y el índice indicándole su aprobación, mientras Adrian se reía siguiendo a Bill hacia la furgoneta. Le agradeció la cena y se volvió a él con expresión seria.

—Tengo que agradecerte que me hayas invitado a unirme a vosotros. De verdad, eso significa mucho para mí. Sé lo importante que son para ti tus hijos, Bill.

—Lo son —dijo él, asintiendo, y luego se volvió a mirarla más intensamente—. Y tú también lo eres. Eres una persona muy especial.

Ella desvió la vista sin saber qué decirle. No podía prometer nada. Todavía había demasiada confusión en su vida. Si Steven no la quería con el hijo de ambos, entonces seguro que nadie la querría. Ella lo sabía.

—Valoro todo lo que has hecho por mí —dijo mirando hacia otro lado al subirse ambos al coche. Ella pensó en lo furioso que se pondría cuando descubriera lo del bebé, y no quería engañarle.

—¿Pasa algo, Adrian? —le tomó suavemente la mano entre las suyas.

Aún estaban aparcados a unos pocos metros del restaurante, y aun no se ponían en marcha, pero él se sintió preocupado por ella de pronto. Había breves momentos en que la veía tan infeliz e inquieta. Él sabía que esto se debía probablemente al divorcio, pero esto le hacía compadecerla y desear ayudarle a pasarlo.

—Mi vida está algo complicada en estos momentos —dijo ella enigmáticamente, y él sonrió.

—Hablas igual que uno de mis personajes de la serie. De hecho, acabo de escribir esa frase en un guión. Y tú crees que tienes problemas. Mi personaje está embarazada y el bebé es ilegítimo.

Estas palabras casi la hicieron atragantarse, e intentó reírse mientras él ponía en marcha la furgoneta. Pero todo lo que consiguió fue una débil sonrisa. Nuevamente el arte imitando a la vida. A veces esto sucedía algo demasiado a menudo.

Se dirigieron de vuelta al complejo y él la invitó a su casa a tomar una taza de café. Él tenía una cafetera exprés, y permanecieron largo rato sentados en su acogedora cocina.

—Siempre me gusta dar un último vistazo a la casa antes que lleguen los niños —dijo sonriendo—. Desde el momento en que llegan hasta el momento en que se van, toda la casa está patas arriba, la televisión puesta todo el tiempo, ropa en todas las sillas, calcetines en todas las mesas, los cuartos de baño parecen como después de un bombardeo, y todas las cosas están pegajosas de caramelo o goma de mascar. No tienen remedio.

—Suena a mucha felicidad.

—Ésa es una actitud peligrosa —le sonrió. Por todo lo que había visto en ella hasta aquí, pensaba que era la mujer perfecta. Y hacía ya tiempo que estaba convencido de que Steven o bien era un hijo de puta o un imbécil, pero ciertamente era un loco al dejarla escapar, y mucho más al divorciarse de ella—. No veo la hora de que los conozcas.

—Yo también —dijo ella bebiendo a sorbos el *capuccino*.

—De verdad, me hace ilusión que nos acompañes en el viaje.

—A mí también —y lo decía en serio—. Si no puedo, tal vez vuele al lago Tahoe para pasar el fin de semana.

—Eso sería estupendo. Pero sería mejor algo más.

Pensaba que dos semanas con ella y sus hijos serían como una bendición. Era el tipo de vida que deseaba desde hacía siete años, el tipo de vida que había perdido suponiendo que jamás la volvería a tener. Pero Adrian era una mujer muy especial, en cierto modo tenía miedo de sus sentimientos por ella, aunque por otro lado le gustaban.

Alrededor de las doce la acompañó a su casa. Se sentía como un adolescente parado ante el umbral de su casa, se moría de ganas de tomarle las manos, pero el instinto le decía que aún no estaba preparada. Y tampoco Tahoe iba a ser una respuesta a sus ruegos. No se atrevería a hacerle ninguna proposición mientras viajaran con sus hijos.

Sencillamente iban a tener que esperar, al menos él. Ni siquiera sabía si ella se sentía atraída por él, y le daba miedo descubrirlo demasiado pronto. Siempre estaba la posibilidad de que se asustara. Y ella se sintió agradecida de que no la presionara. Lo besó castamente en la mejilla. Camino de vuelta a su casa, el deseo que sentía de ella casi lo volvió loco.

Al día siguiente, domingo, la llevó de paseo; fueron a almorzar al Ritz-Carlton en Laguna Niguel, y después tuvieron que volverse porque él tenía que ir al trabajo. Como siempre, su trabajo le ayudaba a soportar su constante frustración. Hacía ya un tiempo que Sylvia se había marchado. Y desde que conociera a Adrian no había deseado a ninguna otra. Pero sus sueños con ella comenzaban a atormentarle.

El lunes por la mañana, justo antes del mediodía, ella apareció en su estudio con una amplia sonrisa y una expresión de victoria en su rostro. En ese momento él estaba inmerso en los cambios de último minuto.

—¡Puedo ir! Me han dado las dos semanas libres —le anunció alegremente con un susurro teatral que todos oyeron, echándose a reír después; dos de las actrices hicieron unas risitas.

Bill la miró con admiración y felicidad y le pidió que se quedara allí mientras él terminaba lo que tenía que hacer antes de la emisión del episodio de ese día; después la invitó a verlo con él desde la sala de control.

Era un episodio de mucha acción, cargado de conflictos y emociones. Por entonces ya Helen había reconocido que estaba embarazada, pero no quería confiar a nadie quién era el padre de la criatura. John estaba en la cárcel y ya se acercaba la fecha del juicio. Durante este episodio, Helen llamaba a un hombre desconocido y le amenazaba con suicidarse si él le contaba a alguien que ella iba a tener un hijo suyo. El guión estaba cargado de emoción y la mujer que hacía el papel de Helen era excelente actriz. Llevaba años en la serie y era una de las principales protagonistas de *Una vida*. Mientras Bill contemplaba la actuación, se volvió hacia Adrian satisfecho del episodio de ese día, y se sintió feliz al ver el entusiasmo en sus ojos. Ella estaba disfrutando con su serie, le gustaba todo lo relativo a ella.

—Sencillamente fantástica. Bill —le comentó.

Para él significaba mucho que a ella le gustara. Continuaban hablando sobre la serie cuando dejaron la sala de control. La presentó a los actores que aún no conocía y ella felicitó a «Helen» por lo bien que había hecho su trabajo. Después ella regresó a su oficina.

Le hacía ilusión la perspectiva del viaje, y no veía la hora de conocer a los niños. Sólo esperaba, pensó con cierto nerviosismo, que le entraran todavía los tejanos hasta los primeros días de agosto.

16

Los niños llegaron con dos días de retraso, el viernes por la tarde; Bill fue a recogerlos al aeropuerto. Había pedido a Adrian que le acompañara, pero ella no aceptó para no molestar. Los niños no tenían idea de quién era ella, y no habían visto a su padre desde las vacaciones de Semana Santa. Y de todas formas, ese día tenía visita al médico. Ésta fue la primera vez que escuchó los latidos del corazón del bebé. El doctor le puso el estetoscopio en los oídos y pasó por su vientre el otro extremo, en el cual iba insertado un pequeño aparatito como micrófono. El primer latido que escuchó era suyo propio, en realidad era la placenta que bombeaba sangre al bebé. Pero después de eso, mucho más apagado, y latiendo más deprisa que su propio corazón, estaba el suave tac-tac-tac del niño. Apareció una expresión de asombro en su rostro y las lágrimas se le agolparon en los ojos al escuchar a su hijo por primera vez.

—En mi opinión todo va bien —le dijo el doctor cuando ella se incorporó. La presión arterial estaba bien, el peso también, aunque había aumentado un poco, y era evidente que el cuerpo le estaba cambiando. De pronto había notado una curva en forma de S en su cuerpo al mirarse de perfil en el espejo. Había comenzado a usar vestidos más holgados, pero a no ser que lo supieran, nadie habría notado que ya tenía tres meses y medio de embarazo—. ¿Algún problema, Adrian? —preguntó el doctor. Hacía un mes que no la veía. En el intervalo, Steven se había llevado todas sus cosas de la casa y le había presentado ciertos documentos.

—Nada que yo sepa —le dijo ella tranquila—. Me siento bien. —La mayor parte del tiempo se sentía bien, excepto alguna que otra vez, cuando tenía un día muy largo en el trabajo o se quedaba hasta muy tarde por la noche; entonces se sentía totalmente agotada.

—¿Qué tal lo lleva ahora su marido? —preguntó el doctor mientras se lavaba las manos.

Él estaba convencido de que Steven lo aceptaría finalmente y daba por cierto que ya lo había hecho. No tenía idea de lo que había sucedido ese mes, y Adrian no quiso decírselo. Le resultaba demasiado violento; admitir que él se había marchado le producía una insoportable sensación de fracaso. Aún no se lo había contado a nadie en el trabajo, la única que lo sabía era Zelda, y ésta le había jurado guardar el secreto. Zelda insistía que era tonto por parte de Adrian no decirlo francamente a la gente, ella no había hecho nada malo, era Steven quien debería sentirse avergonzado, no Adrian. Pero ella continuaba aparentando ante los demás que todo iba bien, asegurando que a Steven le había tocado viajar muchísimo últimamente. También decía eso a su madre, en las raras ocasiones que hablaban por teléfono. Y fuera de Zelda, no había un alma a la que le hubiera contado algo acerca del bebé.

—Él se encuentra bien —dijo Adrian con aire inocente—. Ahora está fuera. —Como si el doctor fuera a saber que se había marchado. Se bajó el vestido una vez pasado el examen. Todo lo que tenía que hacer el médico ahora era pesarla una vez al mes, tomarle la presión arterial y escuchar los latidos del corazón del bebé. Los meses anteriores lo había hecho, pero era muy pronto para escucharlos.

—¿Vais a salir fuera este verano? —él le conversaba alegremente, y ella se sintió avergonzada de mentirle respecto a Steven.

—Saldremos unos pocos días. Acamparemos en el lago Tahoe.

—Qué bien. Lo pasaréis muy bien. De todos modos, no te conviene subir a mucha altura, tómatelo con calma. Y si vais hasta allí en coche, haced un alto cada unas dos horas y camina un poco para estirar las piernas. Te sentirás mejor.

Pero hasta aquí todo iba bien en el embarazo, sin ningún incidente anormal. Ningún incidente, fuera del hecho de que su marido iba a divorciarse de ella.

Regresó a la oficina, encontrando como de costumbre una montaña de trabajo por hacer. No supo nada de Bill, pero supuso que los niños habrían llegado sin novedad. Esa noche la llamó a la sala de informativos, justo antes del informativo de las once. Los niños ya estaban acostados y él parecía feliz y agotado.

—Es como si hubiera pasado un huracán por la casa —suspiró feliz, pero ambos sabían que eso le gustaba.

—Me imagino que estarán contentos de estar aquí.

—Eso espero. Yo ciertamente estoy feliz de tenerlos. Mañana los llevaré al trabajo un ratito, hasta que lo destruyan todo. Adam está fascinado, dice que será director cuando sea mayor, pero Tommy se pone algo nervioso. Creo que tal vez podríamos pasar a verte un momento, a decir hola, o te llevaremos a almorzar con nosotros si tienes tiempo. Depende cómo tengas el día. A los niños les encantará conocerte.

—No veo la hora de conocerlos —dijo ella sonriendo, pero en el fondo se sentía nerviosa también. Los niños eran muy importantes para él y le preocupaba pensar qué pasaría si no les caía bien. De acuerdo que no había ninguna relación especial entre ellos, pero él le gustaba muchísimo y tenía la sensación de que ella también le gustaba a él. Si no otra cosa, deseaba que esto fuera el comienzo de una amistad seria. Y había sugerencias de algo más, pero de algo que por el momento, debido a sus circunstancias, ninguno de los dos había resuelto cómo manejar. Le habían sucedido demasiadas cosas en poco tiempo. Demasiadas cosas. Entre el bebé y la demanda de divorcio de Steven, no se sentía preparada para una relación. Sin embargo se estaba acostumbrando a él. Se daba cuenta que le necesitaba a horas inesperadas, y en cierto modo tenía miedo de necesitarle, como tal vez le necesitaría si se dejaba ir totalmente.

—¿Quieres venir al plató después de la emisión de mañana, o prefieres que pasemos a verte a la sala de informativos? —le preguntó él.

Les había hablado de ella y no habían mostrado ninguna sorpresa. Anteriormente ya habían conocido a sus amigas, y estaban acostumbrados. Generalmente le decían lo que pensaban de ellas, y un par de ellas los había acompañado en sus viajes. Pero le resultaba difícil explicarles que ésta era diferente. Ésta era una mujer que le gustaba y a la que respetaba, una mujer que suponía podría amar, pero no les dijo nada de esto. No quería asustarlos.

—Pasaré por allí un momento. De todas maneras me interesa ver qué vas a hacer a esa pobre gente. ¿Cómo está la del hijo ilegítimo?

—Bebiendo demasiado, lo cual es comprensible. Todo el mundo desea saber quién es el padre del bebé. Nunca habíamos recibido tantas cartas. Es increíble lo que interesa a la audiencia este tipo de cosas. La paternidad dudosa parece ser un tema que interesa a todo el mundo. O tal vez sólo sean los bebés.

Estaba tocando muy de cerca el tema nuevamente; el solo hecho de oírle la ponía nerviosa. La paternidad de su propio bebé le era motivo de gran inquietud, y suspiró al darse cuenta que tenía que ir a la sala de control.

—Nos veremos mañana. Salúdales de mi parte.

—Lo haré —dijo él con un calor en su voz que iba dirigido sólo a ella, y ella lo sabía. Iba sonriendo sola cuando se encontró con Zelda camino de la sala de control.

—¿Cómo va todo? —le preguntó Zelda con intención. A veces se sentía preocupada por Adrian, pero con frecuencia estaban ambas demasiado ocupadas como para conversar. De vez en cuando Zelda le preguntaba si había sabido algo de Steven, y estaba horrorizada al saber que no.

—Bien —sonrió Adrian. Sabía que Zelda le guardaba bien todos sus secretos.

—Te vi con Bill Thigpen el otro día —dijo con curiosidad. Ella sabía quién era, conocía el éxito de su serie, y se preguntaba si habría algo entre él y Adrian, pero sospechaba que ésta seguiría engañándose a sí misma con Steven—. ¿Hay algo? —le preguntó directamente; Adrian pareció ofendida por su franqueza.

—Sí. Una buena amistad.

Y continuó de prisa hacia la sala de control. A medianoche se fue a casa y cayó en la cama. Estaba demasiado cansada como para pensar siquiera, y tenía muchas cosas por hacer en los próximos días, antes de salir de vacaciones.

Al día siguiente volvió a ir al estudio de Bill, justo a tiempo para ver la emisión del episodio. Contempló fascinada cómo sollozaba la mujer supuestamente embarazada, hablando de su bebé. Su marido continuaba en la cárcel; una mujer que afirmaba saber quién era el padre del bebé le estaba haciendo chantaje. Acababa de comenzar el juicio de su marido y Helen aún estaba de luto por la muerte de su hermana. Era fácil comprender por qué gustaba tanto a la gente. Era todo muy absurdo, exagerado, pero sin embargo no lo era. Era exagerado de la misma forma que lo es la vida real, con todos los giros, caprichos de la suerte y repentinos desastres. Gente que sufre accidentes, es asesinada, que se engañan unos a otros y tienen bebés. Había algo más de melodrama que en la mayoría de las vidas, pero no tanto como uno habría pensado, meditaba Adrian, si había que juzgar por su propia vida.

Tan pronto como entró en el estudio, de puntillas, vio a los dos niños cerca de Bill, observando fascinados a los actores. Adam era alto para su edad, estaba de pie callado junto a su padre. Tenía el cabello de color rubio arena, grandes ojos azules y larguísimas piernas; llevaba tejanos, camiseta y zapatillas deportivas tipo botines. Tommy estaba cogido a una silla, llevaba camisa vaquera y zahones. En su rostro tenía exactamente la misma expresión que ponía Bill cuando estaba concentrado en algo. Casi parecían mellizos, sólo que uno de ellos era mucho más pequeño. Y sólo mirar a Tommy daban deseos de correr a abrazarle. Tenía suaves rizos castaños y los ojos azules que parecían aún más grandes que los de su hermano. Él la vio primero y se quedó mirándola con curiosidad en lugar de mirar el programa. Ella le sonrió, haciéndole un saludo con la mano; entonces él sonrió y tiró de la manga a su padre. Le susurró algo a Bill y éste se volvió y la vio. No se acercó a ella hasta la interrupción para la publicidad, y entonces los presentó rápidamente antes de tener que guardar silencio nuevamente. Adam le estrechó la mano con aire serio. Tommy sonrió ampliamente y le preguntó si era ella la que iba a ir con ellos al lago Tahoe. Ella sólo tuvo tiempo para musitar sí y luego se encontró acariciándole los rizos mientras veía el resto del episodio; esto a él no pareció molestarle lo más mínimo.

—Estuvo muy bien, papá —felicitó Adam a su padre tan pronto hubo terminado el programa. Entonces Bill le presentó a todos los actores. Adam había estado allí anteriormente y los conocía a casi todos, pero había algunas caras nuevas. Adrian se sintió conmovida al ver lo orgulloso que estaba Bill. Claramente era un padre maravilloso.

Tommy se subió a una de las cámaras mientras Adam le vigilaba. Ella notó que también la observaba disimuladamente. Finalmente todos fueron a almorzar; mientras comían sus bocadillos, Tommy la miró directamente.

—¿Cuánto tiempo hace que conoces a mi papá? —le preguntó, y Adam lo miró ceñudo.

—Tommy, basta. No es de buena educación hacer preguntas.

—No pasa nada —dijo ella sonriendo a los dos y tratando de recordar. Dependía de cuándo comenzara a contar. Si de la primera vez que se vieron en el supermercado o desde que habían comenzado a hacerse amigos. No sabía bien qué decirles pero se decidió por lo primero. Esto hacía parecer como si se conocieran de más tiempo—. Un par de meses, creo. Algo así.

—¿Sales mucho con él? —continuó Tommy.

Adrian sonrió y Adam le gritó que se callara.

—A veces. Somos amigos.

Pero él había descubierto algo de interés en su mano izquierda y se quedó mirándolo mientras ella comía su bocadillo.

—¿Estás casada?

Hubo una larguísima pausa y ella evitó mirar a Bill. Quería ser sincera con ellos, pero no iba a resultar fácil.

—Sí —aún llevaba su anillo de casada. No se decidía a quitárselo. Bill también lo había notado pero jamás dijo nada, y no habría tenido el valor de su hijo pequeño para pedirle que lo explicara—. Lo estaba —corrigió ella entonces.

—¿Estás divorciada? —metió su cuchara Adam, ahora curioso por la dirección que tomaba el cuestionario de su hermano.

—No —dijo ella en voz baja—. Pero lo estaré.

—¿Cuándo? —las inocentes preguntas iban derecho a su corazón, pero valía más que no lo demostrara.

—Puede que alrededor de Navidad.

—Ah.

—¿Y por qué llevas todavía el anillo de casada? —preguntó Tommy—. Mi mamá lleva uno parecido. Sólo que más grande, y con un diamante —informó.

El de Adrian era sencillo y estrecho, siempre le había gustado.

—Debe de ser hermoso. Yo llevo el mío porque... bueno, supongo que por costumbre. —El mes pasado había pensado quitárselo pero no pudo decidirse a hacerlo.

—¿Tú quisiste divorciarte? —preguntó Adam entonces. Bill decidió intervenir y sacarla del atolladero. Ya era suficiente.

—Vamos, chicos, dejad respirar a la dama. Tommy, fíjate en lo que haces o vas a derramar el líquido. —Rescató su lata de cerveza y miró a Adrian como pidiendo disculpas. No estaba en sus planes someterla a interrogatorio—. Creo que le debemos una disculpa a Adrian. Su vida privada no es asunto nuestro.

—Lo siento —dijo Adam mirándola con aire compungido. A sus casi diez años, comprendía mejor las cosas. Pero se había dejado llevar por lo comenzado por su hermano.

—No tiene importancia. A veces es mejor preguntar las cosas antes que quedarse con la duda. Os lo hubiera dicho si no hubiera querido contestar. —Pero no había contestado la pregunta sobre si ella había querido divorciarse. Aún era demasiado doloroso—. ¿Y vosotros? —dijo mirando con seriedad a los niños—. ¿Habéis estado casado alguno de los dos? —Adam sonrió y Tommy lanzó una carcajada—. Vamos, yo os conté todo, ahora os toca a vosotros. ¿Cómo es la historia? —los miró a uno y al otro y los dos comenzaron a reírse y Tommy fue el primero en ofrecer información.

—No, pero Adam tiene novia. Se llama Jenny.

—No es verdad —dijo Adam. Parecía molesto y le dio un empujón a Tommy.

—Sí que lo es —gritó Tommy defendiendo su veracidad—. Tenía una novia llamada Carol, pero ella le plantó.

Adrian se rió y miró con simpatía a Adam.

—Eso nos pasa a todos. Hasta a los mejores —dijo sonriendo. Y luego dirigiéndose a Tommy—: ¿Y tú, qué? ¿Alguna chica que debamos conocer? Si vamos a ser amigos, tendrías que contármelo —eran los mismos principios que ellos le habían aplicado a ella, y ella disfrutaba haciéndoles bromas.

Bill la observaba. Era tan dulce, acogedora y sincera con ellos como con él. Y se estaba enamorando de ella como al comienzo. Era fantástica.

Continuaron conversando durante el almuerzo; a Adrian le fastidió tener que dejarlos para volver al trabajo. Les invitó a visitarla en la sala de informativos, pero no a presenciar el programa más tarde. Algunas de las películas recibidas ese día eran demasiado deprimentes y no deseaba que las vieran. Pero sí les mostró el estudio y las salas de redacción, y les presentó a todo el mundo, incluida Zelda, quien los miró con interés, a ellos y a su padre. Tan pronto se marcharon, Zelda le preguntó a Adrian:

—¿Podría ir en serio esto?

—No es probable —dijo fríamente Adrian. Al fin y al cabo, Zelda sabía que estaba embarazada. Pero también sabía que Steven la había abandonado—. En estas circunstancias.

—Podría tenerlo peor —dijo Zelda mirando a su amiga con intención—. Demonios, hoy en día no existe esto que se llama una virgen.

Adrian se rió de buena gana ante esta salida. Ciertamente era otra forma de considerarlo.

—Lo tendré presente si alguna vez siento la inclinación a comenzar el romance.

Pero no era así cómo veía su amistad con Bill Thigpen. Él le gustaba muchísimo, y si lo pensaba, tenía que admitir que se sentía atraída por él, pero jamás se le había ocurrido que se tratara de eso. Sencillamente se sentían a gusto juntos y tenían muchas cosas en común. Sus hijos le parecían estupendos. Ahora se estaba entusiasmando de verdad ante la perspectiva del viaje. Y emocionada porque la hubiera invitado. Iba a ser maravilloso salir de vacaciones. Pensó en enviar una breve nota a Steven para comunicarle dónde estaría, y entonces comprendió lo ridículo que sería. Ni siquiera le hablaba, había entablado demanda de divorcio, ni siquiera era probable que intentara comunicarse con ella. Y si cambiaba de opinión y decidía volver a casa, ciertamente llamaría a la oficina para localizarla. Así que dejó una nota a Zelda y al encargado de la sala de informativos, con una lista de los hoteles que le había dado Bill. Pero dudaba que alguien le llamara. Regresó nuevamente a su escritorio, pensando en las preguntas que le habían hecho Tommy y Adam durante el almuerzo, sobre su anillo de bodas, y si quería o no divorciarse de Steven. Pero luego, con las prisas antes del informativo de la tarde, lo olvidó todo.

Al día siguiente los volvió a ver, cuando pasaron a hacerle una visita; Bill le preguntó si tenía saco de dormir. Había descubierto que sólo tenía tres, y quería saber si tenía que comprar uno.

—Vaya, pues no, no tengo —dijo ella como disculpándose. Ni siquiera había pensado en ello, pero él le aseguró que no había problema. Él tenía todo lo demás. Le dijo que llevara un traje de vestir por si salían, y una chaqueta de abrigo para las noches en el lago Tahoe.

—¿Y eso es todo? —bromeó ella—. ¿Nada más?

—Exacto —sonrió él y se puso junto a ella, disfrutando de la emoción de tenerla cerca. Se le hacía cada vez más difícil mantener la distancia—. Sólo un bañador y un par de tejanos.

—Vais a terminar tremendamente cansados de mí si sólo llevo eso —les advirtió, pero Bill movió su cabeza mirándola con cariño.

—Lo dudo.

—¿Y juegos? ¿Hay algo que les guste a los caballeros? ¿Tablero de crucigramas? ¿Bingo? ¿Cartas?

Ya se había hecho una lista de las cosas que llevaría para divertirse durante el viaje en coche. Tommy inmediatamente aprovechó para pedir libros de historietas y una pistola de agua.

—No te preocupes por eso —dijo Bill, los reprendió y volvieron a marcharse. Tenían que hacer algunas compras de última hora. A la mañana siguiente salían.

Esa noche ella arregló sus cosas al volver del informativo de la tarde y cuando se marchó para el de las once, ya todo estaba preparado junto a la puerta de la calle. Sus dos pequeños bolsos resultaban raros en el apartamento vacío. Parecía como si finalmente ella también se fuera. El lugar era tan deprimente, ahora que estaba vacío; de tanto en tanto, ella pensaba que debería comprar cosas, pero no se decidía a hacerlo. Eso haría todo decisivo, y siempre estaba la posibilidad de que Steven regresara. En cualquier caso, dentro de unos meses ella tendría que dejar el apartamento. Pero a nadie le haría daño si tenía algunos muebles mientras tanto. Aunque no tenía tiempo ni deseos de hacerlo.

Bill le llamó justo después del informativo y charlaron durante unos minutos acerca del viaje. Él parecía tan entusiasmado como ella. Se sentía como una niña que sale por primera vez a acampar, por primera vez en mucho tiempo se sentía realmente feliz. Todo había sido muy difícil esos dos últimos meses, excepto el tiempo que pasaba con Bill. Eso siempre era muy diferente.

—He pensado que nos conviene salir alrededor de las ocho. Así estaríamos en Santa Bárbara a las diez, y tendremos tiempo de cabalgar antes del almuerzo. Los niños se mueren por montar a caballo.

No se le había ocurrido pensar en este detalle; sabía que esto era una de las pocas cosas que no podía hacer, y se preguntó si Bill se sentiría decepcionado.

—Creo que yo me dedicaré a relajarme mañana mientras los caballeros salen a cabalgar.

—¿No te gustan los caballos, Adrian? —parecía sorprendido. Había pensado organizar una excursión una vez estuvieran en el lago Tahoe. Pero ciertamente, si no podía no sería ningún desastre. Él era muy acomodaticio respecto a sus vacaciones.

—No excesivamente. Y no soy buena jinete.

—Tampoco nosotros. Bueno, veremos qué piensas mañana. Te pasaremos a recoger a las ocho. —A él ya se le hacía larga la espera.

También a ella le hacía ilusión, mientras estaba acostada esa noche pensando, y al pensar se pasó una mano por la barriga. Ya no era en absoluto cóncava, había una sutil redondez que comenzaba a asomarle entre las caderas. Al ponerse de pie ya la notaba. Algunas ropas le estaban quedando apretadas, y se preguntó cuándo empezaría a notarlo la gente. Todo cambiaría entonces, incluida su relación con Bill. Ella sabía que él no querría salir con ella una vez que se hiciera evidente que estaba embarazada. Pero por el momento, al menos, podría disfrutar de estar con él, y de verdad esperaba con ilusión las vacaciones. No había ninguna razón para que él sospechara, mientras ella usara camisas sueltas sobre los tejanos, camisetas y suéters.

La pasaron a recoger exactamente a las ocho y cuarto; todo estaba preparado. Bill cogió sus dos bolsos, y ella llevó un pequeño bolso con sus cosas de maquillaje y aseo, algunos bocadillos para todos y los juegos que había comprado para los chicos.

Bill estaba feliz y relajado. Al llegar, se inclinó como para besarla, entonces se compuso y retrocedió mirando hacia sus hijos sobre el hombro y mirándola a ella tímidamente. Había alquilado una furgoneta grande y llevaban todo lo necesario para cualquier eventualidad del viaje. La parte de atrás estaba cargada hasta arriba, con sacos de dormir, maletas y equipaje.

—¿Todo el mundo preparado? —preguntó él sonriéndole.

Ella le sonrió sentada a su lado en el asiento delantero, y luego miró a los niños sentados atrás.

—Todos preparados —respondieron al unísono los tres.

—Bien. En marcha entonces.

Puso el coche en marcha y se dirigieron hacia el norte por la autopista. Adam llevaba puestos los audífonos e iba escuchando una cinta. Tommy se divertía jugando con pequeños muñecos y soldaditos mientras canturreaba. Bill y Adrian conversaban tranquilamente en el asiento delantero. Parecían una familia corriente, en viaje de vacaciones de verano. Al pensar en ello, Adrian soltó una risita. Se había atado un gran lazo azul en el pelo, llevaba una camiseta azul celeste, tejanos gastados y zapatillas. Bill pensó que parecía una cría, sentada a su lado y riéndose.

—¿Qué es tan divertido?

—Nada. Me encanta. Me da la sensación de estar actuando en una comedia.

—Mejor que actuar en una telenovela —sonrió él—. Entonces tendrías que estar casada con un borracho, tener una hija que acaba de fugarse, un hijo que secretamente es gay, o incluso estar embarazada de otro hombre, o luchando contra una enfermedad mortal —él enumeró las posibilidades, y aunque algunas de ellas eran más posibles de lo que él creía, ella continuó sonriendo.

—Esto es mucho mejor.

—Por supuesto.

Él puso la radio; el trayecto hacia Santa Bárbara fue tranquilo. Se detuvieron en el rancho San Ysidro pocos minutos después de las diez y media. Allí les esperaba una preciosa casita de campo con dos dormitorios y dos cuartos de baño, y una acogedora sala de estar con chimenea. Parecía una casita como para luna de miel. Bill colocó sus cosas en la habitación de los niños, como había dicho, y le dio a Adrian la mejor habitación.

—¿Estás seguro? —dijo ella con expresión compungida. Se sentía culpable por ocupar la mejor habitación pero él insistió en que se sentía feliz de dormir con los niños en la otra—. Yo podría dormir en el sofá.

—Claro que podrías. O en el suelo. Lo haremos así en San Francisco, ¿te parece?

Ella se rió y ayudó a los niños a sacar sus cosas. A los pocos minutos Bill salió con los niños a alquilar caballos. Ella se había disculpado diciendo que se ocuparía de organizarlo todo en la casa. Se quedarían allí dos días. Al regresar ellos, todo se notaba limpio y ordenado.

—Eres buena organizadora —dijo él sonriendo.

—Gracias, ¿qué tal la cabalgata?

—Fabulosa. Deberías haber venido. Los caballos son muy mansos, podrías montarlos con los ojos cerrados.

Sí, pero no con su bebé.

—La próxima vez quizá.

Él presintió que esto era algo que no deseaba hacer y no quiso insistir. Pidieron el almuerzo y después se tendieron junto a la piscina. Pero ya a media tarde los niños estaban aburridos e inquietos por hacer algo, así que Bill organizó un partido de tenis. Fue un partido perfecto, todos eran igualmente malos y se rieron tanto que apenas podían jugar. La conclusión fue que Adrian y Tommy ganaron, pero sólo por defecto, ya que Adam y Bill jugaron aún peor que sus contrincantes.

Cenaron en el comedor del rancho, y después llevaron a los niños de regreso a la casita para bañarlos y para que vieran la televisión antes que Bill los acostara a las nueve, diciéndoles que no quería oír ni una sola palabra más; por supuesto, ellos estuvieron hablando hasta las once. Se pusieron a susurrar y a jugar, y de pronto apareció Tommy llorando porque no podía encontrar el destartalado conejito con que siempre dormía. Adam lo había escondido bajo la cama. Cuando los niños por fin se durmieron, Bill se sentía feliz y agotado. Él y Adrian se sentaron en la sala de estar a conversar en voz baja junto al hogar.

—Son muy majos —dijo ella. Admiraba la forma en que él los trataba, con más cariño que firmeza, y con mucho sentido común, amor y razonamiento.

—Sobre todo cuando están dormidos —coincidió él. Deseaba decirle que ella también era maja, pero no se atrevió. Uno de los niños podría estar despierto escuchando—. ¿Estás segura de que no acabarás loca después de dos semanas de esto?

—Sí, y me voy a sentir tremendamente sola cuando regrese a casa.

—Yo también, cuando se vayan —dijo él pensativo—. Es muy cruel. Siempre es como un recordatorio de los malos tiempos que pasé cuando me vine aquí después que me dejara Leslie. Pero, al menos, ahora me veo muy ocupado con la serie y me adapto rápido.

Y tal vez este año tendría la suerte de estar ocupado con ella. Tenía deseos de que fuera así, pero no sabía muy bien qué deseaba Adrian, si distancia o intimidad. Nunca estaba seguro. Amistad, romance o ambas cosas. Aún actuaba con mucha cautela para no perderla. Ella casi no mencionaba ya a su marido, pero él sabía que éste ocupaba bastante su mente, lo sabía por las cosas que decía de vez en cuando. Y Adam había hecho una muy buena observación acerca de su anillo de casada. ¿Por qué lo seguía usando?

—Jamás podré agradecerte lo suficiente por haberme invitado a venir en estas vacaciones.

—No te preocupes. Me odiarás por ellas cuando acaben —sonrió.

Pero ambos sabían que esto no era cierto. Los niños eran fantásticos.

—¿Hay algo especial que pueda hacer? ¿Cosas para ayudarte con ellos?

—Ellos te lo dirán.

—No sé mucho sobre cómo tratar a los niños —dijo ella con tristeza, aunque sabía que tendría que aprender muy pronto.

—Ellos te enseñarán todo lo que necesites aprender. Creo que lo que más significa para ellos —dijo pensativo echándose para atrás en el sofá junto a ella— es la sinceridad. Eso importa mucho a los niños. La mayoría de los niños siente mucho respeto por las personas francas.

—Yo también —dijo ella. Eso era algo que le había gustado en él desde el comienzo.

—Eso me gusta en ti también —dijo él lentamente, aun hablando en voz baja para no despertar a los niños—. Hay muchas cosas que me gustan de ti, Adrian.

Ella se quedó callada un momento y luego asintió.

—No debo haber estado muy divertida las últimas semanas. Mi vida ha estado algo así como en el aire —eso era una descripción de toda una vida.

—Al parecer lo estás llevando bastante bien, si consideramos todas las cosas. Es horrible cuando no es uno el que desea el divorcio. Pero a veces yo creo que estas cosas suceden por algún motivo. Tal vez hay algo mejor para ti esperándote... una situación que podría darte más felicidad que tu matrimonio con Steven.

Era difícil imaginárselo, no que hubieran sido maravillosamente felices todos los momentos del día. Pero ella nunca había dudado de lo que tenían. Sencillamente le parecía bien, como si fuera para siempre.

—¿Qué dijeron tus padres cuando él te dejó? —preguntó él. Ya se había dado cuenta de que no tenía mucha intimidad con ellos, pero sí se podía imaginar lo escandalizados que estarían en el estricto Boston.

Ella dudó y luego sonrió, evidentemente avergonzada.

—No se lo he dicho.

—¿En serio? —dijo él. Ella asintió—. ¿Por qué?

—No quería hacerlos sufrir. Y pensé que si él regresaba, sería menos violento si no se lo decía.

—Ésa es una manera de considerarlo. ¿Crees que él regresará? —sintió una punzada en el corazón al hacer la pregunta.

Ella negó con la cabeza, incapaz de explicar todos los recovecos de la situación. Más que incapaz, no dispuesta. No quería contarle que estaba embarazada.

—No, pero hay algunos complicados problemitas que hacen muy difícil explicar el asunto a mis padres.

A lo mejor es gay, pensó Bill. Ésa era una posibilidad que no había considerado. Así que no quiso inmiscuirse y hacerla avergonzarse más. Eso explicaría muchas cosas; ella no parecía deseosa de hablar del asunto.

Charlaron durante un rato y luego se pusieron de pie y se dieron las buenas noches. Él la miró con deseo y sonrió cuando ella le mandó un adiós con la mano al cerrar la puerta de su dormitorio. No puso llave a la puerta porque confiaba en él y sabía que no era necesario. Y no se despertó hasta el día siguiente al oír a los niños mirando la televisión en la sala de estar. Eran las ocho de la mañana. Cuando salió, duchada, arreglada y vestida, de tejanos con camisa rosa y zapatillas a juego, Bill ya había pedido el desayuno.

—¿Está bien panqueques y salchichas? —preguntó él asomando la cabeza por encima del periódico.

—Fabuloso —gimió ella—. Sólo que estaré como un camión antes que lleguemos al lago Tahoe.

Él ya sabía que era buena para comer, y se sorprendía del hecho que no engordara, excepto un poquito alrededor de la cintura.

—Puedes hacer régimen cuando volvamos. Yo te acompañaré.

Había pedido salchichas, huevos y tostadas, zumo da naranja y café. Adrian se comió todo lo que tenía en el plato, los niños devoraron los crêpes. Por la mañana, ellos salieron a montar a caballo nuevamente. Por la tarde todos salieron a caminar y recorrieron todo Santa Barbara. Ella les compró una cometa a los niños; después del paseo fueron en coche hasta la playa para hacerla volar. Cuando regresaron al hotel para la cena todos estaban despeinados y felices. Esa noche, los niños cayeron en la cama agotados apenas pasadas las siete. Adrian les obligó a tomar un baño antes de acostarse; ellos protestaron pero Bill la secundó.

—¿Qué clase de vacaciones son éstas? —preguntó Tommy indignado.

—Vacaciones limpias —contestó ella.

Pero cuando se fueron a la cama ya la habían perdonado y ella les contó un cuento, un cuento muy largo. Era un cuento que recordaba de cuando era pequeña, acerca de un niño que había ido muy lejos, más allá del océano, y descubrió una isla mágica. Su padre se lo había contado a ella, y ella lo adornó al contarlo. Los dos se quedaron dormidos tan pronto acabó la historia.

—¿Qué has hecho? ¿Les has dado píldoras para dormir? —preguntó él admirado—. Jamás los he visto dormirse así de rápido.

—Debe de haber sido la cometa, la playa, el baño y la abundante cena —rió ella—. Yo también estoy a punto de quedarme dormida.

Él sirvió vino para los dos. Había sido un día maravilloso y ni siquiera se sintió alterado por una llamada del director de la serie. Era por un problema de poca importancia que pudo resolver por teléfono; se sentía totalmente relajado cuando se sentó junto a ella en el sofá y se pusieron a conversar acerca de los niños.

—¿Siempre supiste que te gustaban los niños? —preguntó ella.

—Diablos, no —rió él—. Cuando me enteré de que Leslie estaba embarazada me quedé tieso del susto. No sabía distinguir el extremo de un bebé del otro.

Ella sonrió ante su respuesta. Eso le había sucedido también a Steven, pero no se había quedadó para afrontarlo. A diferencia de Bill con Adam, él se había marchado. Pero estaba convencida de que finalmente descubriría que no era algo tan terrible... si estuviera dispuesto a intentarlo... y tal vez aún podría estarlo...

—A ti se te dan muy bien los niños, Adrian. Sabes tratarlos. Deberías tener hijos alguna vez. Serías una madre estupenda.

—¿Cómo puede saberlo nadie? Se hace lo mejor que se puede. No puedes hacer más.

—Es terrible.

—Pero así es todo en la vida —dijo él asintiendo—. ¿Cómo podías saber que ibas a servir para trabajar en los informativos, o para ir a la universidad o casarte? Lo intentaste. Eso es todo lo que puedes hacer.

—Sí —dijo ella con tristeza—. Y no era tan estupenda para eso.

—Ésas son chorradas, a mí me parece más bien que fue él quien lo fastidió, no tú. No fuiste tú quien le abandonó.

—Él tuvo sus motivos.

—Probablemente. Pero al menos lo intentaste. No te puedes pasar el resto de tu vida reprochándote o culpándote.

—¿Tú no? —preguntó ella honradamente—. ¿No te sientes algo responsable del fracaso de tu matrimonio?

—Sí —contestó él con la misma honradez—. Pero sé que no fue totalmente mi culpa. Yo trabajaba demasiado y descuidé a mi esposa, pero la amaba y era buen marido, y no la habría dejado. De modo que en parte es culpa mía, pero no en todo. Ya no me siento tan responsable como me sentía antes.

—Eso es alentador. Yo aún me siento terriblemente culpable... —dudó un momento y decidió decírselo— y como si fuera un desastre, una fracasada.

—Pues no lo eres. Tienes que decirte a ti misma que no funcionó. La próxima vez será mejor —dijo él con toda confianza, y esta vez ella se echó a reír.

—Ah, la próxima vez. ¿Qué te hace pensar que habrá una próxima vez? No soy tan estúpida... ni tan valiente. —Y encima con un bebé, ¿quién la iba a querer? Todavía era incapaz de imaginarse un futuro con nadie, excepto con Steven.

Pero Bill se echó hacia atrás y lanzó un silbido ante lo que había dicho.

—¿Lo dices en serio? ¿Realmente piensas que esto es así? ¿A los treinta y un años piensas que todo se ha acabado? —parecía más divertido que compasivo—. Es la cosa más tonta que jamás he escuchado. —Sobre todo en una mujer con su apariencia, y que pensaba y se comportaba como ella. Cualquier hombre en el mundo sería afortunado de compartir su vida con ella, y él se sentiría más que feliz por intentarlo.

—Bueno, tú aún no lo has hecho —dijo ella mirándole interrogante, y él sonrió.

—Tienes razón. Pero es que nunca he encontrado a la mujer adecuada —y harto cuidado que había puesto en no encontrarla.

—¿Por qué no?

—Miedo —confesó él—. He estado ocupado. He sido perezoso. No he estado de humor. Muchísimas razones. Además, yo era mayor que tú cuando me divorcié. Ya tenía dos hijos. Y sabía que no deseaba más hijos. Eso me quitó algo del incentivo para buscar a alguien con quien casarme.

—¿Por qué no? Más hijos, quiero decir.

—No quiero tener hijos y perderlos nuevamente —dijo casi con tristeza—. Con una vez tengo bastante. No podría hacerlo nuevamente. Se me desgarra el corazón cada vez que regresan a Nueva York. No estaría dispuesto a correr ese riesgo ahora.

Ella asintió pensando que lo comprendía.

—Tiene que ser muy duro —dijo compasiva.

—Lo es. Más duro de lo que puedes imaginar —y le sonrió tiernamente y por un momento estuvo tentada de contarle lo de su bebé.

—A veces la vida es más complicada de lo que parece —dijo ella enigmáticamente.

—Eso, seguro —dijo, pensando qué querría decir con eso, pero no le preguntó. Tenía la impresión de que algo más le había sucedido con Steven y que no tenía deseos de contárselo. Otra mujer, otro hombre, algún tipo de desilusión o sufrimiento.

Conversaron durante largo rato esa noche, sentados juntos y contemplando el fuego. La noche estaba fresca, él había encendido el hogar temprano y aún ardía. Los niños no se despertaron y ambos estaban cansados, pero ninguno de los dos deseaba separarse del otro. Tenían tantas cosas de qué conversar, experiencias que contarse, opiniones que compartir; a medida que transcurría la noche, Bill se le iba acercando más. Era una forma de expresar lo que sentía por ella, y al parecer a ella no le molestaba. De pronto, cerca de la medianoche, él la miró y olvidó lo que estaba diciendo. Todo lo que era capaz de pensar era lo mucho que la deseaba y, sin pensarlo, le cogió la cara con ambas manos y murmurando su nombre la besó dulcemente. Ella no estaba preparada para esto y se quedó totalmente sorprendida, pero no le rechazó ni se movió. Se encontró devolviéndole el beso, y deseándole, mientras él la abrazaba. Finalmente se retiró y lo miró con tristeza.

—Bill... no...

—Lo siento —le dijo él, pero no lo sentía. Jamás en su vida se había encontrado más feliz, jamás había deseado tanto a una mujer, jamás había amado a nadie como a ella. La amaba con todo el vacío y nostalgia de los siete años pasados, y con toda la ternura y sabiduría de sus cuarenta años—. Lo siento, Adrian... no ha sido mi intención ofenderte.

Ella se incorporó lentamente y se paseó por la habitación como para alejarse de él físicamente, para no hacer algo estúpido.

—No me has ofendido —se volvió a él y lo miró con pesar—. Es sólo que... no te lo sé explicar... No quiero hacerte daño.

—¿A mí? —dijo él perplejo—. ¿Cómo podrías hacerme daño? —dijo, y se acercó a ella tomando sus manos entre las suyas y mirando intensamente esos ojos azules que ya amaba tanto.

—Te lo prometo —dijo ella—. No tengo nada que darle a nadie ahora, fuera de dolores de cabeza.

—Lo dices de una forma que parece muy atractiva —le dijo sonriendo. Deseaba besarla nuevamente, pero se obligó a no hacerlo.

—En serio —dijo ella, y se veía que lo decía en serio. Era mucho más seria de lo que él imaginaba. No quería cargar a nadie con la responsabilidad de su bebé. Si Steven no lo quería, ella no tenía ningún derecho a obligar a cargar a nadie con él; ciertamente no a Bill, que tenía su propia vida y sus manos llenas con sus propios hijos. Y él ya le había dicho que no deseaba más hijos. Éste era problema de ella y de nadie más.

—Yo también hablo en serio, Adrian. No he querido

precipitarme porque sé que el divorcio ha sido un tremendo golpe para ti. —La miró y todo lo que sentía por ella pareció desbordarse—. Adrian, te quiero. Sé que esto suena a locura, y no ha sido mucho tiempo, pero es verdad. No te voy a presionar, y si éste no es el momento oportuno, esperaré... pero dale una oportunidad a esto... dame una oportunidad —le hablaba en susurro y entonces no pudo evitarlo. La volvió a besar. Al principio ella intentó resistirse, pero sólo un momento y luego se rindió en sus brazos nuevamente, sabiendo que también se estaba enamorando de él. Pero no debía. No era justo. Cuando dejó de besarla, ella estaba sin aliento y con actitud preocupada. Él sólo sonrió y le rozó los labios con los dedos—. Soy un chico grande. Sé cuidar de mí mismo. No temas hacerme daño. Puedo esperar hasta que soluciones tus cosas con Steven.

—Pero eso no es justo contigo.

—Es aún menos justo impedir que suceda esto. Desde que nos conocimos nos hemos sentido atraídos como imanes. Llámalo suerte, destino, azar, llámalo como quieras. Pero me siento como si esto hubiera tenido que suceder. Y no deseo perderlo. No puedes huir de ello, y no te doy prisas. Esperaré. Toda la vida si es preciso.

Era toda una oferta, y ella se sintió conmovido hasta lo más profundo. Ella sentía lo mismo por él, pero el bebé lo cambiaba todo. Tenía que dar a Steven la oportunidad de regresar si cambiaba de opinión. Y ella tenía que dedicar todo su amor y todas sus energías al bebé. No era justo entrar en la vida de Bill embarazada de su anterior marido. Era como demasiado parecido a una historia para su serie, y casi gimió al pensar en cómo intentar explicárselo.

—Te prometo —continuó él— que no intentaré forzar nada. Ni siquiera te volveré a besar mientras estemos de viaje si no quieres. Sólo deseo estar contigo, y que tú lo sepas.

—Ay, Bill —se deslizó en sus brazos nuevamente, él la abrazó largamente y ella deseó quedarse allí para siempre. Él era todo lo que siempre había deseado, sólo que no era su marido ni el padre del bebé—. No sé qué decir.

—No digas nada. Limítate a tener paciencia contigo misma y conmigo. Y dale tiempo al tiempo. Después, ya veremos. Igual después descubrimos que no está bien y que jamás lo estará. Pero al menos démosle una oportunidad. ¿Vale? —La miró esperanzado mientras ella lo pensaba—. Por favor...

—Pero es que tú no sabes... hay muchas cosas que no sabes de mí.

—¿Qué cosa puede ser tan terrible? ¿Que engañabas a tu marido? ¿Qué terribles secretos me ocultas? —Él bromeaba para aligerar el momento y ella sonrió. No era un secreto terrible, sólo uno muy grande. Un bebé—. No puedo creer que haya nada tan terrible en tu pasado, y ni siquiera en tu presente, que pueda cambiar lo que siento por ti.

Ella casi se echó a reír ante eso, recordando la actitud de Steven ante el bebé. Pero éste no era Steven, era Bill, y casi le creyó cuando dijo que la amaba realmente. Pero era demasiado pedir que la aceptara embarazada, incluso a Bill. Sencillamente no podía hacerlo.

—¿Te parece —continuó él— que dejemos reposar las cosas por un tiempo, nos relajemos y disfrutemos de nuestras vacaciones, y cuando volvamos a casa lo pensamos en serio y lo charlamos? ¿Te parece bien? Hasta entonces dejamos las cosas tranquilas y ligeras, ¿te parece? Yo me comportaré, te lo prometo. —Extendió la mano para estrechar la suya y dominó con dificultad el vehemente deseo de besarla—. ¿De acuerdo?

Ella apretó su mano, algo reacia, y sonrió.

—Haces mal negocio. —Pero estaba contenta. Por un momento había estado tentada de regresar a Los Angeles para alejarse de su propio deseo de él, pero se alegró de no haberlo hecho.

—Y no olvides —dijo él moviendo el índice frente a ella— que yo juego a retener —terminó en un susurro y apagó las luces.

A los pocos minutos ambos se fueron a acostar, con sus propios pensamientos, y el recuerdo de la pasión que casi se había desatado entre ellos. Ahora, ambos sabían que estaba allí y que, aunque la controlaran, tarde o temprano tendrían que ocuparse de ella. Él era un hombre serio, sabía Adrian, y una fuerza seria contra la cual luchar.

17

Al día siguiente emprendieron viaje a San Francisco. Se detuvieron en Carmel y recorrieron las pequeñas tiendas conversando y riendo. Adrian compró alguna que otra cosa para los niños. Pero Bill estuvo más bien callado ese día. Pensaba en la noche anterior, preguntándose qué sería lo que la tenía tan preocupada, por qué estaba tan segura de que él la rechazaría. Él sabía que esto tenía que ver con su matrimonio o su divorcio. Qué podría ser que no quería contárselo.

Pero cuando llegaron a San Francisco, él ya estaba relajado nuevamente y se sentía mejor. Fueron al muelle de los Pescadores, anduvieron en trolebús, visitaron la Ghirardelli Square y se detuvieron en todas las atracciones turísticas posibles. Fueron dos días agotadores. Adrian estaba muy pálida cuando finalmente emprendieron rumbo hacia el valle de Napa.

—¿Estás bien? —le preguntó Bill en voz baja la mañana en que partieron.

Él iba conduciendo, aunque ella se había ofrecido a hacer su turno frente al volante. Pero él deseaba que ella se relajara y disfrutara del viaje por Sonoma. Había campos de flores silvestres y viñedos, vacas, ovejas y caballos pastando en los prados, y hermosos y enormes árboles que daban sombra al camino; a lo lejos se divisaban las montañas.

—Pareces cansada —insistió él.

Estaba inquieto por ella. Al parecer se cansaba con facilidad y se ponía pálida, aunque muy rara vez lo decía. Pero en general se la veía sana, comía bien y estaba siempre de excelente ánimo. Después de la seria conversación de la segunda noche de viaje, él se había obligado a no acercársele demasiado ni tocar temas serios. Ella ahora conocía sus sentimientos; a él le resultaba fácil pensar que ella sentía lo mismo por él, pero también sabía que había algo que le impedía expresarlos, y él deseaba darle tiempo y espacio para resolverlo. Lo único que sabía con seguridad era que no deseaba perderla.

Ella también era maravillosa con los niños. Ellos jamás se habían sentido así de felices con ninguna de sus amigas. Bromeaban con ella sin piedad, a Tommy le encantaba hacerle cosquillas, jugar con su pelo y subírsele encima, con el único fin de demostrarle cuánto la apreciaba. Estaban locos por ella. Durante todo el viaje por el valle de Napa parecían una familia perfectamente normal. Se alojaron en una simpática posada victoriana, visitaron varios viñedos y avanzaron lentamente hacia el norte, después de pasear una calurosa y soleada tarde planeando en Calistoga. Ella no quiso subir a planear con ellos, pero Bill no insistió. Tampoco quiso subir al globo de aire caliente que él alquiló para que los niños vieran el resto del valle a la salida del sol. Ella dijo que detestaba las alturas y se negó rotundamente a subir: él tuvo la impresión de que había algo más en su negativa, pero ella no lo dijo y él no quiso preguntarle. Los niños se sintieron desilusionados de que ella no fuera, y ella trató de tomarlo a broma. Después, olvidado ya todo, se dirigieron al lago Tahoe. Esta vez ella también tuvo su turno en conducir, pero le gustaba detenerse cada dos horas para estirar las piernas. Les dijo que se ponía muy rígida si conducía durante demasiado tiempo sin detenerse. Así pues se detuvieron en el Nut Tree cuando iban subiendo, y nuevamente en Placerville; los niños lo pasaron fenomenal subiendo en tren en el Nut Tree.

El viernes por la tarde llegaron al lago Tahoe. El aire de la montaña era fresco y agradable bajo el cielo azul camafeo con pequeñas bocanadas de nubecillas blancas persiguiéndose sobre las montañas. Perfecto.

Enseguida encontraron el sitio para acampar que habían reservado. Bill se dedicó a instalar las tiendas. Tenía una grande para él con los niños y una más pequeña que había comprado especialmente para Adrian. Instaló las tiendas una junto a la otra y Tommy anunció que él deseaba dormir con ella, lo cual iba a ser algo estrecho, pero ella se sintió halagada. Todos se habían portado maravillosamente con ella, y en cierto modo sentía como si no lo mereciera. Se estaba volviendo loca sopesándolo todo, pensando en lo que ellos significaban para ella, y sin embargo sabiendo que en algún punto tendría que echar marcha atrás. No podía liarse con Bill si iba a tener un bebé. Pero era como si no pudiera estar lejos de él. Todo lo que le apetecía era conversar con él noche y día, mirarle y disfrutar de su compañía, sentir su calor cerca de ella. A cada momento se encontraba parada junto a él, rozándole las manos, deseando sentir sus manos en su cara otra vez, y los labios de él sobre los suyos. Y lo único que podía hacer era mirarlo y desear que las cosas fueran diferentes. No lamentaba tener el bebé en su interior, pero sí se encontró lamentando que el bebé no fuera de él, deseando que la vida les hubiera echado mejores cartas, y que ella nunca se hubiera casado con Steven.

—¿En qué pensabas? —preguntó él.

Ella se había quedado parada con la mirada perdida

en el bosque, y él la estaba observando. La vio tan triste que se preocupó, igual que le preocupaba su palidez.

—En nada. —No quería decírselo—. Sólo soñaba.

—Sí, estabas pensando en algo. Parecías muy triste —dijo él. Le tocó la mano y luego la retiró. Tenía que acordarse de no tocarla, y esto era de todo menos fácil. Deseaba decirle de nuevo que la amaba, pero sabía que tenía que esperar hasta que ella estuviera preparada.

Él continuó armando las tiendas, con la experta ayuda de Adam. Les quedó todo muy bien, y entonces Adam y Adrian fueron a comprar alimentos mientras Bill y Tommy «organizaban el campamento». Todos lo estaban pasando muy bien y a Adrian le encantó. Compraron carne para que Bill hiciera barbacoa, también compraron frankfurts y bombones de malvavisco, y un montón de exquisiteces para el desayuno. Adrian comenzaba a sentirse como si estuvieran comiendo día y noche, y ya notaba muy claramente lo abultado de su cintura. En la semana que llevaban de viaje, ya le quedaba pequeña toda la ropa que había traído. En realidad no era tanto que hubiera aumentado de peso, como que de pronto la figura le había cambiado radicalmente, casi de la noche a la mañana; así que la primera noche que pasaron allí tuvo que ponerse un suéter ancho de Bill. A él no pareció importarle, como tampoco se fijó en los motivos, por lo cual ella se sintió agradecida. No deseaba que él lo supiera, y aún se preguntaba cómo pondría fin a las cosas cuando regresaran. No era justo continuar atormentándole, a él ni a ella misma, y no podía comenzar un romance con él mientras estuviera embarazada. Más tarde quizá, si seguían siendo amigos. Quizás entonces, si él sabía lo del bebé, entonces sería justo... se pasaba pensando en ello, y él se daba cuenta de que estaba preocupada.

—Lo estás haciendo de nuevo —se susurró esa noche cuando estaban sentados delante de la fogata, después de una deliciosa cena. Los niños habían cantado hasta quedarse dormidos, los dos en la tienda de Bill, pero Tommy juraba que a la noche siguiente dormiría con Adrian.

—¿Haciendo qué? —dijo ella meditabunda, sentada junto a él y contemplando el fuego con mirada distante. Había sido una noche agradable.

—Pensando en algo demasiado serio. Cada dos por tres los ojos se te ponen tristes. Cómo me gustaría que me contaras lo que te hace sufrir.

A veces le dolía que ella se cerrara a él, pero por otro lado, la mayor parte del tiempo, jamás habían estado tan íntimamente cerca.

—Nada me hace sufrir —dijo, pero su voz no era convincente y él no quedó convencido.

—Ojalá pudiera creerte.

—Jamás me he sentido más feliz —dijo, y lo miró a los ojos y él le creyó, pero sabía que también estaba preocupada por algo.

Ella estaba preocupada por el bebé. Cómo lo iba a cuidar. Cómo iba a ser estar completamente sola con él... cómo iba a dar a luz sin tener a nadie que la apoyara. A medida que el bebé crecía, se le iba haciendo más real, y comenzaba a preocuparse. Además tenía miedo de perder a Bill, aunque sabía que tenía que perderlo. Era algo inevitable, una vez que lo supiera, si no antes. De pronto, al pensar en todo eso, le brotaron las lágrimas y Bill se dio cuenta. Sin decirle nada, la cogió en sus brazos y la abrazó.

—Aquí me tienes, Adrian... estoy aquí... todo el tiempo que me necesites.

—¿Por qué eres tan bueno conmigo? —le dijo entre lágrimas—. No lo merezco.

—Deja de decir eso.

Se sentía culpable respecto a él. No era justo engañarlo y no contarle lo del bebé. Pero no podía. ¿Qué le podía decir? ¿Que estaba allí acampando con él y sus hijos, que se estaba enamorando de él, pero que estaba embarazada del hijo de Steven? ¿Cómo podía decírselo?

Y entonces de pronto se puso a reír a través de sus lágrimas ante lo absurdo de todo. Era una situación de lo más ridícula.

—¿Y dónde estabas tú hace unos años, por cierto? —dijo riendo, y él sonrió en respuesta.

—Haciendo el tonto como de costumbre. Pero más vale tarde que nunca.

El problema era que llegó demasiado tarde.

Ella asintió, y se quedaron así sentados durante un buen tiempo, abrazados, contemplando el fuego, pero esta vez él no la besó. Deseaba hacerlo, pero no quería perturbarla.

Finalmente él decidió que era hora de acostarse y la ayudó a entrar en su tienda; luego él entró en la suya y se metió en su saco de dormir. Pasado un minuto oyó un ruido, y ella estaba de pie junto a él en actitud preocupada.

—¿Qué pasa? ¿Te encuentras bien?

—Sí —susurró ella nerviosa—. Oí un ruido allí —apuntó a la distancia fuera de su tienda—. ¿Has oído algo tú también?

Él negó con la cabeza. Ya estaba medio dormido cuando ella lo despertó.

—No, no es nada. Coyotes, tal vez.

—¿Crees que pueda ser un oso?

Él se rió, con ganas de decirle que sí, que había diez osos y que valía más que se metiera con él en su saco de dormir para estar a salvo, pero no lo dijo.

—No creo. Además los osos de por aquí son muy mansos —aparte de algún desastre ocasional, pero esto sucedía generalmente porque se los molestaba, muy rara vez atacaban si no se los provocaba, y ella no estaba provocando a nadie fuera de él, parada allí con sus tejanos y el suéter de él.

—¿Quieres dormir aquí con nosotros? Estaremos algo apretados pero a los chicos les encantará.

Ella asintió, como una niña pequeña, y él le sonrió cuando ella se instaló junto a él en su propio saco de dormir, y luego se quedó dormida apretándole fuertemente la mano, mientras él a su lado la contemplaba.

18

A la mañana siguiente los cuatro despertaron en la misma tienda; Tommy aprovechó la circunstancia para saltar sobre su padre y comenzar a hacerle cosquillas sin piedad, pero entonces cambió la situación y Adam y Bill le hicieron cosquillas a Tommy. Adrian tuvo que intervenir para rescatarle, y entonces Bill le hizo cosquillas a ella, con la ayuda de Adam, y en pocos momentos los cuatro eran un enredo de brazos, piernas y pies, chillidos y manos que tocaban todo, en todos los lugares y a todos, hasta que Adrian por fin les suplicó que parasen, riéndose tanto que se le rompió la cremallera de los tejanos. Afortunadamente había traído otros, así que no se inquietó. Pero se reía tanto que apenas podía caminar, al salir casi dando tumbos, como los demás, a la luz del sol. Se sintió feliz al despertar a un día tan maravilloso, ciertamente mejor que despertar en el vacío silencio de su apartamento, ahora sin muebles.

—¿Cómo es que has dormido con nosotros? —preguntó Adam estirándose al sol.

—Tuvo miedo de que se la comiera algún oso —contestó Bill flemático.

—No es verdad —intentó defenderse ella mientras él lanzaba un silbido y los niños sonreían.

—A que sí. ¿Quién fue la que apareció en nuestra tienda cuando ya todos estábamos dormidos diciendo que había oído ruidos?

—Creo que dijiste que eran coyotes.

—Sí.

—Muy bien, pues tuve miedo de que me comiera un coyote —rió ella, y todos rieron con ella.

Mientras ella organizaba el desayuno con la ayuda de Adam, Bill anunció sus planes de que todos fueran a pescar después del desayuno.

—Y podemos comer lo que hayamos pescado para la cena esta noche.

—Fabuloso. ¿Y quién limpia el pescado? —preguntó rápido Adam. Él ya conocía el juego por las otras veces que habían salido a acampar con su padre. Generalmente le tocaba a él limpiar el pescado cuando su padre traía a alguna amiga consigo, ya que ellas eran siempre demasiado delicadas.

—Yo te lo diré —sugirió Bill mientras Adrian encendía el fuego—. Cada uno limpia el suyo. ¿Te parece justo?

—Perfecto —accedió Adrian con ancha sonrisa—, porque yo jamás en la vida he pescado nada. Yo me comeré un perrito caliente.

—No es justo —protestó Adam, acercando la nariz al beicon que ella estaba friendo.

—¿Podemos comer pan de maíz? —preguntó Tommy; era una de las cosas que más le gustaban de acampar. Eso, y compartir el saco de dormir con su padre. Era como dormir con un gran osito de felpa que le acunaba toda la noche manteniéndole calentito.

—Yo prepararé algo esta noche —prometió Bill mirando el cielo. Era un día maravilloso, y todo estaba bien en el mundo. Miró a Adrian por encima de las cabezas de los niños y le sonrió; ella sintió que el corazón se le derretía en su interior.

—¿Qué os parece si vamos a nadar hoy? —sugirió Adrian mientras freía huevos. Ya casi hacía calor y en una hora más sí lo haría. En el lago estaba helando, pero a corta distancia, detrás del lugar donde estaban acampados corría un animado río. El día anterior lo había visto; de las montañas caía una cascada de agua que formaba un remanso de buen tamaño.

—Primero vamos a pescar —fue la sugerencia de Bill mientras ella le servía su desayuno, y luego lo servía a los niños.

Pero ellos estuvieron de acuerdo con Adrian, querían ir a nadar y después a pescar.

—Vale, vale. Iremos a nadar y después iré a comprar la carnada. Y después del almuerzo podemos ponernos al asunto en serio. El que no coja ningún pez se morirá de hambre —les gruñó y todos se rieron. Adrian lo miró con actitud remilgada.

—Pero no te olvides de mi perrito.

—Ah, no. Tú también. Y no me digas que le tienes miedo al agua.

Le estaba tomando el pelo porque ella no había querido subir al planeador ni al globo de aire caliente en el valle de Napa. Pero eso era por el bebé, como así los caballos que había evitado en Santa Bárbara. Pero claro, él no lo sabía.

—No tengo miedo al agua —dijo con aspecto muy ofendido por la sugerencia, mientras daba cuenta de sus huevos. Acababa de tomar otro desayuno de mamut. Pero es que el aire de montaña le daba un apetito feroz—. Fui capitana del equipo de natación de Stanford, muchas gracias. Y durante dos veranos hice de vigilante salvavidas.

—¿Sabes zambullirte bien? —preguntó Tommy muy impresionado por sus credenciales.

—Muy bien —dijo ella sonriéndole y acariciándole el cabello.

—¿Me enseñarás cuando volvamos a casa?

—Claro.

—A mí también —dijo Adam en voz baja. Le gustaba muchísimo Adrian y la admiraba aunque no hubiera querido subir al globo—. Papá me enseñó a saltar el año pasado, pero creo que se me ha olvidado durante el invierno.

—Tenemos que trabajar en ello tan pronto volvamos a casa —dijo ella. Entonces se puso a limpiar las cosas del desayuno y ellos la ayudaron. Enrollaron sus sacos de dormir y luego entraron por turnos a ponerse el bañador. Cerraron sus tiendas y se dirigieron hacia el río. Adrian se puso una camiseta sobre el bañador, lo cual le quedaba muy bien, incluso para Bill.

Encontraron un maravilloso remanso para nadar, lleno de otras familias y niños; allí se quedaron entrando y saliendo, saltando y jugando, echándose agua unos a otros. En la distancia, más allá del lugar de algunas rocas, estaban los rápidos, donde había personas con canoas.

Jugaron en el remanso durante más de una hora; finalmente, Bill salió del agua y les dijo que él iría en coche a la tienda a comprar carnada y otros aparejos y que estaría de vuelta en un momento. Adrian y los niños prefirieron quedarse en el remanso hasta que él volviera. Lo estaban pasando divinamente bien y ya habría tiempo para pescar después. Bill también deseaba ver si podía alquilar un bote, y para esto tenía que ir a la tienda de aparejos de pesca.

—Nos veremos en el camping —gritó a Adrian haciéndole un adiós con la mano y desapareció por el claro del bosque.

Ella se volvió hacia los niños. Tommy lo estaba pasando fenomenal y Adam estaba intentando nadar bajo el agua para ver la profundidad, pero ella le dijo que no lo hiciera. El agua no estaba muy transparente y ella no veía si habría rocas, no quería que se fuera a hacer daño. Él se mostró razonable y obedeció. Comenzó a explicarle que nunca hay que zambullirse en un lugar del cual uno no conoce exactamente la profundidad. Se volvió para explicarle lo mismo a Tommy, y al hacerlo se dio cuenta de que no estaba por ninguna parte. Comenzó a angustiarse buscándolo y entonces lo vio de pie sobre las rocas observando a las personas en canoas que se lanzaban por los rápidos del río más allá de ellos. Le llamó dispuesta a reprenderlo por abandonar el remanso sin avisarle, pero él no parecía escucharla. Le volvió a llamar, y entonces decidió salirse para ir a buscarlo. Pidió a Adam que se saliera y la esperara, salió del agua y trepó por las rocas para buscar a Tommy.

Le llamó nuevamente y Tommy se volvió y la sonrió con picardía. Ella subió más, en un esfuerzo por alcanzarlo. Él estaba de pie en la orilla inclinándose cuanto podía para ver cómo pasaban veloces junto a él tres canoas. A él le parecía de lo más fabuloso; estaba pensando pedirle a su padre que alquilara una canoa y los llevara a lanzarse por los rápidos. Esto era mucho más divertido que alquilar un bote de remos para pescar en el centro del lago Tahoe.

—¡Tommy! ¡Ven aquí! —le llamaba ella, y Adam la seguía por las rocas algo más lento, enfadado con su hermano por haberlos sacado del remanso. Pero mientras lo observaba, de pronto el pequeño desapareció. Se resbaló de la orilla y cayó a las aguas turbulentas.

—¡Tommy! —gritó Adrian en un gemido. Ella también lo había visto, pero él no la oyó, y ella comenzó a bajar rápidamente hacia las rocas que estaban mucho más abajo en el río.

Adrian buscaba frenéticamente algo que tirarle para que él pudiera agarrarse: un remo, un palo, la rama de algún árbol; al principio no había nada, y nadie había visto aún lo sucedido. Adam llegó corriendo hasta ella y comenzó a gritar el nombre del pequeño, pero todo lo que podía ver Adrian era el terror en la cara de Tommy mientras era arrastrado corriente abajo; de pronto dos hombres se dieron cuenta de lo que pasaba.

—¡Cójanlo! ¡Cojan al niño...! —gritó uno de ellos a las personas de la canoa, pero éstas no podían oír por el ruido del agua, y no vieron la pequeña figura con bañador azul que desaparecía bajo el agua. Él se debatía salvajemente con los brazos, pero continuaba río abajo y Adrian comprendió instantáneamente que algo terrible iba a suceder. Adam lloraba histérico e hizo ademán de querer lanzarse al agua, pero ella le agarró firmemente y le empujó con fuerza hacia un lado, gritándole mientras lo alejaba del agua:

—¡No, Adam, tú no te tiras allí!

Tan pronto dijo estas palabras se alejó y corrió a lo largo del río lo más rápido posible, sorteando las rocas, saltando obstáculos y árboles y empujando a la gente que estaba en su camino. Jamás había corrido tan veloz en su vida, pero sabía que en ello le iba la vida a Tommy. Toda la gente a lo largo de la orilla chillaba. Ahora le habían visto. Pero todo el mundo parecía impotente. Dos hombres le acercaron un remo de uno de los botes, pero él era demasiado pequeño y estaba demasiado asustado para cogerlo, y las corrientes le levantaban a la superficie para luego volver a hundirle, mientras Adrian seguía corriendo sin detenerse a tomar aliento. Ella sabía lo que hacía y hacia dónde iba; ojalá no fuera demasiado tarde cuando llegara allí. Sentía cómo le cortaban las piernas las ramas, algo la golpeó en la cadera, sintió los pies entumecidos por las rocas, sus pulmones gemían, pero aún podía verle; entonces se lanzó al agua, justo antes de las rocas, donde el agua era más violenta. Se zambulló limpiamente a ras de la superficie, rogando no golpearse con nada y poder alcanzarle antes que fuera demasiado tarde. Si no lo conseguía, todo habría terminado, y costara lo que costase, ella sabía que no podía permitir que eso sucediera.

Casi la alcanzó un remo al pasar nadando, fuerte, rápida y segura, agitada por las corrientes; en la distancia podía escuchar cómo gritaba la gente, y en algún lugar, el aullido de una sirena. Y entonces, cuando era arrastrada hacia abajo por la fuerza del agua, golpeó algo duro que le dio en la cara; ella lo cogió, y al tocarlo supo que lo tenía. Era Tommy. Le sacó a la superficie, luchando por respirar ella misma; la corriente la volvió a arrastrar, pero ella lo empujó por encima de su cabeza, intentando sacarle fuera del agua. Él resoplaba y boqueaba, tragaba agua cada vez que se hundían y luchaba contra ella con todas sus fuerzas, pero ella no le soltaba; mientras las corrientes la golpeaban, ella le mantenía a flote. De pronto él desapareció. Ya no sentía su peso. Estaba en algún lugar y ella no podía encontrarle; ella se hundió en un agujero negro, fue cayendo dentro de algo muy profundo y muy blando, y había silencio allí, mientras ella seguía cayendo.

19

Cuando regresó de la tienda de aparejos, Bill tuvo la impresión de que escuchaba sirenas de ambulancia por todas partes. Dejó su compra fuera de la tienda y se sentó con las piernas estiradas al sol, esperando el regreso de los demás. Tan pronto se sentó vio pasar veloz a una ambulancia y al observarla desaparecer tuvo una extraña sensación por un momento. Entonces se incorporó e instintivamente comenzó a caminar hacia el remanso del río donde había dejado a Adrian y a los niños. Al llegar allí vio a Adam que subía y bajaba por la orilla, llorando histérico y agitando los brazos en la dirección del río.

—Oh, Dios...

Corrió hacia él con todo el cuerpo tembloroso; ya había varios adultos junto al niño tratando de consolarle. Adam gritaba el nombre de Tommy y cuando vio a su padre corrió hacia él. Bill le estrechó apretadamente en sus brazos pero inmediatamente le separó.

—¿Qué sucede? ¿Qué sucede? —le preguntó sacudiéndole para calmarle, de forma que pudiera entender, pero Adam sólo agitó los brazos hacia donde se encontraba la ambulancia y dos todo-terreno forestales que acababan de llegar. Bill le dejó y corrió hacia ellos, frenético.

Ya se había reunido allí una gran multitud; la gente de las canoas gritaba algo, y cuando Bill llegó al lugar en que se encontraba un grupo de guardabosques, varios de ellos metidos en el agua hasta la cintura, vio que sostenían un pequeño bulto de carne con una mancha de tela azul fuerte. Horrorizado comprendió que era su hijo, amoratado e inconsciente. Le colocaron rápidamente en el suelo, comprobaron su respiración y uno de los hombres comenzó a hacerle respiración boca a boca. Bill sollozaba, observando. Estaba muerto... tenía que estarlo... la gente miraba horrorizada. Bill se abrió paso hasta el niño y cayó de rodillas junto a los guardabosques.

—Dios mío... por favor... Dios mío... haz algo...

No podía pensar en otra cosa que en el niño, al que amaba tan tiernamente. De pronto, mientras lo observaba, el niño hizo una tremenda arcada, tosió y salió una explosión de agua. Aún seguía gris, pero se movió, y al poco rato abrió los ojos y miró a su padre. Pareció aturdido un momento y luego se echó a llorar. Bill se inclinó y puso su cara junto a la suya sollozando y abrazándolo.

—Mi pequeño, mi pequeño... Tommy, te quiero...

—Es... yo... —volvió a hacer arcadas y vomitó lo que parecieron litros y litros de agua; los enfermeros le estaban observando con atención; se iba a poner bien. Estaba cubierto de hematomas y tenía barro en el pelo, todo el cuerpo lleno de rasguños, pero estaba vivo. Miraba a Bill desesperado, y cuando terminó de vomitar habló, y a Bill casi se le paró el corazón al oírle:

—¿Dónde está... Adrian?

Adrian, oh Dios. Se volvió comprendiendo repentinamente que no la había visto por ninguna parte; al volverse vio cómo los hombres la sacaban inconsciente del agua.

—Vigílele —dijo Bill a uno de los hombres que estaban de pie junto al niño; en dos zancadas estuvo junto a ella, parecía muerta. Estaba de color ceniza y tenía un terrible corte en un brazo y en una pierna. Pero lo que lo asustó fue el aspecto de su rostro. Le recordó un accidente de autopista que había presenciado una vez. La mujer estaba muerta en el coche cuando él llegó allí.

—Dios mío... ¿pueden hacer algo? —preguntó, pero nadie le escuchó. Estaban tratando de resucitarla, y no había ninguna reacción en ella.

—¿Es su esposa? —le preguntó alguien en seguida, y él comenzó a negar con la cabeza, pero luego asintió. Eso era más sencillo que explicar la situación—. Ella salvó al niño —explicó el hombre—. Un minuto más y se habría dado contra las rocas. Ella le mantuvo sobre la superficie hasta que lo cogimos, pero creo que se golpeó la cabeza.

Además le salía sangre de la herida del brazo. Había sangre en todas partes, observó Bill aterrado.

—¿Respira? —preguntó Bill observándola.

Había cuatro hombres inclinados sobre su cuerpo. Las lágrimas se deslizaban por las mejillas de Bill mientras contemplaba. Había muerto en el intento de salvar a su hijo... le había salvado... estaban tratando de resucitarla, pero no sucedía nada. De pronto volvió a sonar la sirena y dos de los hombres le gritaron al conductor:

—¡Tenemos un latido!

Entonces ella hizo un pequeño movimiento, pero su aspecto continuaba siendo terrible. Ellos continuaron haciéndole la respiración artificial y de pronto miraron a Bill victoriosos.

—Está respirando ella sola. Vamos a llevarla al hospital. ¿Quiere venir con nosotros?

—Sí. ¿Se pondrá bien? —preguntó mirando frenético en dirección al lugar donde había dejado a Adam.

—Aún no lo sabemos. No sabemos qué tipo de herida tiene, y ha perdido mucha sangre por la herida del brazo. Está cerca de la arteria. Será muy difícil —dijo mirando a Bill con franqueza mientras hacía un torniquete en el brazo y mantenía la presión allí. Adam acababa de llegar corriendo; aún lloraba y se aferró a su padre. Los enfermeros subieron a Tommy a la ambulancia en una camilla. Bill saltó tras ellos y alguien ayudó a subir a Adam y le pasó una manta. Dos enfermeros subieron a Adrian. Aún estaba mortalmente pálida y la habían colocado una mascarilla de oxígeno. Bill se arrodilló a su lado.

—¿Está muerta? —preguntó Adam con voz afligida mientras Tommy la miraba. Aún había hojas en sus cabellos y uno de los hombres continuaba manteniéndole la presión en el brazo. Bill contestó a la pregunta de Adam negando con la cabeza. No estaba muerta, pero apenas respiraba.

En diez minutos exactos llegaron al hospital, Bill orando todo el camino mientras le acariciaba el rostro y la observaba. Dos veces se acercaron los enfermeros a observarla con más atención. Bill vio que no estaban contentos con la comprobación, pero había un equipo esperándolos cuando llegaron a Truckee. Después sacaron a Tommy; Adam saltó de la ambulancia. Todos parecían en estado de *shock*. Una enfermera algo mayor le habló en voz baja a Bill:

—Yo me quedaré con los niños para que usted pueda estar con su esposa. Estarán bien. Les buscaremos ropa seca. Quieren tener en observación al pequeño, en todo caso. Estarán bien.

Bill asintió y les dijo a los niños que volvería dentro de un momento y entró corriendo al edificio al que habían llevado a Adrian.

—¿Dónde está? —preguntó tan pronto hubo entrado.

Ellos sabían por quién preguntaba, era la paciente en estado más crítico que tenían en ese momento. Una enfermera le señaló unas puertas batientes; casi al mismo instante, él voló entre ellas. Se encontró en el interior de una sala de emergencia de alta tecnología. Parecía haber miles de pomos y diales, luces brillantes y unas doce personas en batas verdes trabajando sobre su cuerpo inmóvil. Todos parecían hacer mil cosas a la vez, mientras observaban una media docena de monitores y hablaban en códigos que él no entendía. Era como ver una película de ciencia ficción. Bill se sentía paralizado en su interior. Aún no lograba comprender qué había sucedido. Todo lo que sabía era que algo terrible le había sucedido a Tommy y ella le había salvado. Pero a qué precio, si ella vivía le estaría eternamente agradecido. Por el momento esto parecía menos que probable. Esta mujer a la que apenas conocía, esta chica de la que se había enamorado, yacía allí como una persona en un mal sueño o en una película espantosa.

—¿Qué pasa? —preguntaba él una y otra vez, pero todos estaban demasiado ocupados para contestar. Vio cómo le cosían el brazo, comenzaban a hacerle una transfusión de sangre, le ponían suero, le hacían un electroencefalograma, y ella seguía gris e inconsciente. Él no podía acercársele. Había demasiados médicos, ella tenía demasiadas lesiones y había muchas cosas que tenían que hacer para intentar salvarla.

Finalmente comenzó a sentirse mareado por mirar; uno de los médicos le llevó a un lado y le pidió que saliera unos minutos.

—¿Quiere sentarse? —le preguntó el médico. Se había dado cuenta de lo abrumado que se veía Bill.

Bill se sentó agradecido en una silla, pensando en lo que estaba sucediendo en esa habitación, la desesperada lucha por la vida que al parecer ella estaba perdiendo.

—¿Qué pasa? —preguntó nuevamente y esta vez obtuvo respuesta.

—Como usted evidentemente sabe, su esposa casi se ha ahogado. Tiene demasiada agua en los pulmones y ha perdido mucha sangre por la herida del brazo. Se hirió una arteria y eso solo podría haber sido fatal. Debe de haber algo muy afilado bajo la superficie del agua. Además, al parecer recibió un fuerte golpe en la cabeza. Al principio temimos fractura, pero creo que no se trata de eso. Creemos que sufre una conmoción cerebral, y las cosas aún se complican más por su estado.

—¿Qué estado? —preguntó él. Parecía aterrado y confuso. El historial médico de Adrian eran un completo misterio para él. Todo lo que se le ocurría pensar era en cosas como diabetes—. ¿Se pondrá bien?

—No lo sabemos aún —el doctor se puso más serio entonces y miró a Bill—. Considerando la extensión de sus lesiones existe la clara posibilidad de que pierda el bebé.

Bill se le quedó mirando estupefacto al oírlo.

—¿El bebé? —Se sentía completamente confuso y como un idiota total.

—Ciertamente —continuó el doctor suponiendo que el *shock* le impedía recordar todo, después de haber casi perdido a su hijo y aún en peligro de perder a su esposa embarazada—. Deben de ser, ¿cuánto...? ¿Cuatro, cuatro meses y medio de embarazo?

—Eh... claro... por supuesto... estoy tan alterado, yo...

Era una locura, ¿por qué hacía como si fuera su esposa? ¿Y por qué se sentía así? ¿Por qué se sentía como si en realidad ella fuera su esposa y ése fuera su bebé? ¿Y por qué, por Dios santo, no se lo había dicho? Se sentía como si acabara de recibir otro *shock*, y el doctor le pidió que se quedara donde estaba. Él iba a volver a controlar el estado de Adrian y le informaría a Bill cuando hubiera un cambio en la situación.

Se quedó sentado allí un buen rato, tratando de asimilar lo que había sucedido y lo que acababa de oír, pero durante unos momentos, sencillamente, no pudo. Era imposible comprender lo sucedido, sólo que de pronto comenzaron a encajar pequeñas piezas del rompecabezas... su tremendo apetito... el hecho de que al parecer había aumentado de peso desde que la conociera... pero lo más importante, el abandono de Steven... pero ¿por qué, cuando ella iba a tener un hijo? Tenía que ser una especie de hijo de puta, pensó Bill. Ése era también el motivo de que ella continuara pensando que iba a regresar, y siguiera llevando el anillo de casada, tal vez... y por ese motivo se mostraba reacia a comenzar una relación con él. De pronto todo adquirió sentido. Sólo que ahora quizá podría perder a su hijo. Cuatro meses y medio era mucho... y tal vez podría morir ella, lo cual era más grave. Se sintió como si se le acabara de desgarrar el corazón. Otro médico se le acercó lentamente. Miró tristemente a Bill al levantar éste la cabeza temeroso de lo que le iba a decir.

—Hemos hecho todo lo que podíamos por ella. Respira por sí misma y tiene una unidad de sangre. La conmoción es grave pero no fatal necesariamente, no hay ninguna fractura en el cerebro... pero tenemos que limitarnos a esperar. Aún está inconsciente.

Bill sabía que igual podía entrar en coma y morir. Esas cosas sucedían a veces.

—No hay ningún motivo para suponer que esto vaya a causarle un daño permanente si sobrevive —continuó el doctor—. Pero el gran interrogante es: ¿sobrevivirá? Aún no tenemos la respuesta a eso.

—¿Y el bebé? —Ahora Bill se sentía responsable del bebé también. De los dos. Quería que ambos vivieran... o sólo ella... cualquier cosa... pero por favor que no mueran. Miró al médico esperando la respuesta a su pregunta.

—El embarazo todavía es viable. Tenemos un monitor controlándola y hasta aquí todo parece ir bien. Todavía escuchamos latidos fetales.

—Gracias a Dios —Bill se puso de pie, esperando más, pero no hubo más. Sólo el tiempo diría lo que sucedería—. ¿Puedo verla?

—Naturalmente. Vamos a dejarla donde está hasta ver qué sucede. Aún está en la unidad de emergencia. Después la trasladaremos a la unidad de cuidados intensivos, si vemos que mejora.

Era difícil de creérselo. Unas pocas horas antes había estado preparando beicon con huevos, y ahora de pronto estaba en el umbral de la muerte, después de salvar a Tommy.

—¿Esta bien mi hijo?

—Yo no lo he visto personalmente. Pero por lo que sé, él y su hermano están almorzando en la sala de pediatría —le sonrió a Bill—. Yo diría que está bien. Es un niño afortunado. Creo entender que sólo le salvó la rapidez para pensar y la heroica acción de su esposa. Es una mujer muy frágil, es sorprendente que haya podido sostenerle así. Al hacerlo se debe de haber hecho la herida en el brazo.

Y golpeado la cabeza y casi ahogado... y casi perdido el bebé... y ella no dudó ni un instante, aun sabiendo que estaba embarazada. Le debía todo. Si ella vivía lo suficiente para poder pagárselo.

Entonces entró en la unidad especial de emergencia y se sentó junto a ella. Parecía tener aparatos enganchados en todo el cuerpo. La mascarilla de oxígeno le oscurecía parte del rostro, pero él le tomó suavemente la mano entre las suyas y le besó los dedos. Tenía los nudillos heridos y con hematomas, y aún había tierra en sus uñas. Tuvo que haber luchado fieramente por salvarle.

—Adrian —susurró a la figura inmóvil—. Te amo, cariño. Te he amado desde el primer momento en que te vi. —Pensaba que si nunca tenía la oportunidad de decírselo, se lo iba a decir todo ahora, le escuchara o no; a lo mejor le escuchaba y eso significaba un cambio—. Te amé inmediatamente, la primera noche que te vi en el supermercado, cuando casi te atropellé... ¿lo recuerdas? —sonrió mientras las lágrimas le resbalaban por la cara, le besó los dedos nuevamente—. Y te amé la vez siguiente... cuando te vi en el aparcamiento delante del complejo. ¿Lo recuerdas? Creo que fue un domingo por la mañana... y en la piscina. te amo... amo todo lo tuyo... y los niños te quieren también... Adam y Tommy. Ellos también desean que te pongas bien.

Y continuó hablándole con su voz enérgica y dulce, sosteniendo su mano suavemente entre las suyas.

—También quiero al bebé... está bien... y si deseas ese bebé, yo también lo deseo... te deseo a ti y al bebé, Adrian. A los dos... y el bebé va a estar bien... así lo dijo el doctor.

Le observaba la cara y pensó que había visto un gesto, pero al mirar más atentamente pensó que lo había imaginado. No había ninguna expresión en el rostro. Continuó hablándole durante largo rato, llamándole por su nombre, diciéndole lo mucho que la amaba a ella y quería al bebé. Entonces descansó la mano sobre el bebé, y tocó el pequeño bulto que jamás había notado antes, y sobre el cual ella nunca le dijo nada. Le dijo al bebé que le quería, y que sería mejor que se aferrara a donde estaba, porque si no iba a hacer desgraciadas a muchas personas.

—Vamos a ver, no creerás que tu mamá ha pasado por todo esto para que tú salgas ahora, ¿verdad? Así que quédate ahí y tómalo con tranquilidad... ¿verdad, Adrian? Dile al bebé que se relaje...

Entonces la besó suavemente en la mejilla y le habló algo más, mientras una de las enfermeras lo observaba desde la puerta. Jamás había visto a nadie tan afligido y jamás había escuchado a alguien hablarle así a una mujer. Mientras escuchaba, la enfermera pensaba en lo inmensamente afortunada que era Adrian al tener a un hombre que la amara de ese modo. Y así, observando de pronto, vio en los monitores algo que le llamó la atención. Frunció el ceño y entró en la habitación. Cuando se aproximaba, Adrian se volvió hacia Bill y le miró; luego cerró los ojos. Por un instante él pensó aterrorizado que acababa de morir, y dejó escapar un lamento casi animal de aflicción, al mismo tiempo que se ponía de pie y se inclinaba a observarla con angustia. Pero entonces ella volvió a abrir los ojos. La enfermera volvió a comprobar sus signos vitales y le sonrió. Bill también le sonrió, llorando. Ya no podía hablar. Ella le había quitado el aliento, y se sentía tan conmovido que comenzó a temblar.

—Es usted una chica muy afortunada —le dijo la enfermera—. Su hijo pequeño está bien. Le acabo de dar Popsicle. —Y entonces añadió dando una alentadora mirada a Bill—: Y su marido ha estado aquí, hablándole desde que la trajeron. —Recordando al bebé, miró los monitores fetales y continuó—: Y el bebé también está bien. Al parecer todo el mundo se va a poner bien. ¿Cómo se siente, señora Thigpen?

Adrian trató de quitarse la mascarilla de oxígeno y la enfermera la ayudó.

—No muy bien —dijo con voz ronca. Le habían bombeado agua del estómago, tenía la garganta irritada, sentía unas náuseas tremendas y el cuerpo apaleado. Lo último que recordaba era la sensación de deslizarse hacia un lugar blando y tibio, donde había recibido el golpe decisivo de una roca sobre su cabeza y había comenzado a ahogarse.

—Ya lo creo que no se siente muy bien —dijo sonriendo la enfermera, y le levantó un poquito la cabeza acomodándosela en la almohada—. Ha tenido una buena batalla con una roca y con gran cantidad de agua. Pero me han dicho que corrió una carrera. Ha salvado a su hijo pequeño. ¡Lo consiguió!

Le sonrió, y Bill recuperó por fin el aliento y la miró con gratitud a través de sus lágrimas, aun apretando fuertemente su mano.

—Adrian, has salvado a Tommy —dijo y lloró entonces con más fuerza, luego se inclinó y la besó en la cara—. Cariño, lo salvaste.

—Me alegro tanto... pasé tanto miedo... no habría podido sostenerlo por más tiempo... —Bill recordó su cuerpo fláccido y su rostro azulado cuando la sacaron del agua—. La corriente era terrible... y temía no poder correr lo suficientemente rápida...

Había lágrimas en sus ojos, pero eran lágrimas de alivio y de victoria mientras aferraba la mano de Bill. La enfermera salió silenciosa de la sala para comunicar la mejoría al doctor. Entonces Bill se inclinó sobre ella y le susurró:

—¿Por qué no me contaste lo del bebé?

Entonces hubo un largo silencio mientras ella lo miraba, agradecida de que él estuviera allí, sus ojos llenos del amor contra el cual había luchado desde que lo conociera.

—Pensé que era injusto contigo.

Al decir esto se echó a llorar y él la besó con suavidad y movió la cabeza.

—No habría cambiado nada. —Le sonrió y se sentó a su lado sin quitarle los ojos de encima—. No es algo muy común, lo reconozco, pero qué demonios, para ser un tío que se gana la vida escribiendo telenovelas, ¿de verdad pensaste que no lo iba a comprender? —Ella sonrió y se puso a toser; él la ayudó a incorporarse y luego la volvió a acomodar en las almohadas—. De verdad, Adrian, me siento aliviado. Ya temía que ese apetito fuera algo normal en ti.

Ella volvió a reírse y después suspiró con expresión preocupada.

—¿Es verdad que está bien el bebé?

—Han dicho que está bien. Creo que tendrás que tomarte las cosas con calma durante un tiempo. Pero los bebés son bastante resistentes —Recordaba una vez que Leslie se cayó cuando estaba embarazada la primera vez, él casi tuvo un infarto al verla caer por las escaleras, pero al final no sucedió nada. Entonces recordó algo que deseaba preguntarle a Adrian. Algo que sospechaba—. ¿Es por eso por lo que te dejó Steven? —Era algo que ahora deseaba saber. Era inexcusable si era cierto y mientras ella estaba inconsciente él había adivinado que ése había sido el motivo de su separación.

Ella asintió en silencio, después dijo:

—Él no quería tener hijos y me dio a elegir, o él o el niño —se echó a llorar nuevamente al pensarlo, y se aferró con desesperación a Bill—. Lo intenté, pero no pude hacerlo. Fui para hacerme un aborto, pero no pude, sencillamente no pude. Por tanto, me dejó.

—Qué tío más majo debe de ser.

—Tiene convicciones muy profundas al respecto —intentó explicar ella.

Bill la miró con tristeza.

—Yo diría que es una forma suave de describirlo. El tío se divorcia de ti porque vas a tener un hijo suyo. ¿Sabe él que es de él, o también pone eso en duda?

—No, sabe que es suyo. Su abogado me envió los papeles, él quiere acabar con los derechos de padre, de forma que ni el niño ni yo podamos reclamarlo como padre. En esencia, el niño será ilegítimo —dijo con pena.

—Eso es asqueroso.

Ella volvió a suspirar.

—Pero es posible que cambie de opinión... quizá si lo ve.

Entonces él comprendió cuál era el problema. Ella aún esperaba que Steven regresara, por el niño si no por otra cosa. Le preguntó entonces otra cosa que deseaba saber.

—Adrián, ¿aún estás enamorada de él?

Ella dudó un momento largo y luego negó con la cabeza mirando a Bill.

—No —dijo en voz baja—. No. Pero el bebé tiene derecho a su padre natural.

—Si él quisiera volver, ¿tú lo aceptarías?

—Tal vez sí... por el niño...

Cerró los ojos. Se sentía mareada y agotada. Bill la contemplaba, entristecido por lo que ella acababa de decirle y agradecido por su franqueza. Ésa era una de las cosas que le gustaban en ella. Bill suponía que Steven no iba a regresar, si estaba haciendo trámites para renunciar a su paternidad, y para divorciarse de ella. El tío estaba loco indudablemente. Pero también era evidente que ella pensaba que les debía algo, a él y al niño, una relación que se merecían, aunque esto significara renunciar a algo ella misma. Pero ella era así. En el intento de salvar a Tommy había estado dispuesta a arriesgar su propia vida y la del bebé. Era un tipo de persona de o todo o nada. Ella continuó allí con los ojos cerrados y durante un rato ninguno de los dos habló. Entonces ella miró a Bill nuevamente, inquieta por lo que éste estaría pensando.

—¿Me odias?

—¿Estás mal de la cabeza? ¿Cómo puedes decir una cosa así? Acabas de salvar a mi hijo. —Y esto casi le había costado la vida. Se le acercó más y le acarició la amoratada cara con suaves dedos—. Te amo, Adrian. Puede que éste no sea el momento ni el lugar adecuado para decírtelo, pero te amo. Más que eso, estoy enamorado de ti. Lo he estado durante dos meses, tal vez tres. —Le besó la mano y los dedos. Tenía miedo de hacerle daño si la besaba de verdad.

—¿No estás enfadado por lo del bebé? —le preguntó ella con lágrimas en los ojos.

—¿Cómo voy a estar enfadado por lo del bebé? Creo que eres maravillosa por lo que haces. Eres muy valiente e increíblemente fuerte, y eres una mujer buena y decente. Y creo que es algo muy especial que vayas a tener un hijo.

Ésta era la primera palabra amable que alguien le había dicho acerca de su embarazo, con la excepción de Zelda, pero eran tantos los insultos que había recibido de Steven, que ante las amables palabras de Bill se puso a llorar. Él le enjugó las lágrimas cariñosamente y ella trató de explicárselo todo. Se sentía muy emocionada y tremendamente perturbada y, después de tres meses de tener que pedir disculpas a su marido y arreglárselas sola con su embarazo; de pronto cayó el dique que contenía sus sentimientos.

—Relájate —dijo él. La veía demasiado alterada y temía el daño que esto podría hacerle. Ya había tenido un terrible *shock* para su organismo—. Todo irá bien, ¿de acuerdo? —Le quitó el pelo de la cara y la acomodó en la cama con suavidad. Parecía una niñita a la que han golpeado, y hacía hipos después de haber llorado—. Vas a tener tu bebé y será muy hermoso. —Apretó su rostro contra el de ella y la besó en los labios con dulzura y sintió también sus ojos llenos de lágrimas—. Te amo, Adrian... te quiero mucho... a ti y al bebé.

Y lo hermoso de todo esto era que realmente lo sentía.

—¿Cómo puedes decir eso? —dijo ella. Steven la había dejado a causa de este hijo, y ahora Bill, que apenas la conocía, le decía que la amaba—. Ni siquiera es hijo tuyo.

—Ojalá lo fuera —dijo él con franqueza mirándola. Entonces él se atrevió a decir exactamente lo que sentía—: Tal vez algún día, si tengo suerte, lo será.

Nuevas lágrimas rodaron por las mejillas de Adrian entonces; no dijo palabra, se limitó a apretarle fuertemente la mano con la suya, y cerró los ojos, asintiendo. Después se quedó dormida, sosteniéndole la mano; Bill observó los monitores mientras ella dormía. Un par de veces entró la enfermera y le tranquilizó diciéndole que todo iba normal. Finalmente, él salió para ver cómo estaban los niños. Encontró a Tommy dormido también. Estaba haciendo una siesta y se le veía bien. Le tenían colocados tubos para suero y le controlaban la temperatura con regularidad, pero le dijeron que podría irse a casa por la noche. Adam estaba mirando viejas reposiciones de *Mork y Mindy* por la televisión.

—¿Cómo está ese chico? —le preguntó sentándose a su lado en la sala de la televisión. Desde allí podía observar el lugar donde dormía Tommy.

—¿Cómo está Adrian? —preguntó Adam preocupado. Pero a Bill se le notaba tan aliviado que supo que debía de encontrarse bien. Una enfermera le había dicho hacía un rato que su «madre» estaba mucho mejor. Él no la corrigió, ya era lo bastante mayor para suponer que era más sencillo no hacerlo.

—Está durmiendo pero está mejor —le dijo.

Toda la tarde había estado pensando sobre qué convendría hacer. Suponía que ella no podría viajar muy pronto, sobre todo considerando su embarazo, pero también suponía que no le convendría estar en el campamento. Lo que necesitaban era una semana de vacaciones en un buen hotel.

—¿Qué me dices de alojarnos en un hotel en lugar de regresar al camping?

No deseaba desilusionar a los niños, pero ahora tenía que responsabilizarse de Adrian también, especialmente después de lo que había hecho por Tommy. El día podría haber acabado en tragedia para todos, y Bill estaba seguro de que si no hubiera sido por la rapidez de su reacción y sus denodados esfuerzos por salvar al niño, Tommy ya no estaría entre ellos. Era una deuda que le debería eternamente. Pero también tenía que pensar ahora en Adam, se le notaba algo conmocionado.

—¿Sería mucha desilusión para ti si estas vacaciones resultan menos salvajes?

Pero Adam de inmediato negó con la cabeza con vehemencia.

—Me contento con que ellos dos estén bien. Deberías haberla visto, papá, corrió como un rayo apenas vio que la corriente se lo llevaba. Supongo que intentaba llegar abajo antes que él para detenerle, pero en esos momentos yo no podía imaginármelo. Y resultó. Pero fue tan horrible —se atragantaba con las palabras al decirlas—. Se hundían y se volvían a hundir, y al principio nadie les ayudaba.

Ella le subía, y la corriente la volvía a hundir, una y otra vez. Entonces ella le volvía a subir y ella se hundía. Fue espantoso... —enterró la cabeza en el pecho de Bill, y éste le mantuvo abrazado un buen rato.

—Tommy no debió haberla dejado, en primer lugar. ¿Qué demonios estaba haciendo?

—Supongo que debía de haber estado mirando las canoas o algo así. Y se cayó mientras miraba.

—Vamos a tener que conversar acerca de eso cuando se despierte.

Bill volvió a ver al niño dormido; tenía buen color y su respiración y temperatura eran normales. Se le notaba bien y en su cuerpo apenas había un rasguño. Era difícil creer que éste fuera el mismo niño que sólo unas pocas horas antes estaba azul. Jamás podría olvidarlo mientras viviera, pensó Bill.

Después hizo algunas llamadas telefónicas, reservó una gran *suite* en un hotel de lujo y regresó a la sala donde estaba Adrian para ver cómo seguía y hablar con el médico. Seguía durmiendo, y los médicos deseaban que continuara así por un tiempo. Aún tenía que reponerse y ellos pensaban que si no surgían más problemas podría abandonar el hospital al día siguiente. Querían estar seguros de que no tuviera neumonía, ni complicaciones con el bebé. Pero hasta el momento, las cosas parecían ir mejorando.

Bill les dijo que se ausentaría un momento y fue también a comunicárselo a Adam. En seguida se dirigió en el coche hasta el lugar en que habían acampado. Al llegar allí lo contempló todo tembloroso. Pensar que sólo esa mañana la vida le había parecido libre de preocupaciones y sencilla. Ahora, repentinamente, dos de las personas que amaba casi habían perdido la vida... tres, si tomaba en cuenta el bebé. Le invadió un sentimiento de reverencia y gratitud. Se sintió aliviado cuando hubo recogido todo y condujo hacia el hotel. Le habían reservado una hermosa *suite* de dos dormitorios. Él ya había decidido dormir en el sofá. Deseaba poder vigilarla durante la noche y estar seguro de que la oiría si ella lo llamaba. Habría preferido dormir en la misma habitación pero temía que esto extrañara a los niños.

Tan pronto dejó las cosas en la *suite* regresó al hospital, sorprendiéndose al descubrir que eran las seis de la tarde y de que los niños estaban cenando.

—¿Dónde has estado? —le preguntó Tommy.

Ya le habían quitado los tubos para el suero y el pequeño parecía el mismo de siempre. Adam le estaba diciendo que no comiera el puré de patatas con la mano. La habitación para niños estaba casi vacía. Había un chico con una pierna rota, otro con un brazo roto, un caso de accidente de coche leve que había hecho necesarios algunos puntos y observación por conmoción, y Tommy, que había sobrevivido a su remojón en el río. Los otros niños eran algo mayores y conversaban entre ellos durante la cena.

—Fui a conseguir una habitación de hotel para todos —explicó Bill—. Te estuve observando toda la tarde pero estabas dormido. —Se inclinó para besarlo y en ese momento se dio cuenta de que tenía hambre. No había comido nada desde el desayuno que les preparara Adrian esa mañana temprano.

—¿Está bien Adrian? —preguntó Tommy con la cara nublada por la inquietud, pero Bill se apresuró a tranquilizarlo.

—Se pondrá bien. Estaba preocupada por ti. Quedó bastante cascada al tratar de salvarte. Lo cual me recuerda, jovencito, ¿qué hacías fuera del remanso sin los demás?

El niño abrió los ojos muy grandes anegados en lágrimas. Sabía perfectamente bien la parte que le había tocado en todo el asunto, y era lo suficientemente mayor para saber que por su culpa él y Adrian casi se habían ahogado. Estaba muy arrepentido.

—Lo siento, papá... de verdad...

—Ya sé que lo sientes, hijo.

—¿Puedo verla ya?

—Mañana tal vez. Está hecha polvo. Si todo va bien, esperemos, la dejarán salir mañana y la podremos llevar con nosotros al hotel.

—¿Puedo irme esta noche?

—Veremos.

A Bill le habría gustado pasar la noche con Adrian, pero no deseaba dejar a los niños solos en el hotel, e incluso en el hospital Tommy habría deseado que su padre durmiera con él. Además, ya le habían dicho que Adam no podía pasar la noche en el hospital, ya que no estaba enfermo. De modo que Bill no tenía elección. Tendría que llevarlos al hotel y volver al día siguiente a buscar a Adrian.

Pero cuando fue a verla, a ella no pareció importarle esto. Estaba tan agotada por los peligrosos acontecimientos del día que apenas abrió los ojos para hablar con él y ya estaba dormida nuevamente. La enfermera le sugirió que se marchara.

—Ni siquiera se va a enterar de que usted se ha marchado, y yo se lo explicaré —le prometió la enfermera—, o si lo desea, siempre puede llamar por teléfono.

Dejó el número de teléfono del hotel y de la habitación y fue a buscar a los niños. Una hora después éstos ya estaban saltando en las camas y mirando la televisión. Tommy quería pedir helado de chocolate al servicio de habitaciones. Era difícil de creer pensar que casi no había sobrevivido por la mañana.

Bill le bañó, después acostó a los dos y se fue a echar en la habitación que iba a ser de ella, completamente exhausto. No podía recordar un solo día en toda su vida que hubiera sido tan traumático. No podía dejar de pensar en la odiosa visión de los dos cuerpos, los guardabosques y enfermeros luchando por sus vidas... las sirenas de las ambulancias... los sonidos... la expresión de los rostros. Tendría pesadillas con esto durante años, lo sabía. Al pensar en ella se dio cuenta de que la echaba de menos, que deseaba tenerla junto a él y abrazarla. Había tantas cosas que deseaba decirle ahora, había tantas cosas que tenían que descubrir juntos, que hacer juntos... y además estaba el bebé. Ni siquiera sabía cuánto tiempo llevaba de embarazo, sólo lo que había sugerido el doctor. No tenía idea de cuándo iba a nacer. Era increíble cómo de repente había entrado en su vida un nuevo ser... toda una nueva perspectiva de felicidad para el futuro. Ya la amaba antes, pero ahora, al saber eso, la amaba doblemente. Y mientras pensaba en todo esto, echado sobre la cama, sonó el teléfono.

—¿Hola? —dijo, y su voz sonó ronca de estar en la cama pensando en las emociones del día, pero sonrió tan pronto escuchó su voz. Era Adrian que llamaba del hospital. Había despertado, preguntándose dónde estaría él, y le echaba en falta, igual que él a ella. Todo un nuevo vínculo se había formado entre ellos desde esa mañana.

—¿Dónde estás?

—Aquí en tu cama —dijo él sonriendo—, deseando que tú estuvieras aquí conmigo. —Dado lo casto de sus relaciones, esto era algo atrevido, pero él supuso que no le importaría, después de todo lo que habían pasado. Casi se sentía como si estuvieran casados y ella le acabara de decir que iban a tener un hijo.

—¿Escuchas ruidos de osos? —bromeó ella, con voz todavía ronca, pero al parecer mucho más repuesta.

—Ni osos ni coyotes —dijo él. Con lo que había pagado por la *suite*, con la vista sobre el lago que tenían, sólo deberían sentirse ruidos de armiños y Rolls-Royces—. Pero se siente todo muy solo sin ti.

—Aquí también se siente solo. —Le fastidiaba estar en el hospital y realmente le echaba de menos—. ¿Cómo están los niños?

—Durmiendo, espero. Hace una hora que les puse en la cama. Y si no están dormidos, no quiero saberlo —se sentía casi tan agotado como ella. Y añadió con una tierna sonrisa—: ¿Cómo está el bebé?

—Creo que bien. —Le violentaba un poco hablar de eso con él. Era todo nuevo para ella. Durante todos estos meses, ella lo había ignorado intencionadamente, y ahora de pronto era el foco de atención de todos—. Es todo muy extraño. Aún no me acostumbro.

—Ya te acostumbrarás. ¿Para cuándo es, por cierto?

—Para comienzos de enero. Para el diez.

—Justo a tiempo para mi cuarenta cumpleaños. En realidad mi cumpleaños es el día de Año Nuevo.

—Me parece estupendo.

—También el bebé —dijo él con suavidad—. Hace mucho tiempo que ni siquiera pienso en críos pequeñitos. Me hace pensar en Adam y Tommy cuando eran pequeños. Eran muy hermosos. Y éste también lo será, si se parece a ti.

Ella no podía dar crédito a sus oídos. El padre del bebé la había abandonado furioso, y este hombre, este casi total desconocido, a quien trataba sólo hacía unos tres meses, estaba entusiasmado por su bebé. Esto la hacía sentirse, así como de repente, protegida, feliz y le quitaba de encima esa sensación de soledad.

—¿Por qué eres tan bueno conmigo? —le preguntó. ¿Qué deseaba este hombre? ¿En qué momento la iba a herir? Sencillamente no era posible que fuera tan bueno. ¿O lo era?

—Porque te lo mereces.

—Sólo me estás utilizando —dijo ella echándose a reír súbitamente— para tener datos para tu serie.

Él también se rió, recordando lo absurdo del paralelismo entre ella y su bebé y la mujer con el bebé ilegítimo de su serie.

—Ciertamente usted mantiene animadas las cosas, señora Townsend. ¿O debo llamarte por otro apellido? —no estaba seguro si ella se lo iba a cambiar.

—Mi nombre de soltera es Adrian Thompson —dijo ella. Finalmente tendría que volver a su apellido de soltera, ya que el bebé no podría llevar el apellido Townsend, pero aún faltaba mucho para eso—. No veo las horas de salir de aquí mañana. Es deprimente.

—Espera a ver nuestra habitación en el hotel.

—Me cuesta esperar —se sentía como si estuviera a punto de salir de luna de miel, sólo que aún tenía los tubos de suero en el brazo, le estaban administrando oxígeno a través de dos pequeñísimos tubos bajo la nariz, y tenía la cara y los brazos como si hubiera participado en una pelea de gatos. Aún recordaba que algunos de los rasguños se los había hecho Tommy. Había sido un día increíble, un milagro que los había tocado a todos, y todos se sentían algo sobrecogidos por el final feliz. Además, algo bueno salió de todo esto, al fin y al cabo. Bill descubrió lo del bebé. Y no la había rechazado... y..., pensó sonriendo para sí misma, incluso le había dicho que la amaba.

—Ahora tienes que descansar, Adrian —le dijo él en suave susurro—. Nos vemos mañana. —Era tarde y parecía como si todo el mundo se hubiera quedado silencioso—. Te echaré de menos...

—Yo también te echaré de menos, cariño, buenas noches —susurró ella desde su habitación del hospital de Truckee.

—Y no olvides —le recordó él con una sonrisa— lo mucho que te amo.

20

Al día siguiente, Bill fue a recoger a Adrian al hospital; llevó consigo a los niños. Ellos le llevaban flores y globos, y un gran letrero con la palabra GRACIAS, que Tommy insistió en ofrecer él mismo. Cuando la ayudaban a caminar hacia el coche, parecía como si hubieran sacado un premio gordo en el casino. Ella aún se sentía bastante temblorosa al salir con el alta, así que se dirigieron directamente al hotel para que descansara. Bill la acomodó con cojines en un diván, en la terraza de la *suite*. Ella se quedó impresionada por lo maravilloso de sus habitaciones, y le confesó a Bill en secreto que esto era muchísimo más agradable que acampar. Él se rió y le dijo que algunas personas harían cualquier cosa con tal de evitar dormir en una tienda, y eso era lo que ella había hecho. En un solo día se las había arreglado para casi perder la vida, salvar la de Tommy y reconocer el hecho de que estaba embarazada.

Pidieron el almuerzo al servicio de habitaciones y después Bill salió con los niños a pescar. Pescaron tres piezas y las llevaron directo a la cocina del hotel para que las limpiaran y cocinaran. Era el arreglo perfecto.

—Adoro esta forma de acampar —anunció Adrian

cuando finalmente aparecieron las bandejas, supuestamente con la pesca de la tarde, bañadas en delicada salsa de mantequilla y limón. Bill y los niños estaban convencidos de que ésos eran sus pescados, aunque Adrian sospechaba que no lo eran. Después de la cena vieron películas antiguas por la televisión y se acostaron temprano. Durante toda la noche, Adrian se despertaba con la sensación de que oía ruidos en la habitación. Siempre era Bill, que se asomaba a observarla para asegurarse de que estaba bien y para preguntarse si necesitaba algo. Ella se lo agradeció la mañana siguiente, durante el desayuno.

—No tienes por qué preocuparte por mí. Estoy bien.

—Sólo quiero estar seguro. Ayer saliste del hospital.

Parecía una gallina con polluelos, pero a ella le parecía fabuloso y se sentía encantada.

—Me siento estupendamente.

Pero al observarla caminar por la habitación él se fijó que todavía no tenía la chispa de antes y no parecía deseosa de salir. Al final, tuvieron que pasar cuatro días para que ella volviera a parecer la misma de siempre, y para entonces las vacaciones ya estaban a punto de terminar. Pero se lo pasaron muy bien dando paseos alrededor del lago. Se mantuvieron alejados del río y de los rápidos, y los niños no volvieron a repetir su deseo de andar en canoa.

En cambio visitaron el parque estatal de Sugar Pine Point y se quedaron maravillados. Dieron un paseo en coche por el Valle Squaw y tomaron el telesquí para subir a la cima y luego bajar. Todo fue muy hermoso. Cuando llegó la última noche, Adrian y los niños eran amiguísimos. Era como si la hubieran conocido de siempre. Los niños ya habían llamado a su madre hacía días, contándole lo del accidente de Tommy y de la proeza de Adrian. La madre insistió en hablar personalmente con Adrian. Se mostró muy agradable en la conversación por teléfono y lloró copiosamente de sólo pensar en lo que podría haber sucedido.

—Da la impresión de ser una persona muy encantadora —le comentó Adrian a Bill después—. Y también me pareció que todavía te aprecia.

—Creo que sí. Y yo también la aprecio, aunque a veces nos fastidiamos muchísimo el uno con el otro cuando no estamos de acuerdo acerca de los niños. Su marido es una especie de melindroso más pesado que el plomo. Según él, California es un lugar incivilizado y totalmente carente de cultura. Además, piensa más o menos lo mismo de mí, por lo de la serie. Pero creo que Leslie no le deja hablar mucho de eso. Al menos, eso es lo que dicen los niños. Pero por lo visto las otras dos hijas son muy, muy educaditas. Las dos son niñas, de cuatro y cinco años, y él las tiene estudiando piano y violín para concierto. Me imagino que faltan unos pocos años para eso —sonrió—. ¿Qué opinas tú?

—Estoy de acuerdo contigo —sonrió ella—. De todas maneras, Leslie me parece simpática.

—Creo que ella buscaba a alguien completamente diferente de mí... o de lo que yo era entonces... deseaba a alguien que se pasara mucho tiempo en casa, que fuera muy controlado, no tan impulsivo, y tal vez no tan exuberante. Y creo que lo consiguió.

—Qué horror —dijo Adrian sin pensar, y luego se echó a reír—. Sólo quiero decir que me parece mejor tu forma de ser.

—Gracias.

Diciendo eso, se inclinó donde estaba sentada y la besó. De reojo vio a Tommy reprimir una risita al otro extremo de la habitación. Luego se volvió a Adrian nuevamente. Durante estos últimos días su cabeza había estado llena de interrogantes.

—¿Qué pasará cuando regresemos, Adrian? Con nosotros, quiero decir.

—No lo sé —dijo ella mirándolo a los ojos. Ella también deseaba saberlo, pero aún no estaba segura—. ¿Qué deseas que suceda?

Ella creía saberlo, pero quería que él le diera algunas pistas; además tenía que pensar qué iba a hacer si alguna vez reaparecía Steven. No era jugar limpio lanzarse a una relación con alguien, sabiendo perfectamente que si Steven regresaba, ella volvería a él. Pero pensaba que tenía una obligación con él y con el bebé. Por otra parte, no podía quedarse sentada esperando su regreso durante el resto de su vida. Por el momento, él no quería ni siquiera hablar con ella, dando a entender al mismo tiempo, de todas las formas posibles, que la había abandonado para siempre, y si ése era el caso, ella tenía que continuar viviendo.

—¿Qué quiero yo que suceda? —dijo Bill y se quedó pensándolo durante un minuto. Luego sonrió—: Deseo un final feliz, precedido de un comienzo feliz. Creo que hemos tenido un buen comienzo, ¿verdad? —Ella asintió—. Y deseo pasar mucho tiempo contigo, salir y estar juntos, hacer cosas juntos cuando no estemos trabajando. Y deseo conocerte. Creo que ya te conozco pero deseo conocerte más. Y deseo que tú me conozcas. Quiero que seamos... bueno —trató de encontrar las palabras mientras la miraba— algo muy especial. —Entonces sonrió—: Y en enero, deseo —casi se atragantó con las palabras— compartir contigo el bebé. Es un milagro, Adrian... y quisiera compartirlo contigo, si soy lo suficientemente afortunado y tú aún me necesitas.

—No serías tú el afortunado —dijo ella con lágrimas en los ojos— sino yo. ¿Por qué deseas hacer todo esto por mí? —le preguntó, aún algo temerosa, aún perpleja. Después de todo lo que Steven había hecho para dejarla, le resultaba difícil creer que hubiera alguien dispuesto a permanecer a su lado.

—Deseo hacer «todo eso» porque te amo —le dijo él simplemente—. Y quiero que sepas que éste es un verdadero comienzo para mí. Durante años no me he relacionado seriamente con nadie. Probablemente, desde la muerte de mi matrimonio. Y también me juré a mí mismo que jamás volvería a tener hijos... no quiero enamorarme de tu hijo... y luego perderlo si me dejas. Pero estoy dispuesto a correr el riesgo, si eres franca conmigo. Y si es esa sinceridad la que te hace reservarte para la posibilidad de que Steven regrese cuando tengas a este niño, he decidido que estoy dispuesto también a correr ese riesgo por el momento. Te lo digo con toda la franqueza de que soy capaz. Que estoy dispuesto a correr el riesgo y estar allí para ti. No olvides decirme lo que sucede, así como olvidaste contarme lo del embarazo.

—No lo olvidé —explicó ella y sonrió.

—Ya. Lo sé. Sencillamente no lo dijiste. Una omisión sin importancia. ¿Y cómo pretendías explicar eso dentro de unos meses después de haberme comido casi la casa? —le encantaba hacerle bromas; ella le tiró la servilleta.

—¡No como tanto!

—Sí que comes, pero es que debes hacerlo. El bebé lo necesita.

—¿No te asusta arriesgarte? —preguntó ella poniéndose seria nuevamente—. ¿Y si él vuelve? Le debo una vida con este hijo y se lo debo al bebé.

—No estoy de acuerdo contigo. No creo que le debas nada, después de la forma en que te ha tratado, pero si tú lo crees, tengo que respetarlo. Sucede que yo no creo que él vuelva. Nadie que haya llegado al extremo de renunciar a sus derechos de padre, en un estado en que prácticamente se pueden cometer asesinatos en masa y continuar teniéndolos, tiene la menor intención de volver y ser un padre. Pero puedo estar equivocado. Te lo he dicho, estoy dispuesto a correr el riesgo. Porque te amo.

Mientras él decía esto, ella se levantó del sitio donde estaba sentada y se le acercó para besarle. Durante los dos últimos días se había sentido mejor y aumentaba la pasión en sus ocasionales besos furtivos. Ella se preguntó qué más los esperaba cuando volvieran a Los Angeles, pero mientras los niños estuvieran allí, no había que pensar en ello.

Esa última noche la pasaron muy tranquilos, conversando en la terraza, contemplando las estrellas tomados de la mano. De pronto él se echó a reír sintiéndose ridículamente feliz.

—¿Te das cuenta de lo absurdo que es todo esto? —sonrió—. Estoy enamorado de una mujer que está embarazada de cuatro meses. ¿Tienes una idea de lo divertido que va a ser cuando ya no puedas verte los pies? Un romance moderno, digamos.

Ella comenzó a reírse también, y se quedaron los dos allí sentados, riéndose de lo absurdo de su situación.

—Es decir —continuó él—, esto casi podrías hacerlo en el cine... chico conoce chica en el supermercado, se enamora locamente de ella y se siguen encontrando. La chica está casada, pero su marido la abandona cuando descubre que va a tener un hijo suyo. Reaparece el chico del supermercado, y se enamoran locamente. Entonces la chica va tambaleándose por ahí con su enorme barriga, bailando con su héroe al estilo Fred Astaire y Ginger Rogers. Se casan. Tienen el bebé. Y viven felices para siempre. Amoroso, ¿verdad? Quizá lo podría hacer para la serie. Pero es demasiado sencillo. Para hacerlo en la televisión diurna, tú tendrías que haber matado a Steven, y el bebé tendría que ser de otro; entonces resultaría que yo ya estaba en realidad casado con tu hermana, o tal vez acabaría descubriéndose que yo era tu padre. Ése es un buen toque. Tendré que trabajarlo un poco en alguna parte. —Ella se estaba riendo de él. Tenía razón. Era una situación ridícula. Pero, entonces, él recordó que tenía que hacerle una pregunta algo más seria—: Y a propósito, ¿cuándo se hace definitivo el divorcio? ¿Antes o después del bebé?

—Más o menos por el mismo tiempo, creo. No estoy segura de la fecha exacta.

—Sería bueno si pudiéramos darle al niño un apellido distinto de Thompson —dijo él.

Éste era su apellido de soltera. Se sintió conmovida por la forma en que lo dijo. Le estaba ofreciendo casarse con ella, aunque no fuera sino para legitimar al bebé. Se inclinó para besarle por lo que acababa de decir.

—Bill, no tienes por qué hacerlo.

—Ya sé que no. Pero podría ser que lo deseara para entonces. Y a lo mejor tú también... si juego bien mis cartas y tengo mucha suerte —dijo él guiñándole un ojo.

Ella se reclinó y contempló las estrellas nuevamente. Ojalá tuviera todas las respuestas. Pero él estaba dispuesto a dejarle una puerta abierta y ella no podía pedir más. De hecho, esto era mucho más de lo que jamás se hubiera atrevido a desear. Se había imaginado sola, en una desesperada soledad hasta que naciera el bebé. Jamás se le había pasado por la mente que pudiera sucederle todo esto antes de tener el bebé.

A la mañana siguiente, dejaron el lago y se tomaron su tiempo conduciendo de regreso a Los Angeles. Volvieron a detenerse en San Francisco para pasar una noche y después tomaron la autopista 5 y llegaron a Los Angeles justo a tiempo para cenar. Ella preparó bocadillos de queso calientes en casa de Bill, mientras él preparaba a los niños para la cama. Ellos cenaron con sus pijamas puestos, mientras Adrian les contaba historias divertidas de la sala de informativos, como la de aquella vez en que se escapó un cerdo que tenían para un truco publicitario y anduvo corriendo como un loco por todos los estudios; o aquella vez que en el economato hubo una pelea con comidas que se desmadró de tal forma que les llevó dos semanas rascar la comida del techo. A Adam le gustó especialmente esta anécdota. Bill le sonreía mientras la contaba. Todos lamentaban un poquitín estar de vuelta en casa. Sobre todo ella, ya que tenía que ir a trabajar a la mañana siguiente. Bill proyectaba tomarse otras dos semanas libres para estar con los niños, pero ella no podía hacer lo mismo.

—¿Te veremos todos los días? —preguntó Tommy con mirada preocupada.

—Vendré todas las noches después del trabajo. Prometido.

—¿Podemos ir a verte al trabajo? —preguntó Adam.

—Claro que sí. Pero no es muy divertido. —Además ella siempre estaba muy ocupada y Bill lo sabía. Él sugirió ir a Disneylandia el fin de semana, dándole también a Adrian algo que esperar con ilusión. Ella se sentía algo deprimida por no poder estar con ellos todo el tiempo. De pronto se sintió como dejada de lado. Estaba muy triste cuando ayudó a acostarlos y terminó de leerles sus cuentos favoritos.

—Me fastidia irme —le dijo en voz baja a Bill, una vez terminaron de limpiar la cocina. Aún no había ido a su propia casa y sus bolsos estaban en vestíbulo.

—Pues entonces no te vayas. Puedes dormir en nuestra habitación para huéspedes.

—Los niños van a pensar que soy algo rara. Al fin y al cabo, tengo mi propio apartamento, y no queda tan lejos.

—Y qué. Haz como que has perdido las llaves. —A él le encantó la idea y a ella también, por lo que accedió sofocando una risita. Media hora después, ambos estaban sentados en su sofá, ella en camisón y con un albornoz de él.

—Es divertido —rió ella; él acababa de traer un gran bol de palomitas de maíz—. Es más o menos como ser niño de nuevo y quedarse a pasar la noche en casa de un amigo.

Él le sonrió con inocencia.

—Se le llama otra cosa cuando tienes mi edad —después de todo ya casi tenía cuarenta años.

—¿Sí? —dijo ella cayendo de lleno—. ¿Cómo?

—Creo que lo llaman matrimonio.

Ella se quedó callada entonces y continuó comiendo palomitas. Cuando él volvió a sentarse a su lado, le sonrió.

—Puede ser algo muy feliz, sabes. En especial entre dos personas que saben lo que hacen y que están muy enamoradas. Incluso podríamos reunir las condiciones necesarias para ambas cosas algún día. Hasta podríamos tener un bebé. Uno propio quiero decir. ¿No sería algo diferente eso?

Repentinamente le gustaba la idea, después de tantos años de reticencia. Pero también le gustaba la idea del bebé que esperaba ella, y éste le había entusiasmado desde el momento en que conoció su existencia; se pasaba repitiéndole lo que debería hacer por el bebé.

—¿Qué crees que dirían los niños?

—Se sorprenderían, ciertamente —le sonrió y le pasó un puñado de palomitas—. Los niños no piensan en estas cosas. Puedes esperar hasta tener siete meses de embarazo para decírselo, y aún los sorprenderás. Ellos supondrán que estás gorda hasta que les digas otra cosa.

—Eso es lógico. Eso es lo que yo creía también... hasta que me hice el test.

—¿Te sorprendió? —preguntó él. Sentía curiosidad.

—Más o menos. Quizás menos que más. Pero en aquel momento me dije a mí misma que estaba espantada. Creo que tal vez no lo estaba. Sólo asustada por la reacción de Steven.

—¿Cuándo se lo dijiste?

—Cuando volvió de un viaje. Y no se mostró precisamente complacido —lo cual era poco decir.

Ella se quedó a dormir en la habitación de huéspedes esa noche. A la mañana siguiente, los niños entraron a su habitación y se pusieron a saltar sobre ella alegremente. Estaban entusiasmados de que se hubiera quedado. No estaban sorprendidos. Y deseaban que se quedara todas las noches, pero ella les dijo que tenía que volver a su propio apartamento. De hecho, tuvo que volver esa misma mañana, a vestirse para ir al trabajo. Adam y Tommy la acompañaron. Se sorprendieron al ver que no tenía ningún mueble, y Tommy miró a su alrededor con evidente desaprobación.

—¿Por qué vives así? —preguntó—. Ni siquiera tienes un sofá. —Para él eso era lo mínimo. Adam le tuvo lástima. Pensó que era demasiado pobre para comprar un sofá, y que Bill podría haberle dado uno al menos, pero ella se apresuró a tranquilizarlos.

—Mi marido se llevó todo cuando se fue —les explicó.

—Muy mezquino de su parte —dijo Tommy, y ella no lo contradijo.

—¿Por qué no te compras más? —preguntó Adam.

—No me he puesto a ello. No hace mucho que se fue.

—¿Cuánto hace? —preguntó Tommy nuevamente.

—Unos dos meses... bueno, no... creo que tres.

—Será mejor que te compres algo —la aconsejó con seriedad Thomas Thigpen.

—Haré lo que pueda. Tal vez antes de que volváis a casa, este lugar se verá decente.

Subió al dormitorio a vestirse para ir a la oficina; cuando bajó Adam dio un silbido. Se había puesto un sencillo vestido de lino, pero de buen corte y mostraba las piernas, lo único que le quedaba de su figura.

—Sabes, tendrías que hacer régimen —dijo Adam—. Mi mamá lo hizo. Y está estupenda. A ti te verían francamente bien si perdieras algo de peso... Quiero decir, no estás mal ahora... sólo es que... sabes... estarías mejor si perdieras algo alrededor de la cintura.

Ella comenzó a reírse por lo que decían; luego, hizo como que se lo tomaba muy en serio cuando llegó Bill a buscarlos.

—Bueno, ya hemos solucionado todos mis problemas —explicó—. Necesito un sofá y tengo que hacer régimen.

Ella apenas podía disimular la risa, y él miró a sus dos jóvenes amigos abatidos.

—¿Tú has dicho eso a Adrian? —le preguntó a Tommy.

—No —dijo ella defendiéndolos con prontitud—, hemos llegado a esa conclusión juntos. Y se da el caso de que tienen razón.

Naturalmente no les dijo que dentro de dos meses tendría que poner a la venta el apartamento, ni que iba a tener un hijo.

Entonces se marchó hacia la oficina. El día se le hizo interminable sin ellos. Se sintió emocionada al llegar a casa esa noche, pero se fue a dormir a su apartamento, porque pensó que Bill necesitaba estar solo con sus hijos, aunque estuvo todo el tiempo posible con ellos.

Lo pasaron maravillosamente bien en Disneylandia. Su último día juntos llegó demasiado pronto. Bill los llevó a todos nuevamente a comer a Spago, pero fue una cena triste. Bill y Adrian se sentían demasiado tristes por verlos partir, y los niños sentían que se les rompía el corazón por irse. Esa noche ambos lloraron al irse a la cama. Al día siguiente, Adrian acompañó a Bill al aeropuerto para que no se quedara tan solo. Después que se fueron, ella se sintió como si alguien hubiera muerto, y él tenía ese aspecto. Sus pequeñas caritas estaban tristes, y hasta subirse al avión agitaron la mano para despedirse. Habían prometido llamar por teléfono tan pronto llegaran a casa, y después muy a menudo. Tommy le había susurrado las gracias a Adrian por salvarle la vida. Ambos le dieron un beso de despedida y ella lloró tanto como ellos.

—Jamás he podido acostumbrarme —dijo Bill de camino hacia el coche. Habían ido al aeropuerto en su querida furgoneta—. Me mataba decirles adiós. Y todavía me sucede.

Cuando subieron al coche él se volvió hacia ella y la rodeó con sus brazos para consolarse. Pero no había nada que ella pudiera hacer para quitarle el dolor, nada que pudiera hacer para traerlos de vuelta, hasta el día de Acción de Gracias.

—Por esto nunca he deseado volver a tener hijos. No deseaba perderlos.

Y sin embargo... estaba dispuesto a compartir este bebé con ella... y a devolverlo si ella volvía con Steven. Bill Thigpen era un hombre verdaderamente sorprendente.

21

El silencio era ensordecedor en el apartamento de Bill cuando entraron, después de haber despedido a los niños. El aspecto de Bill era como si hubiera perdido a su mejor amigo, y Adrian intentaba desesperadamente distraerle. Incluso se ofreció a prepararle la cena.

—¿Qué te parece si miras la televisión mientras yo preparo algo? —sugirió.

Él se quedó mirando la televisión sin prestar mucha atención, pensando en los niños, mientras ella se movía por la cocina. Él la escuchaba con un oído, y finalmente se dio cuenta que ella estaba dejando caer todas las cosas. Primero se le cayeron tres fuentes metálicas, luego hubo ruido de cazos, después portazos de los armarios. Apareció una sonrisa en su rostro. Adrian era excelente en todas partes, menos en la cocina.

—¿Necesitas ayuda ahí? —preguntó por encima del estrépito.

Ella le contestó con voz algo aturdida.

—No, no pasa nada. ¿Dónde guardas la vainilla?

—¿Qué estás preparando?

—Lasaña —contestó ella, y se volvió a oír ruido de fuentes al caer al suelo, y otro portazo en el horno. Entonces él apareció con una ancha sonrisa en la puerta de la cocina.

—No me gusta nada decírtelo, Adrian, pero la lasaña no lleva vainilla. Al menos no en mi receta. Seguramente tú preparas otra cosa.

Él parecía de lo más divertido, y ella le miró totalmente confusa. Ella había sacado todo tipo de utensilios: cazos, fuentes para hornear y una sartén, pero él se cuidó bien de hacer ningún comentario.

—Vamos, calla —dijo ella observando la expresión de su cara y echándose hacia atrás el pelo con el antebrazo—. Ya sé que la lasaña no lleva vainilla. Voy a preparar natillas. Para postre —explicó—. Y una ensalada César.

—Fantástico. ¿Te apetece una ayuda?

—No, en realidad me apetece una cocinera —dijo ella sonriendo con timidez—. ¿Qué tal un bocadillo?

Él ahora se reía abiertamente; entró en la cocina y la rodeó con sus brazos. Nunca había estado a solas con ella en realidad desde que los niños llegaron y él le dijo que la amaba. Los niños habían estado con él un mes, y habían sucedido muchas cosas durante ese tiempo.

—¿Te gustaría cenar fuera? —le preguntó aspirando el aroma de su brillante pelo oscuro—. Podríamos ir a Spago. —Él era una de las pocas personas que podía encontrar sitio allí casi en cualquier momento que lo deseara. Pertenecía a la elite de Hollywood; la mayoría de la gente habría estado dispuesta a cualquier sacrificio por entrar en Spago—. O tal vez yo podría cocinar. ¿Qué te parece? —Le agradaba la idea de quedarse en casa con ella; había esperado con ansia una noche tranquila. Era noche de sábado y todos los restaurantes de la ciudad estarían demasiado concurridos.

—No —dijo ella con terquedad, mirando el desorden que había armado—. He dicho que te voy a preparar la cena y lo voy a hacer.

—Pero yo podría ayudarte. Te hago de pinche de cocina.

—De acuerdo —dijo sonriendo con picardía—. Pero dime cómo preparas la lasaña.

Él se rió más abiertamente y comenzó a guardar las cosas. Juntos prepararon una ensalada, él preparó algunos filetes a la plancha, conversando mientras trabajaban. Hablaron de los niños, sobre la serie y sobre la nueva temporada. A él le afectaban menos las temporadas que a las series de la noche, porque no había reposiciones de su serie durante el verano, ya que era en directo durante todo el año. Pero tenía que mantenerla animada, siempre atractiva, y en aquellos momentos estaba trabajando en inventar nuevos subargumentos. Habían hablado muchísimo sobre ello. A él le gustaban sus sugerencias, ella le había entregado notas y él estaba impresionado por sus ideas. Cuando se sentaron a cenar estaban discutiéndolas.

—Estoy de acuerdo contigo, Adrian. —Ella acababa de hacerle una interesante sugerencia—. Pero primero tiene que nacer el bebé de Helen —dijo argumentando en contra de su punto de vista—. Pero después de eso, me agrada bastante la idea del secuestro. El bebé desaparece... y resulta que es alguien que odia a John, y no tiene nada que ver con ella... o... —entrecerró los ojos esbozándolo en la cabeza— o... en realidad es el padre natural del bebé el que lo secuestra... hay una gran persecución a través de todos los estados, se presentan todo tipo de problemas... y cuando lo encontramos... con el bebé, naturalmente, entonces conocemos la identidad del padre.

Su expresión era de gran satisfacción y ella se le quedó mirando fascinada. Se preguntaba cómo podían existir constantemente todas estas personas en su cabeza, pero ahora estaba comenzando a comprenderlo.

—Por cierto, ¿quién es el padre del niño?

—Aún no lo tengo resuelto.

Adrian se rió ante esta respuesta.

—¿Ella ya está embarazada y tú no sabes quién es el padre? Eso es horroroso.

—¿Qué quieres que te diga? Es un romance moderno.

—De lo más moderno.

—En realidad, me gusta la orientación que me sugeriste ayer, porque si hago que el padre sea alguien posible y simpático, alguien del agrado del público, entonces podríamos sacar muchísimo argumento de allí.

—¿Y si es Harry? ¿Qué te parece?

—¿Harry? —exclamó él sorprendido. Harry era una persona que no se le había pasado por la mente. Era demasiado evidente, y sin embargo no era evidente en absoluto. Harry era viudo de la mejor amiga de Helen. Pero la sugerencia era perfecta. Estando John en la cárcel con cadena perpetua por dos asesinatos, tenía sentido vincular a Helen con alguien con quien pudiera casarse al final—. Brillante idea. —Además, el actor que hacía el papel de Harry estaría entusiasmadísimo. Era un muy buen actor y su papel se había visto reducido durante meses, desde la muerte de su compañera—. Adrian, eres un genio.

—Sí —dijo ella dulcemente—, y además una cocinera fabulosa, ¿no crees?

—Totalmente.

Se inclinó para besarla con una amplia sonrisa. Era muy agradable estar con ella, se sentía muy a gusto. Le agradaba el hecho de que ella no se resintiera a causa de la serie; incluso tenía la impresión de que le gustaba.

—¿Te has imaginado alguna vez trabajando en una serie como ésta? —le preguntó. Se le había ocurrido pensar en ello, cuando ella comenzó a hacerle sugerencias útiles.

—Nunca lo he pensado. Estoy demasiado ocupada con las violaciones, asesinatos y desastres naturales de la vida real. Pero una telenovela sería mucho más divertida. ¿Por qué? ¿Buscas personal?

—Podría ser, en algún momento. ¿Te interesaría?

—¿Lo dices en serio? —le miró sorprendida al ver que asentía con la cabeza—. Me encantaría.

—A mí también.

Le agradaba la idea de trabajar cerca de ella. Pero ambos tenían primero muchas otras cosas que tomar en consideración; y ella, sobre todo ella, lo sabía. Ella tenía entre manos el divorcio, con el abogado que él había contratado. Además, en enero iba a tener el bebé. Ella ya había decidido tomarse el tiempo de permiso, pero aún no lo había comunicado en su trabajo. Quizá después de tener el bebé podría ir a trabajar con Bill en lugar de volver a los informativos. Y mientras pensaba esto, bebiendo el *capuccino* que Bill había preparado, Adrian se dio cuenta de que en realidad le gustaba la idea. No dejaba de infundirle algo de temor la idea de mezclar sus trabajos y su relación, pero tal vez podría funcionar. En todo caso, ciertamente valía la pena pensarlo.

—¿Hay algo que no puedas hacer? —le preguntó admirada, sentándose en un taburete y observándolo, pensando en lo agradable que sería si ambos trabajaran juntos.

—Sí —dijo él con una sonrisa, inclinándose a besarla nuevamente en los labios—, tener hijos. Y ya que hablamos de eso, ¿cómo te sientes?

Le producía turbación que él le preguntara por su salud. No se sentía cómoda al hablar con él sobre su embarazo, y sin embargo él se había mostrado encantador al respecto desde que se enterara. Pero aún le parecía raro hablar de ello. Era su secreto más profundo, más escondido.

—Me siento bien —le tranquilizó.

Era notable, pero no había habido ninguna consecuencia lamentable de su aventura en el lago Tahoe. Nada más llegar a casa, había ido a ver al doctor; ya le habían quitado los puntos de la herida en el brazo, las cicatrices y hematomas habían desaparecido, la conmoción estaba curada y el bebé seguro. Era francamente asombroso. El doctor apenas podía creerlo. Le había comentado que el bebé que llevaba era increíblemente duro. Bill se sintió aliviado al saberlo. Actuaba como si el bebé fuera suyo, y siempre que lo mencionaba, ella se sentía conmovida..

—¿Te da miedo, Adrian? Estar embarazada, quiero decir. Siempre he pensado que debe de dar algo de miedo. Es curioso. Haces el amor con alguien y esta semillita crece y se convierte en una personita, como si te la hubieras tragado o algo así. Y sigue creciendo dentro de ti hasta que parece que vas a explotar, y entonces viene lo más difícil. Tienes que hacerlo salir. Y eso debe ser realmente espeluznante. Psicológicamente, quiero decir. Físicamente, todo funciona de alguna forma. Y lo que más me impresiona es que, como hombre, piensas: Dios mío, si yo estuviera en su piel, jamás volvería a hacerlo, y pasadas dos horas, una mujer que acaba de dar a luz te dirá que no fue tan terrible y que lo haría otra vez al minuto siguiente. Es muy notable, ¿no crees?

—Sí. A mí todo me resulta algo extraño. Sobre todo en mi caso, en que no he tenido a nadie con quien compartirlo, así que la mayor parte del tiempo ha sido como si ni siquiera estuviera allí. Sólo ahora estoy comenzando a comprender que ya no puedo ignorarlo por mucho tiempo más, y tendré que afrontarlo.

Él le sirvió otro *capuccino*, ella lo revolvió y sorbió la espuma de la humeante leche espolvoreada con chocolate. Categóricamente, él era muchísimo mejor cocinero que ella.

—¿Lo has sentido moverse ya? —preguntó él, y ella negó con la cabeza—. Es maravilloso cuando sucede. La vida... —se sentó y la miró con ternura— es algo milagroso, ¿verdad? Contemplo a mis hijos y todavía pienso qué son un milagro, tan grandes como están ahora, con el pelo revuelto, las rodillas de los tejanos desgarradas, con sus zapatillas sucias. Para mí, son fabulosos.

En parte, era por cosas así por las que ella había llegado a amarle. Era real, bueno, amable, y serio con las cosas que verdaderamente importaban, como la amistad, el amor, la familia, la verdad. Amaba sus valores y todo aquello que él defendía. A diferencia de Steven, que había huido ante el desafío de su bebé. No quería dar nada a nadie, lo cual era la antítesis de lo que representaba Bill. Aún no podía creer que hubiera sido tan afortunada de conocerle.

Él estaba colocando las tazas en el fregadero cuando se volvió hacia ella con una tímida sonrisa. Sus ojos se encontraron y ella se sintió arrastrada hacia él. Tenía una especie de magnetismo que siempre la había atraído.

—¿Sí? —sabía que le iba a preguntar algo. Él se echó a reír ante su clarividencia.

—Te iba a hacer una pregunta, pero no estoy seguro si debo

—¿Sobre qué? ¿Si soy virgen? Bueno, pues en realidad lo soy.

—Gracias a Dios —dijo con un suspiro de alivio—. Detesto a las mujeres que no son vírgenes.

—Yo también.

—En ese caso... —sonrió—, ¿querrías quedarte a pasar la noche? Puedes dormir en la habitación de huéspedes, si quieres.

Era tonto, ella tenía su propia casa justo al otro lado del complejo. Pero de todos modos se sintió tentada de quedarse con él. Había mucha soledad en su casa, con sólo una lámpara para iluminar la habitación. No tenía sentido, se repetía, comprar muebles si iba a vender el apartamento. Y la habitación para huéspedes de Bill era como un cielo tibio y acogedor, igual que él, un lugar donde podía esconderse de las presiones del mundo y disfrutar del calor de su presencia.

—Parece algo tonto, ¿no? —dijo tímidamente—. Probablemente debería irme a casa.

—Es que pensé... —pareció triste un momento—. Esto

va a estar muy solo esta noche, sin los niños. —Ella lo sabía, y deseaba quedarse allí, para él—. Podríamos preparar palomitas de maíz y ver películas antiguas en la tele.

—Vendido. Acepto —sonrió ella tímidamente. Le gustaba estar con él, pero éste hizo como que se ponía serio y le hizo otra pregunta.

—Desde el punto de vista comercial, ¿te importaría decirme qué te hizo decidirte? ¿Las palomitas de maíz o las películas antiguas? Tal vez me convenga saberlo, en caso de que tenga que convencerte otra vez algún día.

—Las palomitas de maíz —dijo ella riendo a gusto—. Y el desayuno gratis mañana por la mañana.

—¿Y quién ha hablado de desayuno? —bromeó él adoptando una mirada inexpresiva.

—Sé simpático, o te prepararé lasaña con vainilla.

—Ya me lo temía. «La virgen de la vainilla», he ahí un fabuloso título para una nueva serie... o tal vez para un solo episodio... ¿qué te parece?

Él se le acercó y juntos entraron en la sala de estar. Ella le contestó en voz baja.

—Me parece que eres maravilloso.

Él la rodeó con sus brazos nuevamente y la besó suavemente en el cuello.

—Me alegro de escucharlo... Creo que te amo...

Ella sabía que le amaba. Lo había sabido durante semanas, desde que se despertó en el hospital de Truckee y él le dijo que la amaba a ella y a su bebé. Era extraño hablar de eso con él, ahora. Por lo visto, él sabía mucho más que ella acerca de embarazos y bebés. En cierta forma era tranquilizador, ella estaba comenzando a depender de él, y amaba la idea de tenerlo cerca.

—¿Te parece que veamos la televisión en mi habitación esta noche? —propuso él.

Tenía un enorme televisor en su habitación, y por las noches él y los niños solían sentarse en su cama y mirarla.

Varias veces, ella se había quedado allí con ellos, cuando dormía en la habitación para huéspedes pero, ahora que los niños no estaban, era diferente. Al principio le resultó raro tenderse en la cama y estar allí sola con él, pero tenía que admitir que le gustaba.

Ella se instaló en la cama apoyada en las almohadas, él encendió el televisor con el mando a distancia y luego dejó la habitación para preparar las palomitas. Ella no le siguió. Se quedó allí sentada pensando en él, en lo mucho que significaba para ella y en lo atraída que se sentía por Bill. Es raro sentirse atraída sexualmente por un hombre que no es tu marido cuando estás embarazada de cinco meses. Pero ella lo sentía. Se sentía tremendamente atraída por él, y no muy segura de cómo demostrarlo.

—¡Palomitas de maíz! —anunció él, entrando un momento después con un gran bol de metal. Las palomitas aún estaban calientes, con mantequilla y saladas a la perfección.

—Fabuloso —sonrió ella arrebujándose junto a él mientras éste sintonizaba a distancia un canal que sólo ponía películas antiguas. Estaban televisando una vieja película de Cary Grant, Adrian insistió en que la dejara—. Me encanta ésta —dijo sonriendo feliz mientras mordisqueaba palomitas. Él se le acercó más y la besó dulcemente.

—A mí también —dijo él, y lo decía en serio. Ella era su mejor amiga, y también había un sentido más en ello. Descubrió que no podía dejar de besarla, mientras ella mordisqueaba palomitas y hacía como que miraba la película. Estaba recostada contra las almohadas, su visión de la televisión oscurecida, y descubrió que no le importaba mientras le devolvía los besos y la inundaba una pasión jamás conocida.

—¿Tomas la píldora? —le susurró él.

Ella se echó a reír y le volvió a besar.

—Sí —susurró.

Había humor, amor y risas entre ellos, pero se fueron poniendo más serios a medida que aumentaba la pasión; el romance de Cary Grant quedaba olvidado. Él colocó el bol con las palomitas en el suelo, apagó la luz y se volvió a ella nuevamente. Era hermosa, sensual y dulce. Aún llevaba el amplio vestido melocotón que se había puesto para llevar a los niños al aeropuerto. Él se lo desabotonó lentamente, mientras ella le deslizaba exploradoras manos bajo su suéter. Sus labios se tocaban, se apartaban, volvían a tocarse, él parecía devorarla con sus besos. Finalmente quedaron abrazados desnudos y él se olvidó de sí mismo y de toda precaución. Se unieron e hicieron el amor; Adrian sentía que su cuerpo se avivaba bajo sus manos; pasaron horas juntos, procurándose éxtasis y placer mutuos.

Ninguno de los dos tenía idea de la hora que era cuando finalmente permanecieron acostados uno junto al otro, aún besándose y susurrando en la oscuridad.

—Eres muy hermosa —le dijo él, y volvió a acariciarle el rostro con sus manos y deslizándole lentamente los dedos hacia abajo. Tenía un cuerpo precioso, e incluso ahora se podía distinguir lo delgada y ágil que era cuando no estaba embarazada—. ¿Te sientes bien? —De pronto sintió temor de haber dañado a ella o al bebé. Por un momento lo había olvidado completamente, pero ella sonrió y lo besó en el cuello y en los labios acariciándole su fuerte pecho. Él la hacía sentir feliz, segura y protegida.

—Eres maravilloso —le dijo con los ojos brillantes de amor por él, y él la miró hipnotizado, y le acarició la redondez de su vientre. Entonces ella súbitamente arrugó el ceño y lo miró extrañada.

—¿Tú has hecho eso?

—¿Qué?

—No lo sé... algo... No estoy segura qué fue...

Había notado algo así como un ligero movimiento; al principio creyó que había sido él con sus manos, pero él no había movido las manos. De pronto los dos supieron a la vez de qué se trataba. Había sentido al bebé por primera vez. Era como si el bebé finalmente se hubiera animado con su acto de amor. Ahora era el bebé de ambos, era el bebé de él, porque él lo deseaba y la amaba a ella.

—Déjame sentirlo.

Volvió a colocarle las manos en el vientre pero no sintió nada; después, por un instante, pensó que lo sentía, pero el bebé era aún muy pequeño y sus movimientos eran muy ligeros, era difícil sentirlos. La apretó contra él entonces, para sentir su hinchazón, y le tomó los pechos entre sus manos. Amaba todo en ella. Era algo raro conocerla de ese modo, en un estado de transición. Ésta era la única forma en que la conocía y en cierto modo se sintió ligado al bebé, como si también fuera suyo, de tal manera formaba parte de ella, y deseó compartirlo con ella.

La cubrió amorosamente con las sábanas y mantas y se quedaron allí acostados, acurrucados, susurrando y conversando, soñando y hablando del bebé.

—Es extraño —reconoció él, oyendo vagamente la voz de Cary Grant en la distancia. Habían olvidado totalmente las palomitas de maíz y la película—. Siento como si el bebé formara ahora parte de mí. No sé... me trae todo tipo de recuerdos y sentimientos familiares, toda esa emoción que sentí antes de que nacieran Adam y Tommy... me sorprendo pensando en comprarle una cuna, en ayudarte a prepararle la habitación, en estar allí cuando nazca, y entonces tengo que recordarme que tengo que frenarme... que no es mío... —dijo con pena. Pero él deseaba que lo fuera. Aun cuando acababa de hacerle el amor por primera vez, lo deseaba ardientemente.

—Me sentía perdida antes de que tú aparecieras. Estaba muy sola. —Lo miró con ojos serios, preocupada por lo que él sentía—. ¿De verdad no te importa lo del bebé? Me siento tan gorda y tan fea a veces...

Él se rió suavemente en la cama que habían hecho suya.

—Eso, cariño, va a empeorar bastante antes de arreglarse. Te vas a hinchar como un globo, y a mí me va a encantar. Te vas a poner tan enorme y muy bonita; nos vamos a divertir cantidad con el bebé.

—Tonto —dijo ella, haciendo una mueca ante la idea de ponerse enorme. Esto era algo sobre lo cual no había pensado verdaderamente, y que casi temía. Ya sentía que los muslos le habían aumentado al doble de como los tenía hacía dos meses, y sus pechos se veían grandes comparados a como eran normalmente. Normalmente tenía los pechos pequeños y de pronto se veía un enorme busto. Todos los cambios le parecían extraños, ajenos a ella, aunque al mismo tiempo la entusiasmaba la idea del bebé. Y casi no podía creer que él también lo estuviera. Era un milagro más que increíble haberlo conocido.

—En cierto modo es justicia poética —dijo él sonriendo y sentándose en la cama para mirarla—, que me vea liado con una mujer que está de cuatro meses y medio. Me he relacionado con más modelos anoréxicas y actrices bulímicas de lo que cualquiera puede merecer en una vida, y heme aquí con una mujer a la que amo, en plena floración. Dentro de nada no podrás verte las zapatillas.

—Me estás metiendo miedo. ¿Hay alguna forma de evitar convertirse en un globo? —preguntó ella con ojos preocupados, y él se inclinó para besarla nuevamente.

—No, no hay ninguna. Es un hermoso don. Disfrútalo.

—¿Pero me seguirás queriendo cuando esté gorda? —Esto era un lamento conocido para cualquier hombre cuya esposa haya estado embarazada.

—Por supuesto. ¿No me amarías tú si yo fuera el que tuviese un bebé dentro?

Ella se rió ante la idea, pero él lo hacía parecer algo tan natural que de pronto no le pareció terrible. Él hacía eso con todo. Con Bill, todo se hacía normal, fácil y sencillo.

—Sí —le sonrió, cómoda en su cama.

—Entonces eso contesta la pregunta, ¿verdad? Eres hermosa embarazada. Tal vez debería preocuparte si me vas a atraer cuando estés en los huesos. Ya sabemos lo que haces conmigo cuando estás como ahora —dijo él sonriendo malicioso.

Ella se rió. Se sentía totalmente a gusto con él, y tan amada como jamás en su vida. Lo maravilloso era que ella también le amaba, más de lo que jamás había amado a nadie... ni a Steven. Steven jamás había sido así de bueno con ella, ni así de amable, ni así de prudente, ni así de sensible a sus necesidades, temores y estados de ánimo. No le cabía la menor duda. Ella era una mujer afortunada y William Thigpen era una persona especial.

—Me vuelves loco de deseo, Adrian —le dijo él bromeando, gruñéndole y haciendo como que se lanzaba al ataque otra vez, suavemente.

—No hagas caso de eso —rió ella—. ¿Dónde están mis palomitas?

—No tienes corazón —dijo él inclinándose para alcanzarle las palomitas—, sólo estómago.

Le dio un sonoro beso en el trasero y fue a buscar una botella de agua mineral, sabiendo que ella tenía sed antes que lo dijera.

—Me lees la mente, ¿lo sabías?

—Viene incluido en el envase.

Se moría de ganas de hacerle el amor de nuevo, pero temía excederse y dañar al bebé. Estaba dispuesto a tener paciencia y a amarla con prudencia durante los siguientes cuatro meses y medio. Le parecía un precio mínimo que pagar por el milagro de un bebé y por el don de compartirlo con ella. Se sirvió algunas palomitas, subió el volumen del televisor y la contempló. Se sentía como si ahora se pertenecieran mutuamente, como si fueran uno, y siempre hubieran estado casados. Era imposible creer que ella estuviera casada con otro y que llevara el hijo de otro hombre. De un hombre que no la quería, ni a ella ni al bebé.

Sonó el teléfono cuando Adrian se estaba quedando dormida, acurrucada junto a él, mientras él miraba la televisión observándola de vez en cuando con una tierna sonrisa, apoyando una mano en su hombro. Eran Tommy y Adam que acababan de llegar sanos y salvos a Nueva York y le llamaban para decírselo.

—¿Cómo fue el viaje?

—Fabuloso —dijo Tommy. La azafata le había dejado comerse tres perritos calientes. Bill había encargado comidas especiales para ellos en Los Angeles. Siempre lo hacía, era sólo una de las muchas cosas que se preocupaba de hacer—. ¿Cómo está Adrian? ¿Está allí? —preguntó esperanzado.

Bill la miró y asintió.

—Sí. Estamos viendo la televisión y comiendo palomitas. Os echamos francamente de menos, chicos. Ha estado todo muy triste aquí desde que os fuisteis —También era siempre muy franco con ellos respecto a sus sentimientos—. No vemos la hora de que llegue Acción de Gracias. —Ya estaba usando el «nosotros», refiriéndose a él y Adrian.

No le cabía duda de que para entonces aún seguirían juntos. Sólo que entonces tendrían que decirle algo a los niños acerca del bebé. Él dejaría que Adrian decidiera lo que deseaba decirles. Y al pensar en eso volvió a colocarle una mano en el vientre para ver si sentía al bebé. Se sentía posesivo ahora que había estado más cerca de él y sentido el cuerpo de Adrian unido al suyo. Nunca se había sentido más unido a una mujer.

Adam se puso entonces al teléfono y le contó la película que habían visto en el avión. Algo sobre la guerra de Vietnam. Esto le pareció inquietante, pero al parecer a Adam le había encantado. Adam pidió entonces hablar con Adrian y Bill la tocó suavemente y puso la mano sobre el auricular:

—Es Adam, cariño. Quiere hablar contigo.

—Vale. —Tomó el teléfono con una sonrisa medio dormida, pero al hablar se esforzó por parecer normal—: Hola, Adam. ¿Qué tal el viaje? ¿Había chicas guapas?

Él se rió ante la pregunta. Adrian había sido la primera en notar que le empezaban a interesar las chicas y que se pasaba horas en el cuarto de baño arreglándose el cabello con productos surtidos.

—No, la verdad. Sólo una, en el asiento de atrás.

—¿Te dio el número de teléfono? —bromeó Adrian, pero él contestó en serio.

—Sí. Vive en Connecticut. Su papá es piloto.

—Lástima que tú no te interesaras por ella... mucho...

Los dos rieron y al minuto siguiente habló con Tommy. A ambos les dijo lo mucho que los echaban de menos.

—Tu papá y yo hemos estado aquí sentados solos y tristes esta noche. Ni las palomitas son tan buenas sin vosotros.

—Muchas gracias —dijo Bill fingiendo pucheros y escuchando la animada conversación entre los tres con placer. Adrian era maravillosa con sus hijos y él jamás olvidaría que le había salvado la vida a Tommy, exponiendo la suya propia y la de su bebé. Jamás se había sentido tan asustado como cuando vio ese cuerpecito sin vida... y luego el de ella... tembló al pensarlo.

Ella le devolvió el teléfono y luego de charlar con ellos unos minutos se despidió para que pudieran estar con su madre. Hacía un mes que ésta no los veía y Bill sabía que estaría ansiosa por verlos.

—Tan cerca que se escucha la voz, pero tan lejos que están —dijo Adrian con tristeza. Tres meses parecían una espera interminable para volverlos a ver. Se preguntó cómo lo soportaba él, sobre todo sin tener ningún otro familiar en California. No era como si se hubiera vuelto a casar y tuviera otros hijos, aunque incluso eso no hubiera significado gran diferencia. Adam y Tommy eran especiales y únicos, y ella sabía cuánto los extrañaba Bill—. Falta muchísimo tiempo para Acción de Gracias.

—Ahora ya sabes lo que es, o al menos algo —dijo él serio, metiéndose en la cama junto a ella y apagando el televisor—. Por eso nunca he deseado otros hijos. Jamás he querido que nadie me vuelva a hacer eso. Llevárselos, privarme de ellos. Puede que Leslie sea muy buena, pero ellos viven con ella y sólo pasan seis semanas al año conmigo, y si tengo suerte, siete. Es horrible.

—Comprendo —dijo ella con dulzura. Y lo comprendía. Además, le conocía bien como para saber cuánto le hacía sufrir esto. Entonces, espontáneamente le habló en la oscuridad—: Yo nunca te haría eso, Bill.

—¿Cómo lo sabes? Nadie puede estar nunca seguro. Y mira, tú... todavía te sientes obligada con Steven. Si él regresa después que haya nacido el bebé, ¿qué pasa con nosotros? Tampoco tienes respuesta para eso —pareció enojado y desgraciado por un momento, pero sólo era porque la amaba y echaba de menos a sus hijos.

—No. No sé la respuesta a eso, pero jamás te haría daño. —Ahora lo sabía. No sabía lo que haría si Steven regresaba, y Bill tenía razón, sentía una obligación hacia su marido. Pero ahora sentía algo más, también, un vínculo con Bill, un lazo que se había formado, esa noche tal vez cuando hacían el amor, o quizás había ido sucediendo más lentamente durante los meses pasados mientras se hacían amigos. Pero algo había sucedido que los había unido, y ella sabía que jamás lo abandonaría..., ni le quitaría algo a alguien que él amara. Estaba segura de ello... o al menos esperaba no hacerlo—. Te amo, Bill —dijo suavemente, pensando en él, en los niños y en el bebé.

—Yo también te amo —susurró él, pensando sólo en ella. Al hacerlo le volvió a invadir el deseo y le acarició el cuerpo con manos suaves hasta que ella comenzó a jadear de deseo. Le hizo el amor nuevamente. Fue una noche larga y feliz; aún estaban enredados sus cuerpos al despertar a la mañana siguiente.

Adrian abrió un ojo y se sintió agradablemente sorprendida cuando le vio. Por un momento había pensado que era sólo un sueño. Pero no lo era, él aún dormía, roncando suavemente. A los pocos minutos despertó mientras ella se estiraba, y aligeró el peso de su pierna sobre ella.

—¿Eres tú? —gruñó medio dormido—. ¿O es que me he muerto y estoy en el cielo? —Sonrió beatíficamente con los ojos cerrados a la luz del amanecer.

—Soy yo. Pero ¿eres tú? —susurró ella feliz. Había sido la noche más hermosa de su vida, la luna de miel perfecta, a pesar de estar embarazada.

—Soy yo... ¿eres virgen aún? —bromeó.

—Creo que no —sonrió ella.

—Me alegro. Esperemos que no hayas quedado embarazada.

—No te preocupes. Tomo la píldora.

Los dos rieron y retozaron acostados tan juntos como podían en la desordenada cama en que habían dormido.

—Es un alivio saberlo... ¿me vas a preparar lasaña para el desayuno? —Se estiró sonriendo.

Ella asintió.

—Con vainilla.

—Perfecto. Así es cómo me gusta. —Se volvió en la cama y levantó la cabeza para besarla en los labios—. Tengo una idea mejor. Tú te relajas y yo te preparo el desayuno. ¿Qué te apetece? ¿Cereales o crêpes?

—¿No debería hacer algo de régimen? —Se sentía culpable. No hacía otra cosa que comer todo el día, pero en realidad no estaba engordando tanto, sólo el estómago. Por lo visto el bebé lo asimilaba.

—Ya tendrás tiempo de preocuparte de eso después. ¿Qué te apetece ahora?

—Tú.

Y se lo demostró con creces antes del desayuno, con gran placer de él. Pasadas dos horas volvieron a hablar del desayuno y esta vez él preparó huevos revueltos con beicon y un humeante café cargado. Se sentaron a tomar el desayuno en la cocina, vestidos con sendas batas de seda, ambas de él, a leer el diario del domingo.

—Ésta es la forma perfecta de pasar la mañana del domingo —declaró ella y él le sonrió por encima del diario. Estaba leyendo la sección de espectáculos.

Se ducharon y vistieron y salieron a dar un paseo en el MG de ella, que a él le encantaba conducir. Se detuvieron en Malibu para dar una larga caminata por la playa. Al atardecer volvieron lentamente a casa con la capota abierta recibiendo el viento en las caras. Se veían felices, relajados y jóvenes, dueños del mundo. Pasaron por el supermercado donde se habían conocido y luego se dirigieron al apartamento de él y prepararon la cena. Antes de comer él sirvió champaña para celebrar su unión.

—Por el matrimonio de dos corazones... y de un tercero por venir —brindó él sonriendo, y la besó—. Te quiero, cariño.

Se volvieron a besar. Y pasaron una tranquila velada en casa, mirando la televisión. Ella dijo algo de irse a su casa. No deseaba estorbarle. Después de todo tenía su propio apartamento. Pero él no quiso oír hablar de eso. Deseaba traer algunas de sus cosas durante esa semana. Él no encontraba sentido a que ella se quedara en el deprimente vacío de su casa, y a ella no le quedó más remedio que estar de acuerdo con él. Su casa no tenía mayor atractivo, no ahora, cuando podía estar con él, que era todo lo que deseaba.

Al día siguiente él la llevó al trabajo en coche y le dijo que la llevaría a casa después del informativo de las seis y la volvería a llevar para el de la noche. Cuando Zelda la vio sonriente en su escritorio supo inmediatamente que algo le había sucedido. Pero no se mostró curiosa. Simplemente lo adivinó y continuó apresurada su camino por el corredor, sintiéndose feliz por ella. Cuando él pasó a verla al mediodía, Zelda supo exactamente quién era y exactamente lo que había sucedido.

—Funcionó —dijo Bill con ancha sonrisa.

—¿Qué funcionó? —Un oso había atacado a un niño en el zoo y el niño casi había muerto. Adrian tenía que decidir qué parte de la cinta pasar, pero estaba feliz de verlo. Lo miró y lo vio sonreír de oreja a oreja—. ¿Qué funcionó? —dijo con más suavidad. Había tenido una mañana muy agitada, pero todo parecía estar bañado en un aura de felicidad y agrado.

—Tu idea. Que Harry sea el padre del bebé. Resulta de maravillas. Además todo el mundo está contento, especialmente el director. Es un placer trabajar con George Orben y a todos los encanta que tenga un papel más importante. Eres un genio.

—Cuando quiera, señor Thigpen. Cuando quiera —sonrió ella. Aún tenía esperanzas de que algún día resultara su oferta de trabajo, y ella pudiera trabajar en su serie y no en la sala de informativos.

—¿Puedes salir a almorzar? —dijo él esperanzado, pero ella movió la cabeza. Había muchas noticias, el oso del zoo, hacía una hora habían asesinado brutalmente a un policía, había caído el gobierno en Venezuela...

—Creo que no voy a salir de aquí hasta después del informativo de las seis.

Él asintió con la cabeza, la besó y desapareció. A la media hora estaba de vuelta con una gran hamburguesa, una taza de sopa y una macedonia de fruta.

—Todo esto te conviene. Cómetelo.

—Sí, señor. —Y añadió en un susurro conteniendo el aliento—: Te amo.

Con el rabillo del ojo vio la mirada de desaprobación

en el rostro de su secretaria, y comprendió lo que había hecho. Su secretaria no sabía que Steven y ella se habían separado y aquí estaba ella besando a otro hombre. Hubo varias miradas curiosas. Sabía que habrían incluso más, una vez que la gente comenzara a darse cuenta de que estaba embarazada.

—¿Quién era ése? —le preguntó sin rodeos uno de los redactores cuando Bill se alejaba.

—Se llama Harry —dijo ella misteriosamente—. Su esposa murió hace unos meses. —Estaba parafraseando el nuevo argumento de su telenovela, pero evidentemente nadie lo sabía—. Ella era la mejor amiga de Helen...

El redactor levantó una ceja, movió la cabeza y volvió a su trabajo. Adrian también volvió a su trabajo. Cuando Bill se volvió para mirarla, vio que estaba sonriendo.

22

Pasó septiembre rápidamente, con mucho trabajo, noches felices y fines de semana maravillosos. Hacia finales de mes, la gente ya comenzaba a sospechar que Adrian estaba embarazada. Ya estaba casi de seis meses y por muy sueltas que usara las ropas, era fácil ver que había algo debajo. Sin embargo aún no pedía el permiso maternal. Había decidido trabajar hasta el mismísimo término, y tomarse el tiempo después que naciera el bebé, lo cual le parecía mucho más sencillo.

—Si me tomo el tiempo antes, me moriré de aburrimiento —le dijo a Bill y él no se manifestó en desacuerdo.

Él pensaba que mientras el médico dijera que estaba bien de salud, tenía que hacer lo que le apeteciera. Nuevamente le había sugerido que considerara la oferta de trabajar en su serie una vez naciera el bebé, y tal vez dar el aviso en informativos en diciembre.

Salían bastante, a restaurantes tranquilos donde poder relajarse, como The Ivy, Chianti y el Bistro Garden; ocasionalmente iban a lugares más movidos como Morton's y Chasen, y naturalmente, a Spago. Hablaban con los niños al menos dos veces por semana. Los niños estaban bien. La audiencia en la serie de Bill era más alta que nunca.

Todo iba sobre ruedas y Bill insistía en que deseaba acompañarla en su próxima visita al médico. Ahora era su bebé también, tuviera los genes que tuviera; habían hecho el amor con la suficiente frecuencia, su intimidad había crecido tanto que, en cierto modo, él pensaba que él debería haber sido el padre, y Adrian no se mostraba en desacuerdo.

Desde junio no había sabido nada de Steven, y desde julio tampoco de su abogado, y no le preocupaba esto en lo más mínimo. Suponía que el divorcio aún estaría en trámites, pero no pensaba mayormente en eso. Estaba demasiado ocupada con su trabajo, se sentía demasiado feliz con Bill. Y no había dormido en su casa desde agosto, desde la noche en que se fueron los niños.

Pero la llamada de su abogado el uno de octubre la sorprendió de todos modos. La llamaba para decirle que Steven deseaba que pusiera en venta la casa. Lo había esperado, pero se sorprendió. Era agradable saber que tenía un lugar donde vivir, un lugar propio, aun cuando no viviera allí.

—Quieren estar seguros de que usted no estará allí cuando vayan a mostrarla a los posibles compradores —dijo el abogado.

—Muy bien —dijo ella tranquilamente.

—Y quieren que deje una llave disponible para los promotores, y que deje el apartamento en orden.

—Eso no es difícil. ¿Le ha dicho que él se llevó hasta la última astilla de mueble? Todo lo que tengo es la cama y mis ropas en los armarios, una alfombra y un taburete en la cocina. Haré lo posible por dejar todo ordenado. —Por penoso que fuera, se dio cuenta de que en cierto modo también era divertido.

—¿Y no la ha vuelto a amueblar? —El tono de su abogado era de sorpresa por lo que acababa de decirle. Se le había olvidado decírselo antes. Y el abogado de Steven tampoco se lo había dicho, aunque ya sospechaba que había muchas cosas que no le había dicho el abogado de Steven, como por ejemplo por qué rechazaba a su propio hijo y acababa su matrimonio con una mujer que era a la vez razonable y decente.

—No. No he puesto muebles. El apartamento está vacío.

—Puede ser que no se vea bien así. Probablemente pensaba que usted lo había amueblado.

—Steven debería haber pensado en eso antes de limpiarlo. No voy a reamueblarlo sólo para que él pueda venderlo bien a mi costa.

—¿Tiene algún interés en comprarle su parte, señora Townsend?

—No. Y aunque tuviese interés no podría —el abogado les había dicho cuánto pedía Steven por el apartamento, y ella lo encontraba demasiado. Pero si lo conseguía, ella recibiría la mitad, así que no iba a discutir el precio—. ¿Cómo va el divorcio? —preguntó con cautela. Aún era un tema delicado para ella.

—Todo sigue su curso. —Dudó un momento y luego decidió preguntarle, aunque a su marido no le interesara saberlo—: ¿Cómo va su embarazo?

—Muy bien —dijo ella, y luego preguntó—: ¿Lo ha preguntado el abogado de Steven?

—No —dijo con pesar él, y ella sólo asintió con la cabeza.

—¿Alguna otra cosa?

—No. Sólo lo del apartamento. Procederemos con los promotores, y yo le avisaré quién lo lleva. ¿Cuándo se puede comenzar a mostrar?

Ella lo pensó durante un minuto y luego se encogió de hombros.

—Mañana, creo.

En realidad no había nada que hacer. Hasta sus armarios estaban bastante ordenados, sobre todo ahora que la mitad de sus cosas estaban al otro lado del complejo, en el armario de la habitación para alojados de Bill.

—La mantendré informada.

Ella le dio las gracias y cortaron la comunicación. Aún estaba pensativa cuando Bill la fue a buscar para llevarla a casa después del informativo de las seis. Lo hacía muy a menudo. Y la gente hablaba. Sabían quién era él, pero tenían curiosidad por saber los pormenores. Pero ella continuaba sin hacer el menor comentario acerca de su embarazo. Una mujer que no le agradaba le preguntó un día si estaba embarazada, y ella la miró directamente a los ojos y le dijo que no, que no estaba.

—¿Pasa algo hoy? —le preguntó él. Notaba su estado de ánimo mientras conducían hacia casa. Había comprado cangrejos frescos para la cena.

—Nada especial —mintió ella. Aún se sentía perturbada por la llamada de su abogado.

—Estás muy callada.

—Eres demasiado listo para tu propio bien —dijo ella acercándose para besarlo—. Me llamó mi abogado hoy.

—¿Qué pasa? —pareció preocupado.

—Steven va a poner en venta la casa.

—¿Te importa? —dijo él con el ceño fruncido mirándola. Jamás disfrutaba de las conversaciones acerca de Steven. Pero a ella tampoco le gustaba escuchar reminiscencias sobre Leslie.

—Más o menos. Es agradable saber que tengo casa propia, aunque no la use nunca.

—¿Por qué? ¿Qué cambia?

—¿Y si te cansas de mí, o tenemos una pelea o... no sé...? ¿Qué haremos cuando vengan los niños para Acción de Gracias? —aunque dudaba que para entonces estuviera vendida.

—Les decimos que nos queremos, que tú vas a tener un bebé y que vivimos juntos, eso les decimos. No es tan difícil.

Ella le sonrió con tristeza.

—Llevas demasiado tiempo escribiendo telenovelas. Puede que eso te parezca normal a ti, pero no a la mayoría de la gente, y no le parecerá normal a Adam y a Tommy. Y puede que si yo vivo allí todo el tiempo ellos se sientan apretados y se fastidien conmigo. —Lo había estado pensando durante todo el día y estaba preocupada.

—¿Qué quieres decir, entonces? ¿Que quieres tener tu propia casa? —era evidente que se sentía desgraciado.

—No, eso me parece tonto. Sólo quiero decir que no me entusiasma que la venda. Es agradable tenerla.

—¿Cuánto pide por la casa? —Ella se lo dijo y él lanzó un silbido—. Eso es mucho dinero, pero al menos supongo que tú tendrás la mitad si lo consigue. Puede que sea más agradable tener dinero en el banco antes que un apartamento que no usas y que está allí.

Ella suspiró, asintiendo a la sabiduría de lo que él acababa de decir.

—Probablemente tienes razón y no es nada difícil. Es sólo cuestión de adaptación. —Había habido muchísimas adaptaciones desde junio. Además de muchos cambios maravillosos.

—¿Quiere hablar contigo? —preguntó Bill con calma mientras entraba en su aparcamiento. Iban en su furgoneta. Ella negó con la cabeza. No quería hablar con ella.

Pero a la mañana siguiente llamó a Steven a su oficina. Reconoció la voz de su secretaria y amablemente pidió hablar con su marido.

—Lo siento, el señor Townsend no se puede poner. Está en una reunión.

—¿Podría decirle que estoy al teléfono, por favor? —dijo ella.

—Me parece que no puedo molestarle.

—Inténtelo, por favor —insistió, sintiendo una creciente indignación. Era evidente que le había dicho a su secretaria que si alguna vez llamaba su esposa no le pasara la comunicación. Y ella no se merecía eso.

La secretaria desapareció y estuvo de vuelta en el teléfono pasados dos minutos. No era tiempo suficiente para haber ido a decirle nada a nadie, estaba fingiendo.

—Lo siento, el señor Townsend estará ocupado todo el día, pero con mucho gusto tomaré el recado.

Dígale que se muera, estuvo tentada de decir, pero no lo hizo. También había otras posibilidades, pero las resistió.

—Dígale que llamé acerca del apartamento... —comenzó a decir y luego resolvió dejarle algo realmente gordo—, y acerca del bebé. —Cayó la bomba y hubo silencio—. Muchísimas gracias.

—Se lo diré enseguida —dijo precipitadamente la secretaria, como si él no lo supiera ya. Pero Adrian sabía que a Steven le iba a fastidiar recibir el recado. Si su secretaria lo sabía, tarde o temprano comenzaría a hablar la gente.

Pero él no la llamó. Sí la llamó su abogado, pasada una hora. A los siete minutos le había llamado Steven. Y el abogado había intentado hablar con el abogado de ella pero no lo encontró. De modo que llamaba a Adrian directamente para poder llamar a Steven inmediatamente y tranquilizar su pánico.

—¿Hay algún problema, señora Townsend? Tengo entendido que usted llamó a su... al señor Townsend esta mañana.

—Sí. Deseaba hablar con él.

En un momento de locura ella había deseado preguntarle por qué le hacía esto, por qué tiraba todo lo que había sido de ambos, y por qué rechazaba a su bebé. Ahora que se movía, que estaba vivo, que lo sentía y podía ver el bulto que hacía en su cuerpo, era aún más incapaz de comprender cómo podía rechazarlos a ambos. Todavía no tenía sentido para ella y deseaba hablar con él de esto. No tenía nada que ver con lo mucho que amaba a Bill. Le amaba. Pero Steven seguía siendo el padre del bebé.

—¿Le importaría decirme a mí para qué lo ha llamado? —le preguntó él tratando de hablar con amabilidad. Steven se había mostrado inflexible en sus instrucciones.

—Sí. Era algo personal.

—Perdone. —Se quedó callado un momento y Adrian volvió a comprenderlo todo.

—Él no va a hablar conmigo, ¿verdad?

El abogado no quiso responderle directamente, pero la no respuesta le dijo lo mismo y con la misma claridad.

—Él piensa que... sería demasiado difícil para ambos, especialmente dadas las circunstancias. —Tenía miedo a que ella se pusiera emotiva e intentara y le obligara a aceptar el bebé. No tenía idea que ella estaba viviendo con un hombre que la amaba realmente y que deseaba a su bebé. Además, habría sido incapaz de comprenderlo jamás.

—¿Hay algún problema con el embarazo? ¿Algo que tenga relación con el señor Townsend a pesar de su postura legal frente al niño?

Ella deseó decirle que se callara, que se dejara de legalidades y la tratara como a un ser humano. Pero lo triste del caso era que él lo intentaba.

—No. no se preocupe. Dígale que lo olvide.

Lo cual era exactamente lo que él deseaba. Le había dicho al abogado que deseaba olvidarse completamente de ella, pero el abogado jamás se lo habría dicho a ella.

Adrian colgó el teléfono; esa tarde estaba aún más deprimida. Bill lo notó también esta vez, pero se imaginó que aún se trataba del apartamento, aunque pensaba que eso era tonto. No tenía idea de que ella había intentado comunicarse con Steven, sólo para conversar con él, para preguntarle por qué, no era que siguiera deseando hacerlo cambiar de opinión, sólo deseaba saber por qué no la quería y había rehusado aceptar a su hijo. Tenía que haber un motivo, algo más que una infancia difícil. Pero no quería decírselo a Bill. Sabía que esto iba a herir sus sentimientos. De modo que se limitó a sentarse sosegadamente en la sala de estar y después de la cena sugirió llamar a los niños. Siempre la animaba hablar con ellos. Al día siguiente la volvió a llamar su abogado para darle el nombre de la agencia inmobiliaria que llevaría la venta del apartamento.

Ese fin de semana estuvieron fuera y el lunes se sentía mejor. Ya no le parecía tan importante el apartamento. Se dio cuenta de que no necesitaba casa propia, se sentía perfectamente feliz viviendo con Bill. Y tampoco valía la pena quedarse con el apartamento que había compartido con Steven.

El fin de semana lo habían pasado en casa de unos amigos de Bill en Palm Beach. Él era un actor que había trabajado en la serie en su juventud y luego se había pasado al cine, haciendo películas de mucho éxito. Era un hombre muy interesante, tenía una familia muy simpática y a Adrian le gustó mucho su esposa Janet. Fue un fin de semana perfecto, todos hicieron bromas a Bill acerca del bebé. Suponían que era suyo, y no les pareció en absoluto extraño que no estuvieran casados, aunque también les agradaba la idea de que se casaran. Janet le habló de las «maravillas» de estar embarazada. Había momentos en que Adrian se peguntaba si en realidad sería capaz de sobrevivirlo, y otros en que sencillamente se olvidaba de su embarazo. Por lo visto dependía del día, de su estado de ánimo, o de cualquier otra cosa que sucediera. Pero lo que había que tener presente, le recordó Janet, era que al final del camino, la recompensa era nada de muslos gordos, esto se acababa, le aseguró, y lo más maravilloso de todo: el bebé.

Tanto ella como Bill habían vuelto del fin de semana como nuevos, y entusiasmados por el bebé. Bill sacó algunos libros que le había comprado y que jamás habían leído, y le leyó todo tipo de cosas que la habrían aterrado si no hubiera estado de tan buen humor. Finalmente hicieron el amor, lo cual fue muchísimo mejor.

A la mañana siguiente la volvió a llamar su abogado al trabajo, y le dio una sorpresa comunicándole que había una oferta por el apartamento y que Steven deseaba aceptarla. La diferencia con el precio que él pedía no llegaba a los diez mil dólares. Adrian no podía creerlo.

—¿Tan pronto?

—Para nosotros también fue sorpresa. El comprador desea cerrar el trato en treinta días, si eso le va bien a usted. Comprendemos que tal vez sea demasiado pronto.

Súbitamente ya no le importaba. Para entonces sería noviembre y ya estaría próxima la fecha en que vendrían los niños para Acción de Gracias. Además, Bill continuaba repitiéndole que deseaba que viviera con él, y ya había hecho la sugerencia de convertir la habitación de huéspedes en habitación para el bebé durante los meses siguientes, lo cual la había dejado atónita.

—¿Qué le parece el cierre de venta en treinta días? —le preguntó directamente el abogado.

—Muy bien —dijo ella y él pareció asombrado al oírlo.

—¿Y el precio?

Ella se quedó callada un momento, pero sólo fue porque en su mente le estaba diciendo adiós al apartamento y a Steven.

—También me parece bien. —Dios mío, puja, puja.

—Le haré llegar los papeles esta tarde. Puede firmarlos y enviarlos al abogado de su marido.

—Muy bien.

—Los enviaremos inmediatamente.

Cuando tuvo los documentos en su poder le pareció raro ver la firma de Steven que la miraba. Hacía tanto tiempo que no veía nada de él que ver su firma fue como un salto hacia el pasado. Pero no había nada más, ni una carta, nada garabateado en los formularios. Steven se había retirado totalmente de su vida y deseaba mantener las cosas así, pasara lo que pasase. Era como si tuviera miedo de ella, pero no conseguía entender por qué. Pero quizá ya no importaba.

Esa noche le mostró los papeles a Bill y a él le parecieron bien, pero hizo un par de sugerencias, acerca del contrato condicionado y sobre cómo manejar el depósito, y le aconsejó consultar con el abogado que le llevaba el divorcio acerca de estos temas. Le advirtió que debía estar al tanto para recibir la parte justa que le correspondía de la venta del apartamento. Entonces le hizo una pregunta sobre algo que le había estado dando vueltas en la cabeza desde hacía un tiempo pero que no había sacado a colación por no alterarla.

—¿Y qué hay de apoyo económico conyugal? ¿Te ha ofrecido algo? ¿Y para el bebé?

—No he pedido nada —dijo ella calmadamente—. Yo tengo mi sueldo y él ya me ha dicho que no desea mantener al bebé. Renuncia a todos sus derechos como padre antes que nazca, te lo comenté —parecía apenada al decirlo—. No quiero nada de él.

Si él no la quería a ella ni al bebé, entonces no deseaba su dinero. Pero a Bill estos pensamientos le parecieron muy nobles pero estúpidos.

—¿Y si te enfermas? ¿Si te sucede algo? —le preguntó con dulzura.

—Tengo un seguro —dijo ella encogiéndose de hombros.

Él la miró entonces con expresión de callada exasperación.

—¿Por qué dejas que este tío se salga con la suya con tanta facilidad? ¿Es que aún lo amas? Te ha abandonado. Os debe algo a ti y al niño.

Entonces sintió un peso en el corazón al ver que ella negaba con la cabeza y se acercaba a acariciarlo.

—Lo sabes, no estoy enamorada de él. Pero estuve casada con él... fue mi marido... aún lo es técnicamente... y —casi se atragantó con las palabras, después de todo lo que Bill había hecho por ella, pero continuaba siendo la verdad—, es el padre del bebé.

No deseaba herirle, pero era la verdad, y esto significaba algo para ella y él lo sabía.

—Eso significa mucho para ti, ¿verdad?

Ella se miró las manos y luego levantó la vista hacia él y le habló dulcemente:

—Sí. No mucho pero algo. Es su hijo, Bill. ¿Qué pasa si él vuelve a la razón algún día? Tiene derecho a algo... a una parte de él... No quiero cerrarle todas las puertas, por si alguna vez lo desea.

—No creo que jamás quiera —dijo Bill suavemente.

No deseaba pelearse con ella y, mientras la escuchaba, se preguntaba si tendría algún sentido luchar contra Steven. Él no quería ser herido. Pero tampoco quería perderla, ni a ella ni al bebé.

—Creo que sueñas —dijo— si piensas que él regresará. Me parece que ha dejado muy en claro su posición.

—Podría cambiar de opinión.

—¿Deseas que la cambie, Adrian? ¿Deseas su regreso?

La miró directamente a los ojos y ella negó con la cabeza. Él le creyó. Sin decir otra palabra la tomó en sus brazos.

—Me moriré si te pierdo.

Ella lo sabía, y también se moriría si le perdiera a él. Y sin embargo... ahí estaba aún el espectro de Steven...

—Yo tampoco quiero perderte a ti.

—No me perderás —dijo él y sonrió.

Mientras la tenía abrazada sintió los golpeteos del bebé.

—Gracias por ser tan bueno conmigo.

—No seas tonta.

La besó y permanecieron sentados durante un buen rato juntos; después, su conversación preocupó a Bill. Él sabía lo fuertes que eran las lealtades de Adrian, y aunque le amaba, para ella aún era importante que Steven fuera el padre del bebé. Además, Bill sabía que ya no había nada que pudiera hacer para protegerse. Sencillamente tenía que amarla y correr el riesgo.

23

La venta del apartamento fue rápida y sencilla. La primera semana de noviembre se llevó a cabo la transacción y Bill ayudó a Adrian a empaquetar sus cosas y a llevarlas a su apartamento, en el otro extremo del complejo. Todo resultó muy sencillo y mucho menos emotivo de lo que Adrian había temido. No quedaba nada a lo que aferrarse ni por lo cual ponerse sentimental. Steven se lo había llevado todo hacía cinco meses, hasta el álbum con las fotografías de la boda. Qué habría hecho con él, se preguntaba, y se imaginó que lo habría tirado. Era extraño. No quedaba nada, todo había desaparecido como si jamás hubiera pasado nada. Intentó explicarle esto a Bill mientras ordenaba sus pertenencias en la habitación de visitantes.

—Es como si nunca hubiéramos estado casados. Tengo la impresión de que jamás le conocí.

Pero Bill sabía que no obstante sus lealtades para con Steven eran muy fuertes.

—Tal vez no le conociste. Hay personas así a veces.

Pero estaba feliz al ver que no estaba deprimida. En este último tiempo se cansaba algo, pero aún se sentía bastante bien. Tenía ya siete meses de embarazo y ambos estaban ilusionados con la perspectiva de ver a los niños para

Acción de Gracias. Faltaban dos semanas para que llegaran. La semana anterior había ido a ver al doctor y esta vez Bill la había acompañado. Hacía meses que deseaba hacerlo, pero las visitas siempre coincidían con algún problema en la serie o con alguna reunión importante con los directivos. Esta vez había dicho a su secretaria que se ausentaría durante dos horas pasara lo que pasase, y llevó a Adrian al médico. Poco después de conocer a Bill, Adrian había cambiado de médico y ahora iba a una doctora que le habían recomendado algunas amigas. A ella le gustaba la doctora. Cuando Bill la conoció comprendió por qué. Jane Bergman era una mujer inteligente y franca y trataba todo el proceso como si fuera algo normal y natural, y los tranquilizó a ambos diciéndoles que tenía todos los motivos para pensar que el parto sería normal y fácil. También se mostraba completamente tranquila respecto al hecho de que estuvieran viviendo juntos y no estuvieran casados. Una de las razones que movió a Adrian a cambiar de médico era que el anterior conocía la existencia de Steven y habría habido muchas preguntas al respecto. Esta mujer no tenía idea de que el bebé no era de Bill sino de otro. Y permitió a Bill escuchar los latidos del corazón del bebé. Él sonrió al escucharlos.

—Suena como si fuera un hámster —dijo muy serio mientras escuchaba.

—Muy simpático —rió Adrian.

Pero Bill se emocionó muchísimo al escuchar los latidos del bebé, y le conmovió ver la vulnerabilidad de Adrian allí recostada con su enorme vientre. La doctora Bergman dijo que el bebé tenía un buen tamaño, y les recomendó seguir los cursos Lamaze. Ambos sabían qué eran estas clases, pero Adrian no sabía muy bien en qué consistían. Hacía más de ocho años que Bill había seguido uno con Leslie.

—Le servirá muchísimo —dijo la doctora tranquilamente.

La doctora tenía aproximadamente la edad de Bill; a él le pareció muy competente y se alegró de haber acompañado a Adrian en la visita. Le cayó bien, y se lo dijo a Adrian en el camino de vuelta a la oficina.

—Ojalá pudiera tenerlo en casa —dijo Adrian con ilusión, mirando por la ventanilla del coche.

—Dios mío —gimió Bill—. Ni siquiera lo digas.

—¿Por qué? —preguntó ella. Su voz sonaba lastimera, casi pueril, y Bill empezó a ponerse nervioso—. Sería mucho más agradable.

—Y mucho más peligroso. Sé buena y haz caso a la doctora Bergman. Iremos a las clases Lamaze tan pronto se vayan los niños.

Así tendrían un mes para hacerlas antes que naciera el bebé. Bill había notado que últimamente Adrian había comenzado a ponerse muy nerviosa. Durante siete meses se las había arreglado para eludir el problema y hacer como que no estaba embarazada, pero ahora que el momento se acercaba se veía obligada a afrontarlo. Le hacía montones de preguntas sobre sus hijos cuando estaban recién nacidos, y había empezado a leer los libros. Pero él sospechaba que tenía miedo del dolor y de las posibles complicaciones. Y a él, el niño empezaba a parecerle enorme.

—Te amo —le recordó cuando la dejó en el pasillo fuera de la sala de informativos.

—Hola, Harry —lo saludó uno de los redactores pasando de prisa a su lado. Bill miró a Adrian confundido.

—¿Quién es Harry?

Ella se echó a reír, recordando la historia que había contado hacía unos meses cuando le preguntaron.

—Tú. Les dije que te llamabas Harry... y que eras viudo, tu esposa había sido una de las mejores amigas de Helen... —dijo con seriedad, resumiendo su telenovela, y él se echó a reír a carcajadas.

—Eres terrible. Vete a trabajar y deja de preocuparte por el bebé.

—¿Quién está preocupada? —dijo ella haciéndose la tranquila, pero él sabía que esta preocupada aunque dijera lo contrario. Pero no la culpaba. Había tenido el problema adicional de pasar por el divorcio mientras estaba embarazada.

—Hasta pronto, cariño.

La volvió a besar y se apresuró a regresar a su trabajo, después de prometerle pasarla a recoger después del informativo de las seis, y llevarla a cenar fuera.

Fueron a cenar a Le Chardonnay. La comida estuvo exquisita y la velada maravillosa. Él acababa de ganar otro premio por la serie y se había hablado bastante de ésta en la prensa. Él se sentía complacido. Ella también se sentía orgullosa de él, y él insistía en achacarle los méritos a ella.

—Tú mantienes alto el nivel de audiencia con tus locas ideas.

Ella le daba montones de ideas con argumentos descabellados, y él aún tenía la ilusión de que fuera a trabajar con él una vez naciera el bebé. Estaban riéndose y conversando sobre esto cuando en la mesa de al lado llegó a sentarse una pareja. Bill no sabía lo que había sucedido, pero de pronto el rostro de Adrian se puso blanco y se quedó mirándolos. Miraba al hombre como si hubiera sido un aparecido, y el hombre pareció horrorizado cuando la vio. Entonces se volvió y continuó conversando con la mujer que lo acompañaba. La chica era joven, esbelta y atractiva, de figura muy atlética. Pero no era ni la mitad de guapa que Adrian, aunque se la notaba algunos años menor. Pero Bill no miraba a la chica sino a Adrian frente a él. Entonces se volvió y comprendió quién era el hombre de la mesa vecina. Steven.

Ella aún lo miraba y sin decirle una palabra a Bill, se inclinó hacia Steven para hablarle.

—Steven —dijo, estirando la mano hacia la otra mesa como para llamar su atención, pero sólo la chica se volvió para mirarla, peguntándose qué desearía. Steven se volvió hacia el otro lado dándole la espalda y haciendo como que llamaba al camarero—. Steven.

Dijo el nombre con más claridad y la chica puso una expresión como si no supiera si sonreír o mirar hacia otro lado, la mirada de Adrian era extraña, tan apenada, y su embarazo estaba avanzado. Entonces, como si supiera que ya no podía continuar ignorándola, él se dirigió a la chica con voz dura mientras se ponía de pie.

—Vámonos. Es horrible el servicio en este lugar.

Ya se había puesto de pie y estaba a mitad del camino hacia la puerta antes que la chica alcanzara a decir una palabra. Miró a Adrian confundida y apenada como tratando de disculparse y todo lo que pudo decir fue:

—Creo que no la oyó.

—Sí que me oyó —dijo Adrian con el rostro pálido y como congelado, las manos húmedas—. Me oyó perfectamente. Además, no había nada malo en el servicio del restaurante.

—Lo siento —dijo la chica y se apresuró a alcanzar a Steve.

Adrian la vio hablar con él, pero él la sacó por la puerta y desaparecieron; ella se quedó temblando. Bill estaba pagando la cuenta y también su rostro estaba mortalmente pálido. No dijo una sílaba y salieron al aire fresco; Adrian contuvo el asiento. Se sentía enferma después de la cena maravillosa. Al salir a la calle alcanzaron a ver a Steven que se alejaba con la chica en su Porsche.

—¿Por qué le has llamado? —le preguntó Bill cuando subieron a su furgoneta—. ¿Por qué te tomaste la molestia?

Estaba dolido, y ella se volvió hacia él con rabia en los ojos. No estaba de humor para discutir con él ni con nadie. Steven había dejado muy en claro su posición, como si ya no lo hubiera hecho antes.

—Hace cinco meses que no le había visto y estuve casada con él durante dos años y medio. ¿Es tan raro que quiera decirle algo?

—Dada la forma en que te ha tratado, sí lo es, ¿no crees? ¿O es que querías agradecerle por todas las cosas simpáticas que te ha hecho?

La verdad era que Bill estaba celoso. Se odiaba a sí mismo por hacer un escándalo del asunto, pero le había molestado la expresión de sus ojos, la angustia de su rostro al extender la mano hacia él. Y odiaba a Steven por hacerla sufrir. Deseaba que desapareciera de su vida para siempre.

—No te enfades conmigo —dijo ella y se echó a llorar. Estaba terriblemente pálida y comenzó a sobarse el vientre. Hasta el bebé estaba alterado. Le daba fuertes golpes y todo lo que ella deseaba era irse a casa, acostarse y olvidarlo, pero sabía que no podría—. Ni siquiera me ha mirado.

—Adrian —le dijo Bill con los dientes apretados—, el tío es una mierda absoluta. ¿Cuánto tiempo te va a llevar aceptar eso? ¿Un año? ¿Cinco? ¿Diez? Vives esperando que vuelva y te cubra el camino de rosas a ti y al niño. Y yo vivo diciéndote que no lo va a hacer. ¿Has captado el mensaje esta noche? Ni siquiera se dignó hablarte, se levantó y se fue. Ése no es un hombre al que le importéis un pepino tú y tu hijo.

Bill sospechaba que jamás le había importado, pero eso no lo dijo.

—¿Cómo puede hacer eso? ¿Cómo es posible que no sienta nada por su propio hijo? Ahora lo reprime, pero tarde o temprano tendrá que afrontarlo.

—La única que tendrá que afrontar lo que venga eres tú. Él ya no está, cariño. Olvídalo.

Ella no contestó y el resto del camino lo hicieron en silencio, pero al llegar a casa comenzaron la discusión de nuevo y ella se fue a acostar llorando en la habitación para huéspedes. A la mañana siguiente cuando se encontraron a la hora del desayuno en la cocina, a ella se la veía deprimida. Él no le dijo una palabra y la dejó que se preparara su propio desayuno por una vez. Finalmente la miró por encima de la página de deportes.

—¿Qué es exactamente lo que esperas de él? ¿Por qué no me lo clarificas de modo que yo pueda entender de una vez por todas qué quieres de él? —y enterarse contra qué tenía que competir.

—¿De Steven? —preguntó ella. Él asintió—. No lo sé. Sólo espero que él afronte el hecho de que vamos a tener un hijo. Ni siquiera sabe lo que rechaza. Puedo aceptar el hecho de que se divorcie de mí, porque él piensa que yo le he traicionado. Pero no puedo aceptar el hecho de que vuelva la espalda a su propio hijo. Algún día lo lamentará.

—Por supuesto que lo lamentará. Pero ése es el precio que tendrá que pagar. Y es posible que jamás recupere la sensatez. ¿Y cómo puedes decir que le has traicionado? ¿Le engañaste? ¿Quedaste embarazada a propósito?

—No, en absoluto —pareció ofendida. Y ésta era una pregunta que jamás le había hecho pero sobre la cual pensaba. Tal vez por eso se sentía tan culpable—. Yo sabía lo fuerte de sus convicciones al respecto y siempre tuve cuidado.

—Me lo imaginaba —dijo él casi sonriendo. La amaba mucho y le fastidiaban sus discusiones, pero al menos no eran tantas y sólo referidas a un único tema: Steven—. Pero preguntar no hace daño. Continúa. ¿Qué quieres de él? —Verdaderamente deseaba saberlo, por su propio bien y por el de ella. Necesitaban afrontarlo.

—Sólo quiero que reconozca al bebé. Que admita que es suyo, que afronte el hecho. Pienso que ha huido de él desde el comienzo. Deseo que lo vea y diga, vale, entiendo, es mío pero en realidad no lo quiero... o sí, es mío... estaba equivocado, quiero a mi hijo. Pero no quiero que huya de mí para siempre, porque me lo paso pensando que en algún momento regresará, lo lamentará y querrá que nos juntemos de nuevo, y entonces fastidiará mi vida y la del bebé, y tu vida y la suya propia, y haga lo que haga me sentiré siempre culpable. Necesito sentirme libre de él, completamente, antes de poder continuar con mi vida, y para eso necesito que él afronte el asunto de lleno, o por lo menos que hable conmigo, y me explique por qué siente así. Ni siquiera ha tenido la decencia de hablar conmigo desde que se fue del apartamento.

Era la primera vez que ella lo planteaba de forma tan clara, y después de todo tenía sentido. Ella no podía creer realmente que él se hubiera ido para siempre y deseaba una confirmación directa por parte de él de que efectivamente entendía lo que estaba rechazando y que lo hacía a sabiendas y en serio. Tenía sentido, pero Bill no pensaba que lo fuera a conseguir. Steven no era ese tipo de persona, y ya se lo había demostrado durante cinco meses, y la noche anterior. Iba a huir, divorciarse de ella mediante abogados, y renunciar a su hijo sin haberlo visto nunca. Ésa era su forma de ser y ella sencillamente tenía que afrontarlo.

—No creo que vayas a conseguir más de él fuera de lo que ya has conseguido. Él no es capaz de afrontarlo directamente.

—¿Cómo lo sabes?

—Míralo anoche. ¿Es ése un tío con cojones capaz de enfrentarse contigo? Prácticamente salió arrancando por la puerta, a metros delante de su chica.

—¿Era su chica? —dijo intrigada, y él pareció molesto.

—¿Cómo diablos voy a saberlo?

—Se la veía muy joven —dijo pensativa, y él lanzó un gemido.

—Así te ves tú también porque lo eres. Así es que déjalo, y en todo caso, ¿qué cambia? El asunto es que tienes que olvidarle, Adrian. Ése es el verdadero problema.

—Pero, ¿y si vuelve después? —Esto era algo que la preocupaba bastante. Estaba segura de que él irrumpiría en su vida después que tuviera el bebé.

—Te enfrentas a ello cuando suceda.

—Lo sé, lo sé —dijo dando un puñetazo en la mesa de la cocina y ella pegó un salto—. El bebé tiene derecho a su padre natural, ¿de acuerdo? Ya lo he oído antes. Pero ¿y si su padre natural es un imbécil? ¿Qué pasa entonces? ¿No es más sencillo olvidarlo ahora?

—¿Y si Leslie te hubiera dicho que quería dejarte mientras estaba borracha? ¿No habrías sentido como una obligación comprobar lo que pensaba cuando estuviera sobria?

—Puede ser. ¿Por qué?

—Porque creo que Steven ha estado borracho de miedo desde el momento en que le dije que estaba embarazada. Y tan pronto se calme, deje de angustiarse y recobre la sobriedad, va a pensar de otro modo.

—Puede que no. Puede que en realidad odie a los niños. Tal vez deberías hacerle caso. Tal vez lo dice en serio; no quiere esta responsabilidad.

—Sólo quiero que él me diga personalmente que sabe lo que hace.

—Puede que no lo sepa. ¿Vas a mantener tu vida en suspenso para siempre? —Mejor dicho, ¿iba a mantener las vidas de ambos en suspenso? Pero él también sabía que no era tan sencillo olvidar a un hombre con quien había engendrado un hijo, y con quien había estado casada durante dos años y medio antes de quedar embarazada.

—Tú piensas que soy estúpida al preocuparme, ¿verdad?

—No —suspiró echándose hacia atrás en la silla—. Sólo creo que estás perdiendo el tiempo. Olvídalo.

—Me siento como si le estuviera robando algo —explicó

ella y él puso atención—. Le estoy quitando su hijo y dándotelo a ti porque tú lo quieres. Pero qué pasa si luego viene y dice, oye, que éste es mi hijo, devuélvemelo... ¿qué?

Buen argumento, pero Bill seguía pensando que nunca cambiaría de opinión sobre el niño. Era un tonto por no hacerlo, pero Bill creía sinceramente que no lo haría.

—Sencillamente tienes que esperar y ver. No nos vamos a ir a ningún sitio. No nos vamos a ir a África con el bebé.

No. Pero la intimidad y el amor entre ellos iba creciendo y él lo sabía. Él ya sentía como si el niño fuera suyo, y en cierto modo, sabía que Adrian intentaba protegerlo a él de sufrir, y a Steven de cometer un error que podría lamentar.

—No puedes hacerte responsable de todo el mundo —le dijo—. Déjanos a cada uno tomar nuestras propias decisiones, y si las decisiones son malas, eso no es problema tuyo. —Dejó a un lado el periódico y la atrajo hacia sí—. Te quiero... quiero al bebé... y si él vuelve y cambia de opinión, tendremos que afrontarlo. ¿Qué es lo peor que puede pasar? ¿Que consiga derechos de visita? Eso no es tan terrible. Podemos soportarlo. —La miró y entonces sintió un escalofrío de terror—. ¿O volverías tú con él? —le preguntó, reteniendo el aliento en espera de su respuesta.

Ella negó con la cabeza, pero hubo un ligerísimo indicio de duda.

—Creo que no.

Él sintió como que se iba a desmayar al oírla decir eso.

—¿Qué quieres decir con que no lo crees?

—Quiero decir que no. Pero dependería de las circunstancias... de muchas cosas... Bill, yo ya no lo quiero, si eso es lo que me preguntas. Te amo a ti. Pero es que hay algo más aparte de nosotros... está el bebé.

—¿Volverías con un hombre al que no amas sólo por su hijo?

—Lo dudo —dijo ella—, pero no podría jurar que no lo haría.

Él se levantó entonces y dejó la cocina. Pasaron unos días difíciles entre ellos hasta que se volvieron a tranquilizar. Finalmente acordaron una tregua y se pasaron el fin de semana en la cama, conversando y haciendo el amor, tratando de explicar sus posturas. Ella sólo deseaba estar segura de que Steven no iba a cambiar su decisión y querer el bebé. Pensaba que al menos debería verle cuando naciera. A Bill no le gustó la idea, pero estuvo dispuesto a aceptarlo. Y después de la actuación de Steven esa noche, le parecía sumamente improbable que fuera a verle.

—Y después de eso, ¿te casarás conmigo? —le preguntó él con seriedad y ella sonrió.

—Sí, si aún me quieres.

Pero ella no quiso que él les dijera a los niños que se iban a casar hasta que todas las cosas estuvieran arregladas, los papeles, el divorcio, y estuvieran seguros respecto a Steven. Bill continuaba pensando que esto era una amabilidad que su ex marido no se merecía, pero se mostró dispuesto a darle el gusto. Y le emocionaba pensar que finalmente se casarían.

—¿Crees que a los niños les importará? —preguntaba ella.

Había comenzado a preocuparse por todo, pero la doctora les explicó que en esta fase del embarazo era normal la angustia. Le preocupaba el parto, el trabajo del parto, el dolor, la salud del bebé, todas las cosas normales que preocupan a las mujeres. Bill también sabía que el divorcio le causaba tensión, así como se la había causado la venta del apartamento. Lo había soportado todo estupendamente, pero ahora comenzaba a inquietarse por pequeñeces. Él sospechaba además que su obsesión por ser justa con Steven formaba parte del mismo proceso.

Estaba más nerviosa que lo habitual cuando llegaron

Adam y Tommy. Le aterraba la idea de que los niños se fueran a sentir perturbados por la noticia del bebé. Y decidió ser franca con ellos. Cuando acompañó a Bill al aeropuerto para recogerlos, ellos se mostraron evidentemente sorprendidos al verle el estómago.

—¡Guay! —exclamó Tommy con los ojos desorbitados de asombro—. ¿Qué ha sucedido?

—No hagas esas preguntas —lo reprendió Adam.

—Voy a tener un bebé —explicó sin necesidad Adrian, era de lo más evidente, incluso para Tommy.

—¿Es de papá? —preguntó, y Adam le propinó un pescozón.

—No, no es de papá —les explicó ella una vez estaban en casa, bebiendo chocolate caliente en la acogedora cocina—. Es de mi marido. Pero seguimos en trámites de divorcio. En realidad... —iba a ser totalmente franca con ellos y Bill ya le había dicho que la iba a apoyar—, en realidad, me dejó por ese motivo. Porque no quería que tuviéramos el bebé. Así que estamos en trámites de divorcio, y él renuncia a sus derechos sobre el bebé —dijo ella con sencillez y los niños se quedaron horrorizados, en especial Adam.

—Eso es horrible.

—No, no es horrible —dijo Tommy en tono práctico—. Si no se fueran a divorciar, no estaría con papá y no habría estado allí para salvarme en el lago Tahoe el verano pasado.

—Es verdad —rió Adrian. Los niños tenían una forma de reducirlo todo a los elementos prácticos.

—¿Cuándo llega el bebé? —quiso saber Adam.

—En enero. Faltan unas siete semanas.

—Es muy pronto —dijo Adam con actitud preocupada por ella—. ¿Dónde vas a vivir? ¿En tu apartamento?

—No, aquí —interrumpió esta vez su padre—, con nosotros... conmigo. —Sonrió—. Vamos a poner al bebé en la habitación de huéspedes.

—¿Os vais a casar? —preguntó Tommy esperanzado, y

la expresión de Adam no era en absoluto de disgusto por la situación tampoco.

—En su día —dijo Bill—. Pero no por un tiempo. Necesitamos resolver cosas primero.

—¡Guay! —dijo Tommy visiblemente complacido.

Adam se acercó para abrazarla. La historia de su marido que la abandonaba le había dejado horrorizado, y más tarde le dijo a su padre que debería casarse con ella antes que tuviera el bebé.

—Lo tendré presente, hijo —le dijo, y luego le contestó en serio—. Me gustaría. Pero tenemos que esperar a que el divorcio sea definitivo.

—¿Cuándo será eso?

—Muy pronto. Os tendremos informados.

Eran demasiadas cosas como para que pudieran asimilarlas, pero a la mañana siguiente todo el mundo había vuelto a la normalidad. La televisión estaba puesta, había ropas por lavar en todas partes, los niños saltaban por toda la casa y Bill preparaba el desayuno en la cocina. Eran como una familia feliz y normal. Tommy le dijo a Adrian que esperaba que el bebé fuera un niño porque las niñas eran tontas; Adam se limitó a sonreír, y le dijo que fuera lo que fuese él lo querría. Su amabilidad la hizo llorar y se puso a ordenar el apartamento mientras ellos salían un rato con su padre. Cuando volvieron a casa le traían un enorme ramo de flores.

Juntos prepararon la cena de Acción de Gracias para los niños y pasaron un feliz día de vacaciones. El único desperfecto de un día perfecto ocurrió cuando Bill la oyó hablar por teléfono con su madre.

—No, está muy bien —la oyó decir—. Tuvo que ir a Londres en viaje de negocios.

En ese momento ella vio la cara de Bill, y después de colgar él la arrinconó en la cocina. Ya habían terminado la cena de Acción de Gracias y los niños estaban durmiendo.

—¿De qué hablabas? —pero él lo sabía sin que ella se lo dijera. Le había mentido a su madre acerca de Steven.

—¿Con qué fin inquietarla? Nadie en mi familia se ha divorciado jamás, y estamos de vacaciones, por Dios.

—Hace seis meses que no está, Adrian. Has tenido tiempo de sobra para decírselo. —Entonces se le ocurrió otra cosa—: ¿Le has dicho algo acerca del bebé? —Ella negó con la cabeza y él se sentó en una silla y la miró—: ¿A qué juegas? ¿Por qué le proteges?

—No le protejo —dijo, y se volvieron a llenar los ojos de lágrimas—. Simplemente no quiero decírselo. Al principio no se lo dije porque pensé que él volvería, y ahora me resulta muy violento, y no quiero sentirme presionada por las preguntas. Siempre me lo hacen pasar mal. Se lo diré después—. Tenía los ojos llenos de lágrimas. Se le hacía tan complicado hacerle entender lo difíciles que le habían resultado siempre las cosas con su familia.

—¿Cuándo se lo vas a decir? ¿Cuando haya nacido nuestro tercer hijo? ¿O cuando el bebé se gradúe en la universidad? Tal vez te convendría hacerle una pequeña alusión antes.

—¿Qué quieres que le diga? Nunca he tenido mucha intimidad con ella. No quiero hablar de eso con ella.

—Dile simplemente que vas a tener un hijo.

—¿Por qué? —hasta ella sabía que era una pregunta estúpida.

—¿A qué esperas? —la miró directamente a los ojos y por una vez el miedo hizo presa de su corazón. Él parecía dolido y enfadado a la vez—. ¿Esperas a que él regrese y así poder presentarles todo ordenadito? —Había puesto el dedo en la llaga y lo sabía.

—Puede que al principio sí... y ahora todo se ha complicado mucho. ¿Cómo puedo comenzar a explicárselo?

—Tendrás que hacerlo al final... —a no ser que Steven volviera... pero no iba a tocar ese tema con ella de nuevo—.

Mira, es tu vida. Y son tus padres. Sólo que no entiendo lo que haces.

—Yo tampoco a veces —confesó ella—. Lo siento, Bill. Todo se fastidió cuando él se marchó, y no se lo dije a nadie. Al principio me resultaba demasiado violento, y después era demasiado tarde, y ahora es ridículo. Demonios, la mitad de la gente en el trabajo cree que estoy engañando a mi marido.

Le sonrió y él la atrajo hacia sí.

—A veces me traes loco, pero tal vez sea por eso mismo por lo que te quiero.

—Y por eso Harry ama a Helen, que era la mejor amiga de... —se echó a reír y él le dio en el trasero con un paño de cocina mientras ponía en su sitio el último plato.

—Basta ya de eso. Esto empieza a parecerse a los enredos de la Biblia.

—Lo siento, Bill... a veces lo enredo todo.

—Lo resolveremos todo, tarde o temprano.

Él creía que lo resolverían, pero empezaba a desear que esto fuera más temprano que tarde.

24

Demasiado rápido pasó el largo fin de semana de Acción de Gracias. Había tantas cosas de qué conversar ahora que los niños sabían que se había venido a vivir a la casa y que iba a tener un bebé. Adam especialmente se sentía fascinado por el niño, y deseaba tocarle el estómago para ver si lo sentía moverse; se sentía encantado y emocionado cuando el niño se movía y él lo sentía. La miraba con los ojos muy abiertos y Bill les sonreía.

—Es fantástico, ¿verdad?

A Bill también le parecía una maravilla cada vez que lo sentía.

Todos se divirtieron muchísimo cuando salieron a dar un paseo por el parque y antes de salir, por mucho que lo intentara, Adrian no pudo atarse los cordones de las zapatillas.

—Es como si me inclinara sobre una pelota de playa.

—Yo también —le susurró Bill arrodillándose para ayudarla. Continuaban haciendo el amor cuando tenían tiempo y energía, pero por el mismo motivo que no podía atarse los cordones de los zapatos, eso se iba transformando en una especie de desafío—. Sabes, esto es algo que sólo me podía suceder a mí —dijo riéndose mientras terminaba de atarle los cordones, sentado en el suelo mirándola. Ella le observaba asomada por encima de su enorme barriga.

—¿Qué cosa?

—Enamorarme de una mujer embarazada de ocho meses.

Ella se rió apreciando el humor. Ciertamente no era un noviazgo muy habitual.

—Tal vez te sirva de inspiración para la serie. Quizás Harry podría abandonar a Helen y enamorarse de otra —sugirió alegremente poniéndose uno de los suéteres de él.

—Eso sí que nadie lo creería —sonrió él, y se dirigieron a jugar a la pelota con Tommy y Adam en el parque Penman.

Al día siguiente los niños tomaron el avión para regresar y la casa volvió a quedar demasiado silenciosa sin ellos. Pero ahora había muchísimo que hacer antes de las vacaciones. En la sala de informativos iban locos y los actores de la serie siempre se veían algo más que nerviosos antes de Navidad. Las tensiones de sus propias vidas y los traumas imaginarios de la serie se combinaban para hacerlos sentir ligeramente desunidos. Adrian también estaba ocupada en preparar la habitación para el bebé. Cada noche, entre los dos informativos, se sentaba durante horas, haciendo faldillas para la cuna, o imaginando formas de colocar las cortinas.

—Venga, déjame eso a mí —decía Bill.

Estaba siempre tras ella para que no subiera escaleras, o tratando de armar él mismo la cuna. Después se miraban y se echaban a reír. Todo se estaba poniendo muy emocionante. También los niños estaban entusiasmados. No se habían sentido en absoluto resentidos ante la idea del bebé. Sentían demasiada pena porque su marido hubiera abandonado a Adrian, y demasiado entusiasmo por compartir la maravilla del bebé. Cada vez que llamaban, lo primero que preguntaban era si había nacido ya. Pero Bill les prometió que los llamaría inmediatamente, ellos serían los primeros en saberlo. Ellos deseaban que fuera un niño, pero Bill secretamente esperaba que fuera una niña, no es que le importara mucho en realidad.

Pasado Acción de Gracias asistieron a la primera clase del sistema Lamaze. Adrian se las arregló para apuntarse a una clase en el hospital justo después del informativo de la tarde. Y allí se presentaron con un grupo de otras parejas, de las cuales, excepto una, todas iban a ser padres por primera vez. Se sintió algo rara por encontrarse allí, algo violenta por hacer ejercicios y la técnica Lamaze en una sala llena de desconocidos. Pero Bill y la doctora insistieron en que le serviría de ayuda.

—¿Ayuda para qué? —discutió ella con él durante todo el camino, comiendo un bocadillo de pavo que le había quedado del almuerzo. Después de la clase tendría que volver directamente al trabajo para el informativo de la noche—. El bebé va a salir de todas maneras, con pujes y jadeos o no. —Todo lo que sabía de la técnica Lamaze era que tenía que ver con la respiración.

—Te ayudará a relajarte —le dijo él pacientemente.

Entonces, casi celosa, lo miró mientras comía.

—¿Lo hiciste también con Leslie?

Estaba comenzando a fastidiarle que Bill hubiera hecho todo esto antes, y que al parecer supiera mucho más que ella acerca de todos los misterios del embarazo.

Pero él se mostraba visiblemente vago. No le gustaba hacer comparaciones entre su vida anterior y ésta. Ésta era diferente de todo lo que hubiera compartido antes con nadie, y era algo único.

—Sí... más o menos —era todo lo que decía, pero seguía insistiéndole en que valía la pena hacer la clase para el parto natural.

—Sigo pensando que preferiría tener el bebé en casa.

—Era una frasecita que ya había oído antes, y no quería que pensara en ello siquiera.

Estacionaron en el aparcamiento del hospital, entraron y siguieron a un buen número de mujeres cuyo avanzado estado saltaba a la vista. Llegaron al tercer piso, donde todos se reunieron con el grupo de personas a las que la monitora se refirió como «los demás importantes». Se les invitó a ponerse cómodos en el suelo, sentados de piernas cruzadas sobre esterillas para gimnasia, y a presentarse mutuamente, ellas y sus maridos. Había dos profesoras, una enfermera, dos chicas que no trabajaban, una secretaria, una funcionaria de correos, una instructora de natación que parecía en muy buena forma, una peluquera, una violinista, una afinadora de pianos. Y la colección de maridos era igualmente diversa. En todo caso, Adrian y Bill eran los más sofisticados y de más éxito, pero se limitaron a decir que trabajaban en televisión, en producción, y a nadie le impresionó. Lo único que todas tenían en común eran sus embarazos. Hasta las edades eran de lo más variadas. De las dos mujeres que no trabajaban, una tenía diecinueve años y aún estaba en la universidad, y su marido tenía veinte años. Y la funcionaria de correos tenía cuarenta y dos años y su marido cincuenta y cinco; éste era su primer hijo. En medio había todo un abanico de personas entre los veinte y los cuarenta años, de diversos tamaños, figuras e intereses. Adrian se sintió ligeramente curiosa acerca de todos ellos, y se pasó más tiempo mirando a su alrededor que haciendo ejercicios, hasta que se les invitó a hacer un descanso para el café. Las mujeres bebieron gaseosas y agua, mientras que los hombres bebieron té y café. Y todo el mundo parecía algo más que nervioso.

La instructora se dirigió a todos y les aseguró que si hacían las suficientes prácticas, las técnicas de respiración les ayudarían verdaderamente. Y a modo de ilustración de lo bien que funcionaba el sistema, les pasó una película de un parto natural en que se usó la técnica Lamaze desde el principio al fin. Adrian contempló cómo la mujer de la pantalla se retorcía de dolor y se aferró a la mano de Bill horrorizada. Era el segundo hijo que tenía la mujer, explicó la instructora. El primero había sido con parto «medicado», añadió con desdén. Y se suponía que éste era un gran adelanto. Podían escuchar cada jadeo para empujar, cada gemido mientras hacía el trabajo del parto en la pantalla. A Adrian, estas descripciones «resoplido a resoplido» de lo que le iba a suceder a ella, le parecieron todo menos tranquilizadoras. Parecía como si la mujer se fuera a morir. Finalmente, empleando la técnica jadeo-resoplido, y empujando hasta que la cara se le puso roja, se oyó un lamento prolongado y una horrorosa serie de gruñidos y chillidos, y apareció una carita roja entre sus piernas. La mujer se puso a llorar y sonrió, y todo el mundo presente en la habitación lanzó una exclamación al nacer el bebé. Era una niñita. La mujer se echó en la cama victoriosa y su marido ayudó a cortar el cordón umbilical. Entonces se encendieron las luces y se acabó la película. Adrian parecía espantada por lo que acababa de ver y no pronunciaba palabra hasta que salieron y estuvieron nuevamente en el coche de Bill camino del canal de televisión.

—Bueno —dijo él dulcemente—, ¿qué te ha parecido?

Se daba cuenta que ella estaba perturbada pero no tenía idea de hasta qué punto, hasta que ella lo miró con los ojos agrandados por el terror.

—Quiero un aborto.

Él casi se puso a reír; se la veía muy tierna, y se inclinó para besarla, lamentándolo por ella. La película le había parecido algo exagerada. Tendría que haber formas de hacer parecer el proceso menos espantoso. Y no estaba seguro de que fuera una buena idea pasar una película de un parto verdadero a una sala llena de madres primerizas. «Primis», como las llamaba la profesora de Lamaze.

—No será tan terrible. Te lo prometo.

La amaba más que nunca. Lo único que deseaba era que todo fuera bien, para que ella tuviera un bebé sano y para que el parto le resultara fácil. Aún recordaba lo mal que lo había pasado Leslie y lo asustado que se había sentido él cuando nació Adam. Pero cuando nació Tommy todo había sido mucho mejor. Y esperaba que le sirviera lo poco que sabía y recordaba para ayudar a Adrian esta vez. Lo único que le fastidiaba de todo esto era la perspectiva de verla sufrir.

—¿Cómo sabes que no va a ser tan terrible? —le preguntó ella indignada—. ¿Has tenido un hijo alguna vez? ¿Le viste la cara a la mujer? Pensé que se iba a morir mientras empujaba.

—Yo también. Así que fue una mala película. Olvídala.

—No volveré aquí.

—Eso no solucionará nada. Al menos aprendamos la inspiración para poder ayudarte.

—Quiero que me pongan anestesia general —dijo ella de modo práctico.

Pero cuando le planteó el tema a Jane en la siguiente visita, ésta sólo sonrió comprensiva.

—Eso lo hacemos sólo muy rara vez, en casos muy especiales, en casos de alguna emergencia grave cuando no tenemos tiempo de practicar una cesárea con epidural. Y no hay ningún motivo para suponer que usted va a tener algún problema. Vaya a las clases, Adrian, y se sorprenderá de lo bien que le resultará cuando esté en el trabajo del parto.

—No quiero tenerlo —le repitió a Bill cuando abandonaron la consulta de la doctora. Se sentía absolutamente aterrada.

—Es algo tarde para eso, cariño —le dijo él calmadamente mientras caminaban hacia su coche. Ella se había puesto un vestido rosa y llevaba el pelo atado en una cola. Desde la primera clase de Lamaze le había entrado un miedo de muerte, y sólo habían hecho dos clases.

—Esa estúpida respiración no funciona. Ni siquiera puedo recordar cómo se hace.

—No te preocupes. Practicaremos.

Esa noche él la hizo echarse y simular que tenía contracciones mientras él simulaba contar el tiempo entre contracción y contracción. Ella intentaba practicar la técnica de respiración. A medio proceso dejó la práctica y le deslizó graciosamente la mano dentro de los pantalones.

—¡Basta ya! ¿Te vas a poner seria? —dijo él tratando de quitarle la mano de sus calzoncillos, pero ella le estaba haciendo cosquillas y él acabó por echarse a reír.

—Hagamos otra cosa —dijo ella con un malicioso brillo en los ojos y lanzándose al ataque.

—¡Adrian! Vamos, hazlo en serio. Basta ya.

—Pero si lo hago en serio —pero no se refería a la respiración.

—Eso es lo que te metió en esto en primer lugar.

—Puede que tengas razón en eso —dijo tratando de darse la vuelta sobre su vientre pero no pudo. El bulto, como lo llamaba a veces, parecía crecer por horas. Y era sumamente dinámico, sentía los golpes casi constantemente, sobre todo durante la noche. Sólo se relajaba por las mañanas temprano—. Tal vez sea mejor que me quede embarazada. Es demasiado complicado sacar esto fuera. —Era como construir un transatlántico en el sótano.

—No me molestaría nada verte delgadita de nuevo —dijo él pensativo—; tenías una figura muy mona cuando te conocí.

—Gracias —le dijo ella, colocándose de espaldas como una ballena en la playa. Echada así se veía enorme—. ¿No te gusta mi figura ahora? —preguntó medio en serio y él comprendió que tenía que tener cuidado. Se acostó junto a ella boca abajo apoyado en el codo y se le acercó para besarla.

—Pienso que eres la mujer más hermosa que conozco, embarazada o no.

—Gracias —dijo sonriendo; se le llenaron los ojos de lágrimas y entonces le rodeó el cuello con los brazos como una niña y empezaron a brotarle las lágrimas—. Tengo miedo —admitió y él se sintió conmovido.

—Ya lo sé que tienes miedo, cariño, pero todo irá bien, te lo prometo.

—¿Pero y si no va bien? ¿Y si pasa algo... a mí o al bebé?

Era algo estúpido pero en realidad pensaba que se iba a morir y esto la aterraba. Se pasaban pensando en la mujer de la película, sufriendo ese dolor terrible y chillando. Nadie le había dicho jamás cómo era eso. Ella creía simplemente que el niño salía de alguna manera y eso era todo. Nadie había reconocido jamás lo doloroso que era.

—Nada os va a suceder ni a ti ni al bebé. No lo permitiré. Estaré allí en todo momento, tomándote la mano y ayudándote. Y habrá pasado antes de que te enteres.

—¿Es de verdad tan horrible?

La miró a los ojos muy seria, y él no quiso decirle lo terrible que había sido para Leslie. Casi se había vuelto loco de verlo.

—No necesariamente. Creo que para algunas personas es bastante fácil.

—Sí, si tienen las caderas como el canal de Panamá —dijo ella con tristeza, porque las suyas no lo eran.

—Lo harás muy bien.

La besó en los labios con dulzura y ella le metió la mano por la camisa y le acarició los hombros. Luego le deslizó las manos por la espalda y él se estremeció de excitación. Se besaron, ella lo acariciaba, y él le recorrió suavemente el cuerpo con sus manos. En medio de la pasión él sonrió:

—Deberían pegarme un tiro por molestar a una mujer en tu estado —dijo y por un momento le pasó por la cabeza lo absurdo de la situación, pero lo olvidó enseguida.

—No —bromeó ella.

Él se maravillaba de lo mucho que lo excitaba. Se dio vuelta en la cama poniéndose de espaldas y la colocó encima de él mientras ambos se quitaban la ropa. Pasada una media hora ambos yacían acostados satisfechos y agotados. Él la miró lleno de remordimiento. Le aterraba pensar que por su causa le fuera a comenzar el trabajo del parto, pero la doctora no les había dicho que no lo hicieran.

—¿Te sientes bien? —le preguntó nervioso, mirándola como si pensara que de un momento a otro iba a explotar.

—Mejor que nunca —lo miró como si estuviera borracha y luego sofocó unas risitas.

—Soy un asqueroso —dijo él observándola—. No debería hacerlo.

—Sí que deberías. Prefiero mil veces hacer el amor contigo que tener el bebé. Al menos no me puedo quedar embarazada.

Él frunció el ceño y la miró.

—Creí haberte oído decir que eras virgen.

—Lo soy —dijo ella alegremente. Le parecía francamente milagroso que su relación fuera todavía tan apasionada estando ella de ocho meses.

—¿Quieres que practiquemos la respiración nuevamente? —se ofreció él. Pensaba que tenía que hacer algo para sentirse redimido de su incontrolable pasión.

—Pensé que ya lo habíamos hecho —dijo ella benigna.

Miró el reloj con tristeza. Eran las diez de la noche y tenía que levantarse para volver al trabajo. Todavía pensaba continuar trabajando jornada completa hasta el informativo de las once. Zelda ya se había ofrecido para sustituirla siempre que Adrian quisiera, pero hasta ahora Adrian no la había llamado. Tenía la intención de comenzar con el permiso maternal el mismo día que fuera a tener el bebé. Bill ya le había comentado que en su opinión se estaba pasando.

—¿Por qué no te relajas al menos unas semanas antes?

—Tengo tiempo de sobra para relajarme después de que nazca el bebé.

—Eso es lo que tú te crees —sonrió él.

Demasiado bien recordaba las noches sin dormir, las interrupciones del sueño para alimentar a un bebé que quiere comer cada dos o tres horas. Intentó explicárselo, pero ella perseveró en su deseo de trabajar hasta el final. Se sentía bien e insistió en que necesitaba esa distracción. Pero cada vez que llegaba al trabajo, Zelda prácticamente chillaba al verla.

—¿Cómo vas por ahí con eso? —le preguntaba señalándose la barriga—. ¿No duele?

—No —sonreía Adrian—. Te acostumbras.

—Creo que yo no —decía Zelda compasiva.

Para Zelda esto era algo extraño, ajeno, y no tenía ningún deseo de tener la experiencia. Los bebés no eran precisamente algo que deseara. Ni marido. Le gustaba muchísimo Bill, pero le había confesado a Adrian que el solo hecho de estar con ellos la ponía nerviosa. Estaban como demasiado casados. Pero al mismo tiempo, se sentía feliz por Adrian. Nadie se merecía más un hombre bueno como ella. Y a Zelda no le cabía la menor duda de que Bill era bueno. No como el hijo de puta de Steven. A éste lo había visto unas pocas veces. Iba al mismo gimnasio que ella, pero él al parecer no la había visto. Lo había visto allí varias veces y siempre con chicas distintas, siempre guapas, siempre jóvenes. Zelda habría apostado a ojos cerrados que ninguna de ellas sabía que él había abandonado a su esposa porque estaba esperando un hijo. Una o dos veces le había preguntado a Adrian si había sabido algo de él, pero ella movía la cabeza. De todos modos, éste parecía ser un tema delicado, así que había dejado de preguntar.

Esa noche Bill la llevó al trabajo, como hacía todas las noches ahora. La dejaba allí y él se pasaba una hora en su oficina mientras ella trabajaba y después ella pasaba por su oficina a buscarle. A veces se quedaban conversando un rato en su cómoda oficina. Jamás les faltaba tema de conversación, cosas que decirse, ideas que compartir, o nuevos argumentos para la serie. En muchos aspectos formaban una pareja perfecta, disfrutaban juntos en la cama y fuera de ella.

Los dos iban riendo camino del ascensor cuando ella se detuvo con una expresión rara en el rostro.

—¿Qué pasa? —preguntó él mirándola preocupado.

—No lo sé... —dijo apoyándose en él, sorprendida por lo que había sentido. El vientre se le había puesto duro como una roca, se sintió como si la hubieran apretado en un torno. Por la descripción que le habían hecho en la clase de Lamaze sabía lo que era—. Creo que acabo de tener una contracción —dijo con expresión asustada. Él la rodeó con un brazo. Ahora se sentía bien. Se había ido tal como había venido, pero le miró aterrada.

—Trabajas demasiado —le dijo él—. Tienes que bajar un poco el ritmo de trabajo, o el bebé nacerá prematuro.

—No puedo hacerlo. No estoy preparada. —La habitación para el bebé estaba casi lista, pero su mente aún no estaba preparada para lo que tenía que pasar—. Quiero disfrutar de las Navidades antes.

—Entonces deja de echar los bofes trabajando —la reprendió él—. Diles que no puedes continuar con el informativo de la noche. Lo comprenderán, demonios, si estás de ocho meses.

No estaba muy segura de volver después. Iba a usar su permiso de maternidad para decidir si deseaba trabajar con Bill. Aún le atemorizaba un poco depender tanto de él.

Durante el viaje a casa tuvo otras dos contracciones. Cuando llegaron él le sirvió vino blanco en un vaso pequeño e insistió en que se lo bebiera. Milagrosamente se detuvieron las contracciones y ella pareció encantada. Se había llevado un susto de muerte al pensar que ya iba a tener el bebé.

—Vaya si funcionó esto —comentó.

—Por supuesto —dijo él satisfecho consigo mismo y la besó. Entonces por un momento pareció arrepentido—. Tal vez no deberíamos volver a hacer el amor. —Se le ocurrió pensar que quizá su falta de control de la tarde había provocado las contracciones.

—La doctora no dijo nada al respecto. Y yo creo que éstas fueron sólo esas contracciones de precalentamiento para preparar las cosas.

—Cuantas más tengas ahora más fácil resultará.

—Bueno, pues entonces volvamos a hacer el amor —dijo ella acabándose el vino y sonriéndole. Al decirlo parecía un elfo con una enorme barriga.

—Creo que eres una pervertida —bromeó él.

Lo más terrible del caso era que realmente tenía deseos de hacerle el amor. Lo deseaba en todo momento. ¿Cómo era posible tener fantasías sexuales con una mujer embarazada de ocho meses? Pero descubría que la amaba más cada día, y en cierto modo le parecía encantadora así como estaba. Era muy vulnerable, muy bella y muy mimosa. Se inclinó y la besó, pero se las arregló para defenderse cuando ella intentó ponerse sexy.

—Si sigues con esto, Adrian, vas a tener trillizos.

—Vaya ocurrencia —dijo ella, pero recobró la sobriedad tan pronto pensó en el parto—. Apuesto a que debe doler eso.

—Lo ves, agradece que sólo vas a tener uno.

Se hizo un gran silencio en la oscuridad, y entonces ella le susurró:

—¿Te imaginas si fueran mellizos y no se han dado cuenta?

—Créeme, con las técnicas actuales ya lo sabrían.

Todo le causaba preocupación a Adrian; cada noche hacía al menos diez viajes a la habitación para el bebé, lo revisaba y comprobaba todo, doblaba las camisitas, contemplaba los pequeños gorritos y escarpines, los pijamitas. Él se conmovía al verla así, y más de una vez se sorprendía pensando en lo estúpido que había sido Steven al renunciar a todo esto. Para Bill esto significaba mucho, para Steven nada.

Bill había empapelado la habitación en fondo blanco con estrellitas celestes y rosadas y un arco iris celeste y rosa por toda la orilla. Guardó la cama con doseles en un cuarto trastero que tenía en el sótano y juntos compraron muebles apropiados para el bebé a comienzos de diciembre. Cuando faltaba una semana para Navidad todo estaba preparado. Compraron un árbol de Navidad y lo decoraron con adornos anticuados, arándanos y palomitas de maíz.

—Ay, si los niños pudieran ver esto —dijo él orgulloso.

El arbolito era hermoso y el apartamento estaba bonito y festivo. Los niños habían ido a esquiar a Vermont. Adrian y Bill habían hablado varias veces con ellos antes de que se fueran, pero para él no sería lo mismo pasar las Navidades sin ellos. Vendrían en febrero, para las vacaciones de primavera. Ese arreglo resultaría perfecto porque si el bebé nacía a su tiempo tendría ya tres semanas cuando vinieran, y Adrian estaría más o menos repuesta, aparte de las noches sin dormir. Había decidido amamantar ella al niño, de modo que iban a ponerlo en una cunita junto a la cama para que no tuviera que levantarse cada vez que el bebé estuviera hambriento.

Adrian se tomó un día libre para finalizar sus compras de Navidad. Tendrían doble fiesta. El uno de enero Bill iba a cumplir cuarenta años. Le compró un hermoso reloj de oro en Cartier de Rodeo Drive. Le costó una fortuna, pero valía la pena. Era algo que podría usar durante el resto de su vida; lo habían diseñado según el modelo de uno que habían hecho para un sultán en los años veinte. Lo llamaban, apropiadamente, El Pachá. Sabía que a él le gustaría. Para regalo de Navidad le compró un teléfono portátil que se doblaba y quedaba como una cajita del tamaño de una maquinilla de afeitar. Era un instrumento perfecto para él, que deseaba estar siempre accesible cuando le llamaban de la serie. Allí pasaban angustiándose cuando no lograban ubicarlo. También le había comprado otras cosas, un suéter nuevo, un frasco de colonia, un libro sobre películas antiguas que había estado viendo, un televisor pequeñísimo que podría usar en el cuarto de baño o en el coche si tenía que ir a algún sitio y quería ver su serie. Se lo había pasado en grande comprando regalos para él. Juntos habían comprado también regalos para los niños: un par de esquíes para cada uno y botas. Se los enviaron con bastante antelación para que los recibieran en Navidad. Era la primera vez que Tommy tendría su propio equipo. Los dos niños eran excelentes esquiadores. Ella les había enviado su propio regalo, hermosas parcas para esquiar y un juego electrónico para cada uno. Podrían jugar con ellos en el coche el próximo verano, cuando salieran todos juntos para las vacaciones largas. Esta vez ya habían decidido ir a Hawai y alquilar una casita allí para pasar el mes. Ninguno se sentía demasiado entusiasmado por otro viaje al largo Tahoe de camping.

Faltaban tres días para Navidad y Adrian se dedicó a hacer los paquetes. Quería tenerlos hechos antes de que llegara Bill. Esa noche iban a ir a la fiesta de Navidad que cada año celebraba en el estudio de Bill todo el personal de la serie, y deseaba alcanzar a esconder todos sus regalos. Había escondido la mayoría en la cunita, cubiertos con el edredón. Sonreía sola al envolver el pequeño teléfono. Le iba a encantar, lo sabía, él no había querido comprárselo por no ser derrochador. Era agradable poder mimarle. Al terminar su tarea, decidió ir a buscar la correspondencia. Se sorprendió al ver un sobre del Ayuntamiento. Lo abrió sin pensarlo dos veces y lanzó una exclamación al ver los documentos.

El día veintiuno de diciembre se había hecho definitivo su divorcio. Ya no estaba casada con Steven y aunque él no podía quitárselo, había manifestado su preferencia porque ella no siguiera usando su apellido. También venían los documentos en los que él renunciaba a sus derechos de paternidad sobre su hijo aún no nacido. Legalmente ya no era su hijo. Era de Adrian y punto. El bebé no tenía padre legal y su apellido no figuraría en el certificado de nacimiento, como le había explicado el abogado el verano pasado. Se sentó y se quedó largo rato contemplando los papeles. Comenzaron a brotarle lágrimas y a correrle por las mejillas. Era estúpido sentirse apenada a estas alturas, se dijo a sí misma. No era ninguna sorpresa, lo esperaba. Pero le dolía de todas maneras. Era el rechazo definitivo, decisivo. Un matrimonio que había comenzado con esperanzas y amor terminaba en rechazo total. La había rechazado totalmente, incluido su bebé.

Sosegadamente guardó los papeles en un cajón del escritorio de Bill. Él había compartido de buena gana con ella todo lo que tenía, su corazón, su espacio, su apartamento, su vida, su cama, y hasta estaba pronto a hacerse cargo de su bebé. Era sorprendente la diferencia que había entre los dos hombres. Eran opuestos en todos los aspectos, y sin embargo ella aún se sentía triste por Steven, aún deseaba que él se hubiera avenido a preocuparse del bebé.

Bill llegó a casa cuando ella se estaba vistiendo para la fiesta y, como de costumbre, presintió que algo había sucedido. Pensó que volvía a estar asustada por lo del bebé, últimamente andaba loca de inquietud y angustia pensando si iba a nacer normal el niño. En las clases de Lamaze le habían dicho que todas estas preocupaciones eran normales, y que no había por qué interpretarlas como premoniciones de algo terrible.

—¿Has vuelto a tener contracciones? —le preguntó notando que estaba alterada por algo.

—No, me encuentro bien —dijo ella, pero entonces decidió no andarse con rodeos. Nunca lo hacía con él. De todas maneras, él la conocía demasiado bien—. Hoy llegaron los papeles de mi divorcio. Y los de la renuncia de los derechos de paternidad. Todo es oficial.

—Podría felicitarte, pero no lo haré —dijo él mirándola con atención—. Sé lo que se siente. Aun cuando lo esperas, es como una especie de *shock*. —La rodeó tiernamente con sus brazos y la besó. Volvieron a llenársele los ojos de lágrimas—. Lo siento, cariño. Un momento como éste no es nada agradable. Pero algún día todo será sólo un recuerdo y ya no importará.

—Eso espero. Me sentí fatal al recibirlos... No sé... fue como cuando cateas los exámenes en el colegio, como saber de verdad que la has fastidiado.

—No lo has fastidiado tú, sino él —le recordó, pero ella se sentó en la cama y sorbió por las narices.

—Me siento como si hubiera hecho algo malo... quiero decir... para que él no quisiera el bebé, debo de habelo llevado muy mal.

—Por lo que me has contado, creo que de ninguna manera habría sido diferente. Si el hombre tuviera un mínimo de humanidad ya habría vuelto —no era necesario recordarle que no lo había hecho. Ni siquiera había querido reconocerla cuando se encontraron en el restaurante en octubre. ¿Qué clase de hombre haría eso? Un verdadero hijo de puta, un egoísta, se respondió en silencio Bill—. Tienes que olvidarlo, dejar todo esto atrás.

Ella asintió con la cabeza, sabía que él tenía razón, pero era muy difícil de todas maneras.

Esa noche en la fiesta de Navidad de la oficina estuvo

más bien callada. Todo el mundo estaba muy animado, todos algo bebidos, y de pronto ella se sintió gorda, incómoda, deprimida y fea. Lo estaba pasando mal y Bill se marchó temprano para llevarla a casa. Notaba que ella no lo estaba pasando bien y los demás no la echarían en falta. Comprenderían. Y si no comprendían, Adrian era su principal preocupación. Cuando se fueron a acostar, ella estaba con contracciones nuevamente y, por una vez, no manifestó el menor interés en hacer el amor.

—Ahora veo que estás realmente deprimida —bromeó él—. Podría ser ya el momento. ¿Quieres que llame a la doctora?

Fingía estar preocupado y logró hacerla reír, pero ella continuó triste cuando ya estaban acostados. El bolso con las cosas para el bebé ya estaba preparado, y cubierto de encajes, en un rincón de la habitación, llegar y cogerlo. Faltaban sólo dos semanas para la fecha de término y aún estaba nerviosa por esto. Hasta ahora, las clases de Lazame no habían logrado tranquilizarla, aun cuando la información recibida era abundante y útil. Pero las realidades del parto aún la aterraban. No obstante esa noche no pensaba en ello sino en Steven y en su divorcio, y en el hecho de que el bebé no tenía padre.

—Tengo una idea —dijo él sonriendo—. No es algo de lo más habitual, pero tampoco es tan inapropiado. Casémonos para Navidad. Eso nos da tres días para hacernos los análisis de sangre y sacar la licencia. Creo que eso es lo que tarda. Eso y unos diez dólares. Creo que hasta puedo reunir el dinero. —La miraba tiernamente y aunque bromeaba la proposición iba en serio.

—Eso no está bien —dijo ella tristemente.

—¿Qué? ¿Lo de los diez dólares? —dijo intentando mantener las cosas alegres—. Bueno, si es más, de alguna manera los conseguiré.

—No. Lo digo en serio, Bill. No es correcto que te cases conmigo por lástima. Tú te mereces algo más, como también Adam y Tommy.

—Veamos, por favor —se echó en la cama y gimió—. Hazme el favor, no me salves de mí mismo. Soy un chico mayor y sé lo que hago, y se da el caso de que te amo.

—Yo también te amo —dijo ella pesarosa—. Pero no es justo.

—¿Justo con quién?

—Contigo ni con Steven ni con el bebé.

—¿Te importaría explicarme por qué retorcidos y neuróticos caminos has llegado a esa conclusión? —Había momentos en que le exasperaba, especialmente ahora. Se preocupaba por tantas cosas y se sentía tan obligada a ser justa con todo el mundo... con él... con el bebé... y hasta con el puerco de Steven.

—No voy a permitir que te cases conmigo por coacción, pensando que me debes algo, o que tienes la obligación de ayudarme, o para que el bebé tenga padre. Cuando te cases, tendrá que ser porque lo deseas, no porque tienes que hacerlo, o piensas que se lo debes a alguien.

—¿Alguien te ha dicho alguna vez que estás loca? Sexy... hermosa... piernas fabulosas... pero loca de remate. No te pido que te cases conmigo porque sienta alguna obligación. Se da el caso de que estoy enamorado de ti como un loco, y ya hace seis meses que estoy enamorado, ¿o es que no lo has notado? Vamos a ver, yo soy el tío con el que vives desde el verano pasado, el tío a cuyo hijo salvaste y cuyos hijos, en plural, creen que eres capaz de caminar sobre el agua.

Ella pareció complacida al escuchar lo que le decía, pero continuó moviendo la cabeza.

—Sigue no siendo correcto.

—¿Por qué?

—No es justo con el bebé.

Entonces él la miró casi con dureza. Ya había escuchado este argumento antes y no le gustaba nada.

—¿O tal vez quieres decir en realidad que no es justo con Steven?

Ella dudó durante un momento y luego asintió. Sentía también una obligación de salvarle de sí mismo.

—Él no sabe a lo que renuncia. Tiene que tener una oportunidad para entender esa decisión, de pensarla con claridad, una vez que nazca el niño, antes que yo continúe con mi vida y lo deje fuera para siempre.

—Al parecer la ley no está de acuerdo contigo. Han aprobado esos documentos, Adrian. Él ya no tiene ningún derecho sobre ese bebé.

—Legalmente, tienes razón. Pero ¿y moralmente? ¿Puedes decir eso?

—Oh, Dios, ya no sé qué decirte. —Se bajó de la cama y comenzó a pasearse por la habitación, mirándola y casi tropezó con la blanca cesta del bebé—. Sólo sé una cosa. Me he jugado entero por ti... mi corazón... los cojones... lo que se te ocurra. Y lo he hecho porque te quiero, a ti y al bebé. Y no necesito esperar a verlo, a comprobar cómo es, para decidir si es mono o no, ni tomarme la temperatura emocional el día que nazca. Él es y tú eres y yo soy, y nosotros somos exactamente lo que siempre he deseado. Te digo que deseo casarme contigo, para bien o para mal, en la salud y enfermedad, para siempre. Eso es todo lo que deseo, tú y yo para siempre. Y durante los últimos siete años me he sentido demasiado asustado como para ofrecerle eso a nadie. Demasiado asustado como para permitirme pensarlo siquiera. Porque, como ya te he dicho, no quería volver a encariñarme así, ni tener a una mujer que me abandone y se lleve mis hijos. Este bebé no es mío, es de él, como te pasas la vida diciéndomelo, pero lo quiero como si fuera mío, y no deseo perderlo. No quiero jugar contigo. No quiero sentarme aquí a esperar hasta que él regrese y se lleve todo lo que he llegado a amar. No creo que lo haga, de todos modos, y también te lo he dicho. Pero no me voy a quedar aquí sentado con mi puerta abierta para siempre, en espera de que él recupere la razón o se harte de jovencitas y vuelva a ti y al bebé. Por lo que a mí respecta, Adrian, él no te merece. Pero si él desea volver contigo y tú con él, más vale que os decidáis pronto. Yo deseo que continuemos nuestra vida, deseo casarme contigo, y deseo adoptar ese bebé que has llevado dentro de ti durante nueve meses y que he sentido moverse. No me voy a sentar aquí con mi corazón abierto para siempre. Así es que si quieres hablar de justicia, hablemos de ello. ¿Qué es justo? ¿Cuánto tiempo es justo? ¿Cuánto tiempo se supone que debo ser justo con Steven?

—No lo sé.

Estaba muy impresionada por todo lo que le acababa de decir, le amaba más que nunca. Sintió deseos de acercársele, pero seguía pensando que había que esperar. Aunque él tenía razón también. No era justo hacerlo esperar toda la vida.

—¿Qué te parece justo a ti? ¿Un mes? ¿Un año? ¿Te parece darle un mes después que nazca el niño y asegurarte mediante sus abogados de que él aún no desea ningún contacto con el bebé? ¿Te parece razonable eso? —Trataba de ser justo también, pero ella lo estaba sacando de quicio.

—Yo no voy a volver con él —le explicó ella.

En su mente ya no le cabía la menor duda de eso. Pero Bill a veces no estaba tan seguro. Aún se inquietaba cuando ella hablaba de ser justa con Steven. Además, las mujeres eran muy especiales a veces con los hombres padres de sus hijos, les mostraban más comprensión, les daban más libertad y tiempo. No sucedía así con los hombres, los cuales nunca podían estar absolutamente seguros de quién eran los hijos. Pero las mujeres sí. Ellas sí lo sabían.

Y se preguntaba si Adrian se sentiría siempre ligada a Steven a través del bebé. Esperaba que no. Pero ella tampoco era capaz de contestar a eso.

—Es sólo el bebé, Bill... es sólo...

—Lo sé... lo sé y lo comprendo... pero es que me asustas a veces —se sentó junto a ella en la cama; también él tenía lágrimas en los ojos.

—Te quiero.

—Yo también te quiero —dijo ella dulcemente.

—¿Le damos un mes entonces? Un mes desde que nazca el niño. Nos comunicamos con el bastardo cuando llegue el niño, le damos un mes para que se decida, y después nos olvidamos de él para siempre. ¿Trato hecho?

Ella asintió sombríamente. La parecía razonable y era mucho más de lo que se merecía Steven. Después de todo, había firmado los papeles... renuncia... disolución. Le parecía algo así como un asesinato, y en cierto modo lo había sido. En cierto sentido, lo que le había hecho casi la había matado. Pero por otro lado, Bill la había salvado. Le estaría eternamente agradecida por ello. Le debía muchísimo más a Bill, en realidad. Sin embargo... Steven había sido su marido. Era tan espantosamente complicado. ¿A quién le debía mayor lealtad? ¿A quién le debía más? A Bill porque había estado allí por ella... y sin embargo... se odiaba a sí misma por sentirse desgarrada por sentimientos opuestos, pero así era cómo se sentía. En su corazón había sólo uno, pero en su mente había siempre dos. Ése era el problema. Pero habían acordado darle un mes después que naciera el bebé. Eso le parecía justo también a ella. Y después de eso la puerta quedaría cerrada para siempre para Steven. Por ella y por el bebé. Él no lo sabía pero ella le hacía un regalo de tiempo y de opción que él ni siquiera había deseado.

—¿Y entonces te casarás conmigo? —la presionó Bill, y ella asintió con una tímida sonrisa—. ¿Estás segura?

Ella volvió a asentir y luego bajó los ojos recatadamente y le dijo en un susurro:

—Tengo que hacerte una confesión primero.

—Mierda, ¿de qué se trata ahora? —Ya estaba a punto de volverse loco. Había sido una larga noche y estaba agotado.

—Te he mentido.

Empezaba a preocuparse al oírla hablar sin casi atreverse a mirarle.

—¿En qué?

Apenas pudo escuchar las palabras que le dijo susurrando:

—Es que en realidad no soy virgen.

Hubo un largo silencio y entonces él la miró ceñudo con expresión de inmenso alivio y ella ahogó una risita.

—¡Guarra! —le gruñó.

Entonces, a pesar de sí mismo y del remordimiento que sabía iba a sentir después, le hizo el amor nuevamente y luego se durmieron pacíficamente, abrazados, hasta la mañana siguiente.

25

Adrian tuvo fiesta el día de Navidad y se quedaron hasta tarde en la cama, dormitando y abrazados. A las nueve y cuarto sonó el teléfono. Eran Adam y Tommy que llamaban desde Stowe, donde se encontraban esquiando con su madre. Ambos estaban animados y entusiasmados. Después que colgaron los niños, Adrian sonrió y le deseó feliz Navidad a Bill. Ambos saltaron de la cama y fueron a sus respectivos escondites para volver a a la cama cargados de regalos envueltos en brillantes colores. A Bill se los habían envuelto en las tiendas, y Adrian había envuelto los suyos con la misma pericia con que cocinaba. Pero a él le encantaron todos los regalos. Se volvió loco con el televisor y el teléfono. Se puso inmediatamente el suéter bajo una chaqueta de béisbol en cuero rojo que Adrian le había comprado hacía sólo dos días durante un paseo por Melrose.

Ella también quedó encantada con lo que él le regaló. Le había comprado un traje verde de ante en Giorgio, para después que tuviera el bebé, un bolso Hermes, el bonito caimán negro «Kelly» que ella había admirado con codicia cada vez que pasaba por el escaparate, libros, un par de divertidos zapatos rosa con adornos de sandías, tres preciosas batas de levantarse y un camisón para cuando tuviera el bebé. Le había comprado todo tipo de chucherías: un llavero de oro, una pluma antigua, un reloj Mickey Mouse que a ella le encantaba y un libro de poemas que decía todo lo que ella sentía por él. Cuando terminó de abrir sus paquetes estaba llorando, y él se sintió muy complacido ante su reacción. Entonces él volvió a desaparecer y volvió con una pequeña cajita envuelta en papel turquesa atada con una cinta blanca de satén.

—No. No más —dijo escondiendo la cara en los guantes de cuero negro que le había comprado en Gucci. Llevaban unos pequeños lacitos rojos preciosos—. Bill, no puedes...

—De acuerdo —sonrió él—. No lo haré ni lo he hecho. Pero ¿por qué no abres tú éste?

Pero de sólo mirarlo tuvo miedo. Su instinto le dijo que éste era algo grande.

—Vamos... no seas tan cobarde...

Lo abrió con dedos temblorosos y se encontró con una pequeña cajita de cartón del mismo color azul turquesa del papel. Tiffany rezaba el nombre sobre la cajita. Adentro había una pesada cajita de ante negro. Lenta, muy lentamente la abrió y se quedó sin aliento. Era un anillo de diamantes, en brillantes pequeñitos. Ella se sentó y se quedó contemplándolo maravillada.

—Vamos, tonta —dijo él quitándoselo delicadamente—. Póntelo, a ver si te queda bien—. Él sabía que tenía las manos algo hinchadas y había estado calculando cuál sería su medida, pero cuando se lo deslizó en el dedo le quedaba perfectamente.

—Dios mío... oh, Bill... —se quedó sentada mirándole con incredulidad mientras le resbalaban lágrimas por las mejillas—. Es tan hermoso pero...

Ya le había dicho hacía unos días que aún no estaba preparada para casarse. Y éste era un precioso anillo de bodas, de esos que algunas afortunadas reciben a los veinte años de matrimonio. Pero la serie había recibido otro premio más, y ella sabía que aunque él se mostraba discreto al respecto, estaba ganando una fortuna y podía permitírselo.

—Pensé que tenías que aparecer respetable cuando fueras al hospital. De modo que en realidad es un anillo de compromiso, y me pareció que era mejor esto que una piedra grande —le dijo tímidamente mirándola—, y de esta forma, parece de casada. Si quieres te compraré una sencilla alianza de oro cuando nos casemos.

Era precioso, a ella le encantó. Y le amó más aún. Era una persona increíble. Al mirar el anillo en su mano izquierda, se sintió como aturdida. Hacía dos meses que, por fin, se había decidido a quitarse su alianza de oro, porque se le había quedado pequeña para sus manos hinchadas y, a pesar de su estado, ya no le parecía apropiado llevarlo.

—Dios mío, Bill, es maravilloso.

—¿De verdad te gusta? —Él parecía tan complacido y ella se sentía tan conmovida por todo lo que había hecho por ella.

—¿Bromeas? Sí me gusta. Lo adoro —sonrió y se volvió a recostar en la cama luciendo el anillo con amplia sonrisa, fijándose en todo el brillo que despedía—. Voy a impresionar de muerte a las enfermeras cuando tenga el bebé.

—Es curioso —dijo él observándola con los ojos entrecerrados—, no das la impresión de estar de novia. —Le dio unos golpecitos en la barriga y sintió los golpes del bebé—. Debe de ser una niña —añadió feliz.

—¿Por qué? —dijo ella aún contemplando el anillo. No podía creérselo.

—Porque se pasa el tiempo dando patadas —dijo él pragmático.

—Tal vez desee un anillo como el de su madre —sonrió ella acercándose para besarle, doblemente contenta por haberle comprado el hermoso reloj de Cartier, que le iba a entregar el día del Año Nuevo, para su cumpleaños. En él se le había ido buena parte de sus beneficios por la venta de la casa, pero lo valía. El resto del dinero lo iba a ahorrar para el bebé. Bill ya le había dicho que él quería pagar la factura del hospital, pero ella había insistido en que no se lo permitiría.

—¿Estás segura de que no quieres reconsiderarlo y casarte inmediatamente? —le preguntó él esperanzado.

Aún intentaba convencerla. Si no otra cosa, esto al menos significaría poner su apellido en el certificado de nacimiento del bebé, lo cual era mucho mejor que el «padre desconocido», única opción que tenía ahora, o dejar el espacio en blanco, como había sugerido el abogado. Aunque si ella y Bill se casaban, siempre podrían arreglarlo y poner después su apellido. Su expresión era trise al mirar a Bill. No deseaba herir sus sentimientos.

—Creo que debemos esperar.

Habían acordado que se casarían en febrero, como fecha máxima, si todo iba bien y Steven no lo alteraba todo cambiando de opinión respecto al niño. Era un periodo de gracia, que Bill seguía considerando Steven no se merecía. Pero ella, por lo visto, aún pensaba que Steven atravesaría volando las puertas de la sala de partos tan pronto el niño naciera. Por otra parte, Bill estaba convencido de que Adrian recuperaría el buen sentido y vería las cosas de modo más realista una vez que naciera el bebé. De momento aún necesitaba la fantasía de que Steven lamentaría su renuncia al bebé. Tal vez era su forma de protegerse de la triste realidad de que a Steven no le importaban ni ella ni el bebé.

Pasaron una tarde tranquila. Él preparó la cena esa noche, un pavo en que estuvo trabajando toda la tarde mientras ella reposaba y hacía la siesta en el sofá, aún en su dedo el hermoso anillo que él le regalara por la mañana.

Zelda le hizo comentarios sobre el anillo al día siguiente, cuando llegó al trabajo. Era imposible no verlo, y los ojos de la pelirroja se abrieron enormes cuando lo vio.

—¡Guau! ¿Te has casado este fin de semana?

—Nanai —rió misteriosamente Adrian—. Comprometido —dijo riéndose de sí misma. Se veía tremendamente embarazada como para imaginar un simple compromiso.

—Todo un anillo —dijo admirada Zelda.

—Todo un hombre —añadió Adrian, y regresó a la sala de informativos para hablar con un redactor.

El resto de la semana lo pasó atando cabos sueltos y explicando a Zelda sus proyectos. Dentro de dos semanas iba a tomarse sus vacaciones y se le hacía una tarea imposible dejar todo bien atado antes de irse. A media semana, alguien de la serie de Bill se comunicó con ella para decirle que habían programado una fiesta sorpresa para su cuarenta cumpleaños. Deseaban su colaboración para traerle a la fiesta. Adrian se sintió feliz y entusiasmada. Él cumplía años el día de Año Nuevo y la fiesta iba a ser ese día por la tarde, allí mismo en el plató, con banda de música. Iban a estar presentes todos los actores del reparto, antiguos y actuales, además de todos los amigos a quienes lograran comunicárselo. A Adrian le pareció fabuloso. Apenas pudo contenerse durante la Noche Vieja para no revelar el secreto.

Celebraron la Noche Vieja con una cena en Chasen's, fiesta para un pequeño grupo ofrecida por un escritor amigo de Bill. Después de la cena se fueron a casa; Adrian estaba muerta de sueño. Bill había bebido bastante pero no estaba borracho. Llegaron a casa recién pasada la medianoche y Bill se metió en la cama tan pronto se desvistió y ya estaba medio dormido cuando ella se acostó a su lado.

—Feliz Año Nuevo —susurró ella y él sonrió—. Y feliz cumpleaños.

Ella estaba pensando en la fiesta del día siguiente, pero

él estaba dormido antes que ella terminara las palabras. Le miró y se inclinó para besarle. Era dulce, bueno con ella y ella le amaba. Se quedó allí, acostada, despierta durante un rato, cansada, pero no con tanto sueño como hacía una hora. De pronto, cuando estaba allí echada, sintió un fuerte golpe y una rigidez que se extendía desde el pecho hasta los muslos, tan intensa que casi no podía respirar; pero no le dolía. Debe ser otra tanda de práctica, se imaginó. Ya casi se había acostumbrado a las contracciones de precalentamiento. Generalmente, ocurrían los días muy ajetreados, o cuando estaba muy cansada, y ya no le preocupaban. Siguió tendida tranquilamente durante un rato; entonces sintió otra rigidez y luego otra. Decidió probar alguno de sus trucos sin molestar a Bill. Fue a la cocina y se sirvió un vaso de vino, bebió un sorbo. Pero esta vez no detuvo las contracciones. A las tres de la mañana las contracciones venían con regularidad, pero ella aún pensaba que no eran las verdaderas, de modo que apagó la luz e intentó dormir, pero cada vez que venía una contracción la despertaba, así que finalmente, después de darse vueltas hacia uno y otro lados, Bill se despertó y le preguntó qué pasaba.

—Nada —murmuró ella—. Son esas estúpidas contracciones.

Él abrió un ojo en la oscuridad y la miró allí acostada junto a él.

—¿Parece como si fueran las contraccions definitivas?

—No.

Le causaban molestias, pero ella sabía que esto sólo se debía a que estaba cansada; estaba segura de que no estaba en el trabajo del parto. Faltaban aún dos semanas para la fecha de término de embarazo, y no había ningún motivo para que el bebé naciera antes. El día anterior había visto a la doctora, y tampoco ella había visto nada especial, aunque le había explicado que el bebé ahora estaba a término y que podía venir en cualquier momento, desde ahora hasta pasadas dos semanas después de la fecha prevista.

—¿Cuánto tiempo llevas con contracciones? —murmuró Bill dándose la vuelta hacia su lado de la cama.

—No lo sé... unas tres o cuatro horas —ya eran casi las tres y media.

—Prueba con un baño caliente.

Ésa era otra de sus recetas mágicas, pero ésta también daba resultados. La había probado varias veces cuando tenía contracciones y siempre las detenía. La doctora les había dicho que cuando fueran las contracciones verdaderas nada las detendría, ni el vino, ni los baños calientes ni ponerse cabeza abajo. Cuando el niño quisiera venir, vendría. Le fastidiaba bajarse de la cama ahora sólo para detener las contracciones.

—Vamos —le dijo Bill animándola con un codo—, inténtalo para que puedas dormir.

Al poco rato ella se arrastró laboriosamente hacia el cuarto de baño; Bill sonrió al verla andar como un pato; luego se quedó dormido oyendo el ruido del agua al caer en la bañera. Le pareció que habían transcurrido horas cuando se volvió a despertar al sentirla a su lado de nuevo. De pronto notó que se ponía rígida y hacía un sonido extraño. Esto le despejó completamente; se incorporó para mirarla y vio que tenía el rostro tenso, que todo el cuerpo se le ponía rígido y se aferraba a él.

—Cariño, ¿te sientes bien?

Encendió la luz. Se inquietó al mirarla y ver las gotas de sudor que le surcaban la frente. El baño, ciertamente, no había detenido las contracciones. Entonces sonrió al ver que se relajaba, pero había miedo en sus ojos. Le tomó la mano entre las suyas y le besó los dedos.

—Creo que nuestro amiguito desea celebrar el Año Nuevo con nosotros. ¿Qué te parece, cariño? ¿Llamo a la doctora? —Para él era evidente que estaba en el momento del parto.

—No... —dijo ella aprentándole la mano otra vez—. Estoy bien... de verdad... ¡oh, no! —gritó de repente—. No, no estoy bien... ¡oh, Bill!

Le aferró la mano y se la apretó fuerte, olvidando todo lo que le habían enseñado sobre la respiración. Él se lo recordó y ella jadeó durante la contracción. Para él estaba absolutamente claro que no tenían tiempo que perder. Era el momento de ir al hospital; ella estaba en medio de los dolores. La ayudó a incorporarse; ella retuvo el aliento, luego se dirigió hacia su armario con expresión aturdida. Se sentía cansada y asustada, estaba comenzando a temblar. Un minuto después cerró el armario y volvió con expresión de terror. Inmediatamente él corrió hacia ella y la ayudó a sentarse en una silla, pero ella no era capaz de hablar, tenía otra contracción. Sentada allí, luchando por respirar recordó la agonía de la mujer de la película. Pero le parecía que esto era aún peor. No podía recuperar el aliento y de pronto los dolores venían uno tras otro.

—No te muevas... tranquila... tranquila... continúa respirando.

Él se dirigía a ella pero también a sí mismo; corrió al armario y sacó un enorme vestido premamá. La ayudó a quitarse la bata y le metió el vestido por la cabeza; luego le buscó un par de zapatos.

—No puedo ir así —dijo ella entre dolores.

Él había sacado el peor de sus vestidos.

—No importa, estás preciosa.

Se puso rápidamente unos tejanos, un suéter y un par de zapatillas Docksiders que tenía debajo de la cama, observándola en todo momento mientras llamaba a la doctora. Ésta le prometió encontrarse con ellos en el hospital dentro de media hora. Enseguida ayudó a Adrian a levantarse lentamente de la silla; antes de que hubieran salido de la habitación ella tuvo otra contracción, terrible esta vez. Él ya estaba pensando si no sería más conveniente llamar una ambulancia, tal vez habían esperado demasiado, pero estaba resuelto a no darle el gusto de tener el bebé en casa, así que intentó animarla para que anduviese con él tan pronto pasó la contracción. Ya había cogido el bolso para llevar al hospital. Casi habían llegado a la puerta de la calle cuando ella tuvo otra contracción. Avanzaban con lentitud, y ella se puso a llorar con esta última contracción.

—Todo va bien, cariño, todo va bien. Estaremos en el hospital dentro de pocos minutos y te sentirás mejor.

—No —lloró ella, aferrándose a él por la vida—. Oh, Bill... es espantoso...

—Lo sé, cariño, lo sé, pero muy pronto habrá pasado todo y tendremos un hermoso bebé.

Ella le sonrió a través de sus lágrimas y trató de respirar pese al dolor, pero no era fácil. Aunque él tenía razón, funcionaba, hasta cierto punto, pero llegaba muy rápido a ese punto cuando no podía hacerlo.

Se les hizo eterno volver al sitio en que él había aparcado el coche, pero finalmente logró subirla a la furgoneta y lanzó el bolso del bebé en el asiento de atrás. Después condujo a la mayor velocidad posible hacia el hospital, deseando que los siguiera algún coche patrulla de la autopista. Por una vez, no le habría molestado que los detuvieran. Deseaba tener escolta policial para el caso de que ella tuviera el bebé. Pero no lo tuvo, y nadie apareció tampoco, y finalmente se encontró en la entrada de urgencias y tocó el claxon, rogando que alguien viniera en su ayuda. Un momento después apareció un asistente mientras Adrian se aferraba a él incapaz de respirar durante la contracción. La colocaron en una silla de ruedas y ella fue gimiendo durante todo el camino mientras la conducían a toda velocidad, Bill corriendo a su lado.

—No puedo... Bill... ay...

Ya no era capaz ni de hablar casi, y él notó que temblaba violentamente. Le puso su chaqueta encima e intentó distraerla.

—Sí que puedes... vamos... lo estás haciendo muy bien... bien... bien... ya casi ha pasado todo.

Sólo eran palabras, pero para ella esto era todo a lo que podía aferrarse. Él sabía que tan pronto estuvieran en la sala de partos la conectarían a un monitor y podrían ver exactamente la violencia de las contracciones, su duración cuando alcanzaban el máximo y cuando iban disminuyendo, entonces él podría decírselo cuando alcanzaban el máximo y cuando iban disminuyendo, entonces él podría decírselo cuando ya estuviera a punto de acabar la contracción. Pero ahora no tenían monitor, y todo lo que ella tenía ahora era el dolor y una sensación de terror que iba a empeorar y entonces perdería completamente el control. Ella había comenzado a pensar que iba a morir, y le dio un manotazo a Bill cuando éste trató de ayudarle a bajar de la silla de ruedas.

La doctora ya estaba allí esperándoles. Ayudó a Adrian a meterse en la cama asistida por una animosa enfermera joven que inmediatamente le cayó antipática a Adrian. Ciertamente no estaba en el mejor de sus momentos y comenzó a ponerse histérica cuando le quitaron el vestido y trataron de ponerle el ceñido cinturón del monitor. Acababa de venirle otra violenta contracción.

—Ánimo, Adrian... ésta durará un minuto solamente —le dijo la doctora ayudando a la enfermera con manos expertas, mientras Bill trataba de que siguiera respirando. Adrian lo estaba pasando fatal, y de pronto los miró sorprendida.

—Está saliendo —dijo aterrada, mirando frenética de la doctora a Bill—. Ya viene... el bebé viene.

—No —dijo la doctora tratando de calmarla. Le ordenó que jadeara mientras Bill intentaba recordarle cómo, pero Adrian chillaba y seguía insistiendo que el bebé ya salía—.

No empujes —la doctora casi le gritaba ahora, y de pronto aparecieron otras dos enfermeras en la sala. La doctora frunció el ceño al mirar el monitor y entonces le dijo a Bill mientras se lavaba las manos en el lavabo de la sala—. Las contracciones son muy fuertes... y largas... es posible que esté más avanzada de lo que creíamos.

Su voz era suave.

—Ya viene —chillaba Adrian—. Ya viene...

Lloraba desesperada y Bill sintió ganas de llorar también. No podía soportar verla sufrir, y el dolor se hizo más intenso cuando la doctora la examinó. Sintió como si una punzada de dolor se abriera camino a través de ella, y la doctora sonrió con satisfacción.

—Ya casi es el momento de empujar, Adrian... sólo unas contracciones más.

—¡No! —gritó ella luchando por sentarse, tratando de zafarse del monitor hasta que se lo quitó de la barriga—. ¡No quiero! ¡No puedo!

—Sí que puedes —le repitió la doctora mientras Bill trataba inútilmente de calmarla.

Bill se sintió enfermo al verla sufrir, retorciéndose de dolor en la cama mientras la doctora conferenciaba con las enfermeras. Era mucho peor que la película de preparación. Bill deseaba preguntarles por qué no le daban algo para el dolor, pero la doctora lo interrumpió cuando trató de decírselo.

—¿Querrías tener el bebé aquí mismo, Adrian? Vas a tener a tu hijo muy pronto. Ya veo su cabecita. Eso es... venga... puedes comenzar a empujar.

Adrian lanzó un terrible chillido y miró a Bill como suplicándole que la salvara. Una de las enfermeras colocó asideros en la cama y la otra puso estribos en el otro extremo; de pronto todo estuvo cubierto de papel azul, a Bill le pasaron un gorro de ducha y una bata verde, y toda la sala quedó transformada. Bill sujetó a Adrian por los hombros.

—Eso es... vamos... empuja fuera al bebé —la urgía la doctora, mientras Adrian seguía insistiendo que no podía. Todo su ser parecía dominado por el dolor. Bill deseaba suplicarles que le dieran algo. Ella lloraba cada vez que empujaba, mientras él la sostenía y lloraba. Pero nadie se fijó en sus lágrimas. Adrian también lloraba. Los dos lloraban. De pronto, al echarse ella hacia atrás y volver a sentarse y empujar se escuchó un largo lamento y Bill levantó la cabeza y miró sorprendido. Miró a Adrian y ella sonrió a través de sus lágrimas, luego chilló de nuevo y echó fuera el bebé cayendo agotada sobre las almohadas.

—Es un niño —anunció la doctora.

Adrian y Bill lloraban y reían a la vez. Él miró al pequeño ser, con una naricita pequeñita igual a la de su madre. Ella se esforzaba por verlo también y luego dio otro terrible chillido cuando la doctora le sacó la placenta.

—Es muy hermoso —dijo Bill con voz ronca—. Tú también —le dijo inclinándose y besándola. Ella lo miró con una mirada que nunca más volverían a compartir, una mirada y un sentimiento nacidos sólo de ese momento, pero que recordarían ambos para siempre.

—¿Está bien? —preguntó ella con voz débil.

—Es perfecto —anunció la doctora, poniéndole algunos puntos a Adrian.

Acababan de inyectarle anestesia local pero ella ni se había fijado. El pediatra residente acababa de llegar para examinar al niño. El pequeño estaba muy bien. Pesó cuatro kilos y treinta gramos, buen tamaño. Bill repetía que el niño se parecía a su madre, pero ella pensaba que se parecía a Bill, lo cual no tenía el menor sentido, pero no quiso decirlo.

Él acompañó a la enfermera que se llevó al pequeño a la maternidad mientras lavaban a Adrian. Media hora después volvió a verla. Eran sólo las cinco y cuarto. Para ser un primer hijo había nacido muy rápido. Sólo estaban en el hospital desde las cuatro y media. Pero para Adrian ese poco tiempo se le había hecho eterno.

—Lamento que haya sido tan terrible —susurró él inclinándose sobre ella, maravillado de lo diferente que se veía a unos momentos antes. La habían peinado, lavado la cara y el cuerpo y hasta se había puesto lápiz labial. Era una persona completamente diferente de la mujer histérica que chillaba de angustia.

—No fue tan terrible —dijo ella en voz baja.

Era extraño, pensó él al mirarla, de pronto le parecía más adulta. Era como si en un momento se hubiera hecho más mujer. Antes había sido una niña. En cierto modo, ella tenía razón, cuando le dijo que era virgen.

—De verdad no fue tan terrible —repitió ella feliz—. Lo volvería a hacer —sonrió y él se echó a reír. Estaba diciedo exactamente lo que él había pronosticado—. ¿Está bien?

—Es maravilloso. Te lo están poniendo todo limpio y guapo y te lo van a traer dentro de un momento.

Pocos minutos más tarde apareció una enfermera con el bebé, todo limpito y oloroso, bien envuelto en pañales y en una manta. Abrió los ojos cuando la enfermera se lo pasó a Adrian. Ambos se quedaron mirándolo maravillados. Era perfecto en todos los aspectos, un milagro más allá de todo lo que Adrian pudo soñar jamás. A Bill le recordó a Adam y Tommy, pero éste había sido diferente también. Diferente y muy especial. De pronto se sintió más unido a ella, incluso más unido que antes, como si compartieran una sola alma, un solo corazón, una sola mente... y un bebé. Como si los tres compartieran un solo latido. El bebé abrió los ojos y se los quedó mirando como si tratara de recordar si los conocía.

Adrian se volvió a echar a llorar, pero ahora las lágrimas eran de alegría. Todo en esta personita había valido la pena. Había valido el dolor, la confusión y la angustia que había sufrido. Incluso valía la pérdida de su matrimonio con Steven, y ahora se sentía doblemente contenta por no haber permitido que Steven la obligara a abortar. Este pensamiento le resultó odioso. Bill le ayudó a desenvolverlo un poquito y se lo puso al pecho. El bebé tomo el pecho enseguida y Bill sintió anegados sus ojos en lágrimas al contemplarlos. Era todo tan sencillo, tan fácil, tan como se suponía que había de ser la vida. Dos personas que se amaban y los hijos que entraban en sus vidas como pequeñas bendiciones.

—¿Cómo le llamaremos? —le susurró ella.

—Yo he pensado que Thigpen sería fenómeno. Aunque es un nombre feo.

—Bueno pues, resulta que a mí me gusta —dijo ella tiernamente. Jamás olvidaría todo lo que había hecho por ella, cómo había estado presente desde el principio al fin, y se imaginaba cómo habría sido todo para ella sin él. El equipo médico le parecía mucho menos importante—. El próximo lo voy a tener en casa —declaró.

—Por favor... —gimió Bill—. ¿Puedo recuperar el aliento? Todavía no son ni las seis de la mañana.

Pero se sintió feliz de oírle decir «el próximo». Ella le sonrió y entonces recordó que era Año Nuevo y que era su cumpleaños.

—Feliz cumpleaños —le dijo inclinándose y besándolo mientras el bebé los observaba. Hacía unos ruiditos con la nariz de tanto en tanto pero se lo veía muy a gusto entre ellos.

—Esto es todo un regalo —dijo él. Había sido una hermosa forma de cumplir los cuarenta, un recordatorio de cuán preciosa es la vida, cuán sencilla y especial. El regalo de un bebé de la mujer que amaba. Perfecto—. ¿Y que te parecería Teddy?

Ella lo pensó durante un minuto y luego propuso:

—¿Y no te gustaría Sam?

Él asintió, mirándolo. Era un precioso niño y le nombre le venía bien.

—Me encanta. Sam Thigpen.

Entonces la miró, no deseando hacer preguntas. ¿Iba a ser Sam Thigpen, o Sam Townsend, o Sam Thompson, con su apellido de soltera? Pero era demasiado pronto para preguntarle.

Bill la acompañó hasta las ocho de la mañana y entonces se marchó a casa a ducharse, afeitarse y tomar el desayuno. Le prometió estar de regreso antes de mediodía y le aconsejó que tratara de dormir también. Cuando salió de puntillas de la habitación se volvió una vez para mirarlos, el bebé durmiendo en los brazos de su madre, los dos tan sosegados y amados. Por primera vez en mucho tiempo se sintió pleno y en paz, completamente feliz.

26

Hacía una hora que se había marchado Bill cuando Adrian volvió a despertar. El bebé todavía dormía, pero las enfermeras entraron a comprobar cómo se encontraba ella. Estaba bien, aún sentía pequeñas contracciones. Pero por lo visto todo estaba perfectamente. Se quedó acostada tranquilamente durante un buen rato, pensando, después que se fueron las enfermeras. Había dos llamadas que tenía que hacer, y le pareció que éste era el mejor momento para hacerlas. Se sentía como cargada eléctricamente, acostada allí mirando a su bebé. Era el día más emocionante de su vida, el momento más feliz y en cierto modo deseaba compartirlo.

Llamó a Connecticut primero, le resultaba difícil llamar, pero las buenas novedades la hacían algo mejor.

—¿Por qué no me lo dijiste? —le preguntó su madre, impresionada por la noticia de que tenía un nieto sin haberse enterado de que Adrian estuviera embarazada— ¿Acaso no es normal? —esto fue lo único que se le ocurrió pensar como motivo de que no se lo hubiera dicho.

Pero esto era lo típico en el tipo de relación que Adrian tenía con sus padres desde hacía un tiempo. Desde que se casara con Steven. Sus padres no disimulaban en lo más mínimo el hecho de que no les gustaba. Habían tenido razón tal vez, pero esto había dañado permanentemente su relación con su hija.

—Lo siento, mamá. Las cosas estaban algo complicadas aquí. Steven me dejó en junio. Y... yo pensaba que volvería y no quise darte la noticia hasta que volviera... supongo que fue algo muny tonto...

—Supongo —dijo y hubo entonces un largo silencio—. ¿Te va a pagar alguna pensión alimenticia?

A Adrian le pareció muy raro que eso fuera todo lo que se les ocurriera pensar.

—No, no pedí nada.

—¿Te va a causar problemas por la custodia del bebé?

—No.

Decidió ahorrarles los detalles del asunto, así como también resolvió no decirles nada acerca de Bill. Su madre pensaría que habría tenido una aventura con él y que ése sería el motivo de que Steven la dejara. Había tiempo de sobra para contarle los detalles más adelante. Adrian la había llamado sólo para comunicarle el nacimiento de su hijo.

—¿Cuánto tiempo estarás en el hospital?

Su madre era terriblemente prosaica, era muy difícil tener intimidad con ella, incluso ahora que ella también era madre.

—Puede que mañana —no estaba segura—. Dentro de un par de días. Aún no lo sé.

—Te llamaré cuando estés en casa. ¿Tienes aún el mismo número?

Ya lo decía todo el hecho de que tuviera que preguntarle, pero por extraño que pareciera, era normalmente Adrian quien la llamaba.

—Sí. —Había hecho instalar su teléfono en casa de Bill cuando dejó la casa. En esos momentos era más fácil hacer eso que dar explicaciones—. Yo te llamaré, mamá.

—Bueno... y felicidades... —la voz de su madre sonaba como si aún no supiera muy bien cómo tomárselo. Su padre no estaba en casa. En cierta forma le entristecía llamarlos, pero al menos había cumplido con su deber.

La siguiente llamada era aún más difícil. Su abogado le había dado su número sin darse cuenta, pero le había sugerido que no intentara utilizarlo. Sacó su libreta del bolso y sujetando al bebé con el brazo izquierdo marcó el número. Al hacerlo miró a Sam. Era tan hermoso, tan dulce y pacífico. Era todo lo que ella había deseado que fuera y mucho más. Sólo tenía cuatro horas de edad y ya sentía como si lo hubiera conocido desde siempre.

—Hola —sonó la voz familiar en el teléfono. Hacía meses que no escuchaba su voz y repentinamente se sintió violenta.

—Hola... Steven... soy Adrian. Siento llamarte.

Hubo un largo silencio, él no decía nada. No podía imaginarse por qué le llamaba ni cómo había conseguido su número que no aparecía en el listín.

—¿Por qué me llamas? —le hablaba como si ella no tuviera ningún derecho a hablar con él, ella sintió que le temblaba la mano al escucharlo.

—Me pareció que tenías derecho a saberlo... el bebé ha nacido esta mañana. Es un niño y pesó cuatro kilos y treinta gramos —de pronto se sintió aún más estúpida por haberle llamado mientras le contestaba un silencio aún más prolongado—. Lo siento. Creo que no debería haberte llamado... es que pensé...

—¿Es normal? —se oyó finalmente su voz.

Era lo mismo que le había preguntado su madre, y en cierto modo la pregunta le parecía ofensiva.

—Sí, está muy bien —dijo tranquilamente—. Es precioso de verdad.

—¿Te encuentras bien? —preguntó él con vacilación—. ¿Fue muy terrible? —ahora le parecía más el hombre que había conocido una vez.

—Fue bien todo. —No tenía ningún sentido explicarle cómo había sido todo. Había sido mucho más difícil de lo que ella se imaginaba, pero ahora ya no le parecía tan terrible, ahora que tenía a Sam en sus brazos y había pasado todo—. Valió la pena. —Y añadió con cierta vacilación—: Quise llamarte... pensé... sé que has firmado esos papeles, pero deseaba darte una oportunidad de verle, si lo deseas. —Esto era un detalle de amabilidad que muy pocas mujeres habrían tenido, pero Adrian siempre había sido así—. Yo no espero que tú, por supuesto... sólo pensé decírtelo en caso...

Su voz se quebró y él la interrumpió:

—Me gustaría verle —dijo y ella se quedó pasmada. Siempre había proyectado ofrecerle esta oportunidad pero jamás pensó que la aceptaría—. ¿Dónde estás?

—En el Cedars-Sinaí.

—Pasaré por allí en algún momento esta mañana. —Y luego añadió con voz algo extraña y triste—: ¿Tiene nombre?

Ella asintió y le corrieron las lágrimas por las mejillas. No se había esperado esto y ahora se sentía alterada. No le había visto desde junio, desde cuando la dejara. Y ahora, después de todo eso tiempo, deseaba ver a su hijo.

—Se llama Sam —dijo casi en un susurro.

—Dale un beso de mi parte. Hasta luego.

Se quedó aún más perpleja por lo que acababa de decir. De pronto le pareció tan diferente, tan suave, que entonces le dio miedo de lo que podía suceder si venía a verla. Se quedó toda la mañan pensando, sosteniendo al bebé junto a ella. El pequeño continuaba durmiendo sin ni siquiera moverse. Era casi la hora del almuerzo cuando sintió abrirse la puerta y vio a Steven que la miraba. Llevaba pantalones grises, camisa azul y chaqueta. El pelo lo tenía más largo que antes, estaba bronceado y más guapo que nunca.

—Hola, Adrian, ¿puedo entrar?

Se quedó parado en la puerta titubeando. Ella asintió y trató de no llorar al verle, pero sus esfuerzos fueron inútiles. Las lágrimas se les deslizaban lentamente por las mejillas mientras él se acercaba. En un instante le vino a la memoria cuánto le había amado, las grandes esperanzas que se había forjado, lo confiada que se había sentido de que su matrimonio duraría eternamente, y lo desolada y destrozada que había quedado cuando él la dejó.

Él se acercó lentamente llevando un gran ramo de rosas amarillas. Al principio sólo la veía a ella pero al detenerse junto a la cama de pronto vio al bebé, envuelto en su mantilla celeste, con su carita como un rosado botón de rosa.

—Dios mío... —dijo mirándolo—. ¿Éste es?

Ella asintió sonriendo a través de sus lágrimas ante la tonta pregunta.

—¿Verdad que es hermoso?

Esta vez Steven asintió y se le llenaron los ojos de lágrimas al ver por primera vez al hijo que era suyo, y a la mujer que lo había dado a luz.

—Qué tonto he sido...

Eran exactamente las palabras con que ella había fantaseado, pero jamás esperado en realidad. Asintió, llorando ahora abiertamente, no podía estar en desacuerdo. Pero nadie había logrado convencerlo cuando era el momento, sus propios abogados lo había intentado inútilmente.

—Yo creo que sólo estabas asustado.

—Ya lo creo que lo estaba. No me podía imaginar a mí mismo teniendo hijos, ni haciendo todos los sacrificios que hay que hacer. Aún no me lo puedo imaginar —dijo francamente.

Pero ahora estaba sobrecogido a la vista de su hijo. Su hijo. Su creación.

—Es hermoso, ¿verdad? —añadió en voz baja, mirándolo mientras ella le observaba. Finalmente Steven levantó la vista y la miró. Pero en sus ojos había una expresión práctica, no tierna—. Deben haber sido muy duros estos meses para ti.

Ella asintió, pero no quiso decirle nada acerca de Bill.

—¿Dónde estás viviendo ahora? —preguntó.

Era extraño que le hiciera esta pregunta ahora, después de todo ese tiempo. Ella contestó enigmáticamente. Durante todo este tiempo a él no le había importado dónde ni cómo estaba ella. ¿Y ahora sí? ¿O no?

—En la misma dirección, pero en el otro extremo del complejo.

Él supuso que habría comprado algún apartamento más pequeño con el dinero que le tocó de la venta de la casa.

—Qué bien —dijo. Luego volvió a quedarse mirando a su hijo y le acarició delicadamente los deditos—. Es tan pequeñito... y tan perfecto.

—Pesó algo más de cuatro kilos —se apresuró ella a defender a Sam.

Pero Steven se limitaba a mirarlo maravillado. No veía allí a nadie conocido, excepto tal vez Adrian, pero el bebé parecía una persona por derecho propio, y a Steven esto no le importó. Entonces Adrian le miró titubeante; aún le temblaban las manos de la impresión de volverle a ver.

—¿Quieres tomarlo?

Steven pareció aterrado, pero entonces se sorprendió a sí mismo y a ella asintiendo y estirando los brazos. Adrian le pasó cuidadosamente el niño. Después de todo, el bebé era su hijo y ésta era la razón de haberlo llamado. Para ver si le importaba, para darle una última oportunidad de aceptar al hijo que había rechazado. Le colocó el bebé en sus brazos y sintió un nudo en la garganta al observarle mirar al niño dormido en callado asombro. Él se sentó en una silla junto a la cama, temeroso de moverse, con expresión de terror, con los brazos inmóviles, como si el niño fuera a dar un salto y morderle. Mientras él estaba allí sentado contemplando al bebé y ella observándole, se abrió la puerta y entró Bill, llevando un enorme ramo de fores, dos docenas de globos inflados y un gran osito celeste que dejó tímidamente en el umbral de la puerta. Entró en la habitación en el momento en que Steven se inclinaba para devolverle el bebé a Adrian; todo lo que Bill pudo ver desde donde estaba fue la encantadora escena de un trío vuelto a reunir. Adrian miró a Bill con ojos sorprendidos mientras Steven estaba de pie a su lado, como si nunca la hubiera dejado. Por primera vez el bebé comenzó a llorar como si comprendiera que acababa de suceder algo terrible.

—Oh... lo siento... veo que no es el momento oportuno —dijo Bill a la habitación en general, sin atreverse a mirar a Adrian a los ojos, por temor a lo que podría ver allí.

—Está bien —dijo Adrian azorada—, éste es Steven Townsend, mi... —casi se ahogó con las palabras, había estado a punto de decir «mi marido».

Entonces vio que Bill palidecía y deseó suplicarle que no, que no se sintiera así, que dejara la histeria y entrara; además Steven se marcharía dentro de un momento, pero se vio incapaz de decir nada, mientras Steven lo miraba en actitud poco amistosa. Bill retrocedió y salió de la habitación sin esperar explicaciones.

—Vendré más tarde.

—No... Bill...

Pero él ya se había marchado, lanzado a toda prisa por el corredor, sintiendo una roca en la garganta, la misma roca que se había alojado allí cuando Leslie le dijera que no se iba con él a California. Le volvía todo de nuevo, el dolor, la pérdida, la aflicción, la soledad... pero esta vez no lo permitiría.

En su habitación del hospital Adrian estaba apenada y Steven la observaba.

—¿Quién era? —preguntó con irritación. Se sentía visiblemente molesto por la interrupción.

—Un amigo —dijo ella en voz baja.

Vio cómo Steven se había mostrado enfadado. Él la miró entonces con expresión seria. Había estado pensando desde que ella le llamó esa mañana y desde que vio al bebé.

—Te debo una disculpa —le dijo sombríamente.

Adrian mientras tanto sufría en silencio por lo que Bill debería estar sintiendo. No se le había ocurrido que Steven vendría tan pronto. Cuando Steven se ofreció a venir ella se sintió contenta de poder acabar con eso de una vez por todas, para que ella y Bill pudieran continuar con su vida en paz. Se había hecho la promesa de llamarlo, pero jamás se había imaginado esto, ni que Bill entrara cuando Steven estuviera allí. De pronto todo se volvía del revés, y no sabía qué hacer con el bebé que lloraba. Tocó el timbre para llamar a la enfermera, y ésta se ofreció a llevarlo a la nursery por un rato. Adrian se volvió a Steven con una expresión de angustia.

—Lo siento si te he hecho daño —le dijo él y al escucharlo ella recordó la noche en que la había ignorado en Le Chardonnay, cuando estaba embarazada de seis meses—. Estos meses deben haber sido muy duros para ti —insistió sin acercarse apenas en su descripción a lo que había tenido que pasar. Sin Bill que se preocupara de ella no sabía cómo habría sobrevivido—. Pero para mí también lo han sido.

Adrian no podía dar crédito a sus oídos. No era ella la que se había divorciado de él. Mientras le escuchaba se dio cuenta de que aún estaba enfadada con él por lo que había hecho. Furiosa y dolida, aún no sabía si alguna vez lograría perdonarlo.

—Me desafiaste —continuó él— de una forma que me llegó a lo más profundo, vamos, de una forma, fue una total traición. —Adrian le miraba. Era el mismo egoísta de siempre—. Pero... por el bien de mi hijo... de nuestro hijo... creo que con el tiempo podría estar dispuesto a perdonarte.

Adrian le miró con los ojos muy abiertos, incapaz de creer lo que oía. Dispuesto a perdonarla a ella.

—Muy amable de tu parte —le dijo con calma—, y lo agradezco —casi se atragantó con las palabras—. Pero, Steven, tú no eres la única persona dolida. Lamento que te hayas sentido traicionado. Pero tú me abandonaste cuando estaba embarazada. Me excluiste totalmente. Te llevaste todos nuestros muebles, me echaste de nuestra casa, te divorciaste de mí, renunciaste a tus derechos sobre nuestro hijo. Ni siquiera quisiste hablarme cuando te llamé.

Era toda una lista, pero el no pareció impresionado en lo más mínimo.

—Sea como fuere —continuó pasando por alto todo lo que ella acababa de decir—, creo que por el bien del niño deberíamos volver.

—¿Lo dices en serio? —exclamó ella mirándole horrorizada.

Esto no era lo que había planeado, por muy justa que quisiera ser con él. Y lo veía incluso más insensible que antes; como todas las demás cosas de su vida, el bebé no era más que un viaje del ego para él; ahora que le había visto, que había comprobado que estaba bien y que era un niño, súbitamente estaba dispuesto a aceptarlo, después de haberlos abandonado tan completamente. Y ésta era la oportunidad que ella había querido ofrecerle. Lo que ella había esperado, si esperaba algo, era un verdadero cariño por el bebé. No por ella siquiera, o si él era capaz de sentir algo, ella habría esperado una especie de ternura y amabilidad. Algo de arrepentimiento, de pesar, algún vestigio de decencia y cariño. Pero era en Bill en quien estaba pensando, comprendió. Este hombre no tenía nada de eso en su interior.

—Creo que no lo comprendes —continuó ella—. Steven, tú renunciaste a todo porque no te importábamos un rábano ninguno de los dos. Nos abandonaste. El único motivo de llamarte fue darte la posibilidad de que lo lamentaras. Quería que tuvieras la oportunidad de ver al bebé. Pero eres incapaz de querer a nadie. No tienes el menor sentimiento por lo que has hecho. Sólo te quieres a ti mismo, y tienes la cara de imaginarte «traicionado». No creo siquiera que quieras al bebé ni que alguna vez lo vayas a querer. Estás tan atrapado en ti mismo que no te importamos un comino, ni yo ni el niño. Me parece que te ha impresionado el hecho de tener un «hijo», pero eso es todo. ¿Quién es él para ti? ¿Qué significa? ¿Qué estás dispuesto a darle?

Eran preguntas importantes, y Steven se mostró más molesto que nunca por verse interrogado.

—Techo, alimento, educación, juguetes...

No se le ocurrió nada más y ella movió la cabeza. No le daba para un aprobado. Nunca aprobaría. Y ella lo sabía ahora. Eso era lo que tenía que ver y se sintió contenta de haberlo llamado.

—Has olvidado algo muy importante.

Steven pensó un momento pero no se le ocurrió nada. Paseó un mirada de ella al niño y del niño a ella. Estaba guapo, pero también vacío.

—Has olvidado el amor. Eso significa mucho más que techo, alimento, educación y todo lo demás. Significa mucho más que ordenadores, raquetas de tenis, muebles, estéreos, apartamentos, trabajos. Amor. Eso fue lo único que olvidaste completamente en nuestro matrimonio. Si me hubieras amado, no nos habrías abandonado a mí y al bebé.

—Yo te amaba... pero tú no me amabas. Quebrantaste una promesa solemne de no tener nunca hijos —y lo decía en serio.

—No pude evitarlo. Y ahora no lo lamento.

—Pues deberías —dijo él apesadumbrado—, por lo que me hiciste sufrir.

—¿Por lo que yo te hice sufrir? —dijo Adrian mirándole sorprendida.

Él se puso de pie y se paseó por la habitación, echando una mirada al osito que Bill había dejado en la puerta.

—La verdad es que me traicionaste —repitió—, y si ahora estoy dispuesto a perdonarte por el bien del niño, deberías sentirte muy agradecida.

Ella se lo quedó mirando sin poder creer lo que oía.

—Bueno, pues no lo estoy —le dijo francamente. Luego le hizo la pregunta más temible—: Steven, ¿quieres al bebé? Quiero decir, ¿lo amas realmente? ¿Lo deseas más que a nada...? ¿Deseas pasar tu vida haciéndole la vida mejor?

Él la miró mudo durante un largo rato.

—Estoy convencido de que aprendería con el tiempo.

Pero al mirarle, ella vio que dentro de él algo había muerto hacía mucho tiempo y ella no se había enterado.

—¿Y qué pasa si te vuelves a sentir amenazado por nosotros? ¿Te vas? ¿O vendes el apartamento? ¿O haces papeleos de renuncia?

Él se había portado cruelmente con ella e indirectamente con su propio hijo, eso ambos lo sabían, dijera él lo que dijese ahora acerca de «traición».

—No te puedo hacer promesas para el futuro. Sólo puedo decirte que lo intentaré. Pero creo que tú me lo debes, volver y darme la oportunidad de intentarlo.

Ella se lo debía. Qué entrañable. Qué tierno.

—¿Sobre qué base? ¿Es que me pides que me vuelva a casar contigo? —deseaba dejarlo todo en claro de una vez por todas. Ésta era la confrontación que había deseado.

—No, creo... creo que debería probar. Creo que tú deberías venir e intentarlo durante seis meses, un año, mientras yo veo si...

—Si te gusta ser padre, ¿verdad? ¿Y si no te gusta?

—Entonces no pasa nada. No hay perjuicio para nadie. Los papeles ya están, nos damos la mano y nos deseamos buena suerte. —Sería como un trato de negocios.

—¿Y Sam? —Para ella ya era real, una persona especial y preciosa.

—En ese caso, es tuyo.

—Muy simpático. ¿Y cómo se lo explicamos a él después? ¿Lo probaste y no te gustó? No, Steven. La paternidad no se alquila para probarla. O lo haces o no lo haces, como el matrimonio, como el amor, como la vida real. Éste no es uno de tus partidos de tenis, donde tienes para elegir entre diferentes jugadores y eliges el peor para jugar y así sobarte el ego.

Él pareció furioso por lo que ella acababa de decir, pero era la verdad, y él lo sabía.

—Entonces, ¿para qué me has llamado? ¿No era eso lo que deseabas de mí? ¿O es que juegas a conseguir el mejor postor? —El nuevo anillo de diamantes no había pasado inadvertido, ni tampoco Bill con sus muchos regalos abandonados en la puerta.

—Ya no necesito tu mejor oferta. Pero deseaba darte una última oportunidad con tu hijo, antes que renunciaras a él para siempre. Pensé que te lo merecías. Pensé que siempre quedaba la posibilidad de que te enamoraras de él cuando naciera. Pero no es eso lo que te ha sucedido. Todo lo que deseas es probarlo como quien prueba un coche, en plan de alquilarlo primero. Y querías que yo volviera para mantenerlo, porque estás «dispuesto» a perdonarme lo que llamas «mi traición». Pero la traición no ha sido mía sino tuya; el bebé es mío ahora.

La actitud de él era de perplejidad, y no de excesiva aflicción por lo que ella le dijo. Adrian pensó que tal vez incluso se sentía aliviado. Pero fuera lo que fuese que sentía, no había cambiado. Ahora lo sabía con certeza.

—Ya que te preocupa tanto lo que le vas a decir después, puedes decirle que yo te ofrecí volver y tú rehusaste.

—Lo has ofrecido a prueba, Steven. Eso no es nada —dijo dándose cuenta que le estaba gritando, pero no le importó. Le resultaba agradable poder gritarle por fin—. Yo deseo darle amor incondicional, en las buenas y en las malas, sea feo o hermoso, esté de buen o mal humor, sano o enfermo, amarlo con todas las partículas de amor que tenga para darle —le dijo con lágrimas en los ojos y al decirlo comprendió que eso era exactamente lo que deseaba darle a Bill, todo lo que tenía para dar, para siempre.

—Eso del amor incondicional no existe —dijo él cínicamente—. A no ser que sea entre tontos.

—Eso soy yo entonces. —Y eso era lo que le había ofrecido a él tiempo ha, y lo que él había abandonado.

—Buena suerte, entonces —dijo él mirándola durante un largo rato, y cualquier sentimiento que hubiera existido entre ellos alguna vez pareció haberse disipado. Entonces añadió con voz algo más amable—: Lamento que las cosas no hayan funcionado, Adrian.

Pero no parecía lamentar renunciar a su hijo. Durante breves momentos se había sentido curioso por él, fascinado, pero el momento ya había pasado. En el momento en que la enfermera se lo llevó de la habitación, Steven pareció olvidarlo.

—Yo también lo siento —dijo ella mirándole y preguntándose quién habría sido él todo el tiempo en que pensó que lo conocía—. Lo siento por ti —añadió en voz baja.

—No lo sientas —dijo él y ella se sintió libre por fin, mirándole, doblemente contenta por haberlo llamado. Él fue franco con ella, no tenía nada que perder ahora—: Yo no estaba preparado para esto, Adrian. Supongo que nunca lo estaré.

Éstas eran las palabras más honestas que jamás le había dicho, por muy interesante que le hubiera parecido la belleza del bebé recién nacido. Pero Steven no era Bill, sencillamente, y ella vio ahora con claridad que ya no le amaba. Hacía meses que no le amaba, desde Bill... o quizá desde que supo que estaba esperando, pero en esos momentos no lo había comprendido.

—Lo sé —dijo ella asintiendo lentamente. Entonces reclinó la cabeza en la almohada, había sido una mañana muy larga—. Gracias por venir.

Él le tocó la mano con la suya, se dio media vuelta y abandonó la habitación sin decir una palabra; esta vez ella supo que se iba para siempre. Lo lamentó, pero sabía que jamás le echaría de menos. Se quedó entonces allí acostada pensando en Bill, angustiada por lo que habría pensado cuando la vio con Steven. Todo lo que deseaba era que regresara para poder explicárselo.

Mientras ella pensaba en Bill, Steven avanzaba por el pasillo a largos y solemnes pasos. Se detuvo en la Maternidad un momento para mirar al bebé. Un paquetito azul dentro de una cunita de acrílico, algo levantada para que las enfermeras pudieran verlo. Había una tarjeta en la cunita: «Thompson, niño, 4,030 kg., 3.15 a. m.». Llevaba el apellido de soltera de Adrian, como él había solicitado a través de los tribunales. Mientras le miraba, Steven esperaba sentir algo que jamás había sentido, pero no sintió nada. El niño era hermoso, tan increíblemente pequeño y vulnerable. Daban ganas de estirar la mano para tocarlo. Jamás olvidaría lo que había sido tomarlo en sus brazos, pero se sintió aliviado cuando Adrian lo volvió a tomar, aliviado como se sentía ahora sabiendo que el bebé era de Adrian, no suyo. Era agradable saber que pertenecía a otra persona. Steven había pensado intentarlo por un tiempo, tal vez sólo para recobrar a Adrian, pero al final, era un alivio saber que no tenía que hacerlo. Y hasta él se dio cuenta de que su relación estaba acabada. Ella deseaba demasiadas cosas que él no deseaba. Deseaba demasiado de él.

—¿Su hijo? —preguntó con ancha sonrisa un anciano que pasaba fumando un puro.

Steven lo miró con expresión curiosa y negó con la cabeza. No. Su hijo no. De otra persona. Después se marchó con sus ágiles zancadas, sintiéndose nuevamente en paz. Para él el sufrimiento había acabado.

Todo el día estuvo esperando que viniera Bill, pero éste no vino. Llamó repetidamente a su apartamento pero no contestaba. A las cuatro de la tarde estaba desesperada por localizarle. Su angustia era terrible al imaginarse lo que él habría pensado. Deseaba contarle el resultado de la visita de Steven. Pero no lograba encontrarle. También le preocupaba la fiesta sorpresa, al recordar que todo el mundo contaba con ella para que él fuera a la oficina donde lo esperaban todos, actores y personal de la serie para festejar. Por último llamó directamente a la oficina, pensando que los demás ya estarían allí. A las seis de la tarde por fin contestó alguien al teléfono. Se escuchaba el ruido de fondo. Trató de gritar lo suficientemente fuerte para hacerse escuchar por encima del alboroto hasta que finalmente el director ayudante comprendió quién llamaba.

—¿Adrian? Ah, felicidades por el bebé.

Bill les había contado a todos el nacimiento de Sam, pero aquellos que lo conocían bien pensaban que estaba demasiado callado. Pero se imaginaron que estaría cansado después de acompañar a Adrian toda la noche durante el parto. Resultó que apareció en la fiesta por casualidad. Después de dejar a Adrian se había marchado a su apartamento, pero luego, sintiendo la necesidad de clarificar su mente, se había ido a la oficina. Y llegó allí, sólo algo retrasado con respecto a la hora en que le esperaban. Era como si con o sin ella, estuviera destinado a ir allí.

—¿Está Bill? —preguntó pensando que por fin lo encontraba.

—Acaba de marcharse. Dijo que tenía algunas cosas

que hacer. Pero la fiesta está fabulosa —por la voz, Adrian se dio cuenta de que el director ayudante estaba algo más que bebido; se lo estaban pasando divinamente y no era muy probable que echaran en falta al invitado de honor.

Éste se había marchado, conmovido por el gesto, pero deseoso de estar solo.

Adrian intentó llamarle a casa nuevamente, pero había dejado conectado el contestador automático. No podía creer que se le hubiera escapado de los dedos de esta forma, ni que no fuera a darle la oportunidad de explicarle lo ocurrido. Él siempre había sabido que ella deseaba comunicarse con Steven una vez naciera el bebé, pero no se había esperado verlo sentado junto a Adrian, en su habitación del hospital, con el niño en brazos. Inmediatamente sacó una conclusión cruelmente dolorosa. Acostada en su cama de hospital esperándole, Adrian comenzó a temer lo peor al ver que no venía a verla. Debía de haberse sentido tan enfadado con ella que ya no deseaba verla. Y no había nada más que ella pudiera hacer para encontrarlo. No podía dejar la habitación, ni el hospital. Se sintió atrapada e impotente.

La mayor parte de la tarde estuvo con el bebé en sus brazos. Ya al anochecer lo puso en su pequeña cunita junto a ella para pasar la noche. Cuando le llevaron la bandeja con la cena la devolvió sin tocarla, colocó el oso azul en una silla y se sentó a contemplar tristemente las rosas que él le había traído. Todo lo que deseaba era verle para decirle lo mucho que le amaba.

—¿Quiere tomar una pastilla para dormir? —le preguntó la enfermera a las ocho, pero ella se limitó a hacer un gesto negativo. La enfermera anotó en su cartilla algo sobre una posible depresión posparto. Se habían fijado en el hecho de que no había comido nada para cenar ni para almorzar, y que no se mostraba entusiasmada por amamantar al bebé.

Estaba callada y poco comunicativa y tan pronto se marchó la enfermera, volvió a marcar el número del apartamento; seguía puesto el contestador automático, de modo que dejó un angustiado mensaje para que él le llamara.

Volvió a tomar al niño y lo apretó contra ella durante un largo rato, mirando su naricita, sus ojos dormidos, la boquita perfecta, los deditos apretados suavemente. Era tan dulce, tan pequeño y tan perfecto. Estaba tan ensimismada contemplándolo que no oyó el ruido de la puerta cuando se abrió a las nueve de la noche. Él se quedó allí un momento contemplándola, deseando no amarla ni a ella ni al niño.

De pronto ella levantó la cabeza y le vio. Se quedó sin aliento, y sin pensarlo estiró una mano y luego comenzó a bajarse de la cama, lo cual no era muy fácil para ella.

—Quédate ahí —le dijo él amablemente—, no te levantes. Sólo he venido a despedirme.

Su voz era calmada y tranquila. Se acercó a la cama pero mantuvo su distancia. Estaba extraordinariamente elegante, y ella presintió que no era por la fiesta. La fiesta había sido una sorpresa, para eso él iba de camiseta y tejanos, pero ahora parecía vestido para algo importante. Se había puesto un traje de tweed inglés, camisa crema y corbata Hèrmes, unos zapatos marrón de aspecto serio y llevaba un abrigo de invierno en el brazo. Repentinamente, ella se dio cuenta de que se iba.

—¿Adónde te vas? —le preguntó inquieta, notando enseguida que algo había cambiado entre ellos. Todo en unas pocas horas, desde esa mañana. Sólo doce horas antes eran un solo corazón, una sola alma, y ahora él se desprendía de ella y se marchaba. Pero ella sabía por qué. Sólo se preguntaba si sería capaz de curar la herida que le había causado.

—He pensado irme a Nueve York por unos días para ver a los niños —dijo y miró el reloj—. Tengo que irme dentro de unos minutos, para coger el nocturno.

Ella sintió que se le rompía el corazón. Todo lo que sintió al mirarle era pánico, un terrible temor de perderle. Casi no podía respirar al verle mirar la habitación y luego a ella con actitud incómoda. Pero invitó mirar al bebé.

—¿Saben los niños que vas?

—No —dijo él sombríamente—. Pienso darles una sorpresa.

—¿Cuánto tiempo estarás fuera? —No se le ocurría qué decirle, aparte de expresarle cuánto lo sentía, lo estúpida que había sido, que no debería haberle importado lo que pensaba Steven, que éste era un idiota, que ella también, que le amaba más que a su misma vida, y que Sam iba a crecer para ser su bebé... si se quedaba, si se quedaba, si la perdonaba.

—No sé el tiempo que me quedaré —contestó él aferrándose al abrigo que llevaba en el brazo y mirándola con nostalgia—. Una semana... dos... pensé que tal vez podría llevarlos conmigo de vacaciones unos pocos días cuando regresen de Vermont, si Leslie me lo permite... —siempre tenía que estar a merced de otra persona para estar con las personas que amaba... Leslie, Adrian... Steven... pero no quería pensar en eso ahora. Ahora le convenía ver a los niños y salir de California. Ya había tenido suficiente. Necesitaba un descanso. El regalo de cumpleaños que iba a hacer era salir de la ciudad y dejar a otra persona encargada de sus problemas. Tenían montones de guiones sobre los cuales trabajar mientras estuviera fuera, y si no lograban arreglárselas con ellos, podrían inventarlos.

—Por cierto —añadió—. Te he contratado una enfermera. Vendrá por el día o a quedarse por la noche, si la necesitas cuando dejes el hospital. No la conocí personalmente, pero en la agencia me dijeron que era muy buena.

Pensaba en todo. Los ojos de Adrian se llenaron de lágrimas al escucharle.

—No tenías por qué hacerlo. Puedo cuidar de mí misma.

—Pensé que tal vez necesitarías ayuda con el bebé. A menos que... —no se le había ocurrido pensar en eso, y entonces la miró extrañado, sintiéndose aún más estúpido— ¿Vas a volver a mi casa o a la de Steven?

Ella comprendió lo que suponía y le dolió el corazón por él. Y todo era por su culpa; eso la hizo sentirse aún peor, por el sufrimiento que le causaba.

—No voy a volver con Steven. Ni ahora ni nunca. No voy a ir a ningún sitio con él —dijo de forma tan absoluta que él la miró muy extrañado.

—Esta mañana tuve la impresión de que... pensé yo sabía que ibas a llamarle —explicó—, sólo que no sabía que lo harías tan pronto. Debería haber estado preparado —dijo en voz baja—, pero no lo estaba. Me tomó de sorpresa entrar aquí y encontraros a los tres... y yo estaba tan emocionado por Sam y por todo, y... —se le notaba tan triste al mirarla que a ella le corrieron las lágrimas por las mejillas al mirarle a él y luego al bebé.

—Sólo quise salir de esto rápido... Sé que fue un error de mi parte pero deseaba que viera al niño... y liberarle espiritualmente, o darle su bendición, o algo así. No sé qué pensaba yo, no sé qué ilusiones engañosas he tenido todo este tiempo, pensando que le debía algo a Steven debido al bebé. Tal vez me sentía culpable por quitarle algo tan maravilloso y quedármelo, y tal vez compartirlo contigo. Pero la verdad es que él ni siquiera se da cuenta lo que significa tener un hijo. No sabe lo que es el amor. Para él, el bebé sólo significa sacrificio. Es un imbécil, un tonto, y yo incluso lo fui más por casarme con él, para empezar.

Miró a Bill con tristeza y comenzó a sollozar con el niño en brazos; de pronto, el bebé comenzó a llorar también y Bill dejó el abrigo y corrió a ayudarla.

—Vamos, déjame a mí... —lo tomó con calma y suavidad, con manos seguras, mientras ella le observaba—. ¿Tiene hambre?

—No lo sé. No hace mucho que le di de mamar, pero creo que aún no lo ha notado.

—Puede que esté mojado —dijo, y lo comprobó con manos expertas, luego lo volvió a envolver bien apretado en la mantilla mientras ella se maravillaba en silencio de lo capaz que era con todo lo que tocaba, ya se tratara de películas para la televisión, suflés o bebés—. Sólo quería estar bien apretadito, creo. Tú lo dejas algo suelto. Les gusta estar bien atados como un capullo. Mira, te enseñaré.

Le hizo una rápida demostración y le devolvió el bebé con manos seguras, mientras ella se sonaba la nariz y se lo agradecía.

—No sé en qué estaría pensando cuando le llamé. Pero tan pronto estuvo aquí, me di cuenta que era un error; entonces entraste tú, y antes de poder decirte nada ya te habías marchado —dijo y se puso a llorar nuevamente.

En ese momento entró una enfermera y movió la cabeza pensando que sin duda Adrian manifestaba signos de depresión posparto. O eso, o su marido le estaba dando un mal rato, pero algo pasaba allí.

—Te he estado llamando todo el día —continuó—, y no te he podido encontrar en ninguna parte —dijo acusadora—. Y hoy era tu cumpleaños.

—Ya lo sé —sonrió él. La veía tan triste y deprimida, y tan niña con el lazo azul en el pelo. Parecía una adolescente con el bebé de otra persona en sus brazos—. Pero fue tan terriblemente embarazoso entrar en la habitación y verle aquí. No esperaba encontrármelo. Y todo parecía muy tierno.

—Bueno, fue conmovedor al comienzo —le explicó ella, deseando que él se sentara, pero no se atrevió a sugerírselo por temor a que él recordara que tenía que tomar el nocturno—. Miró al niño como si jamás hubiera visto un bebé. Pero es tan condenadamente imbécil, un fatuo. Creo que jamás ha amado a nadie en su vida, excepto quizá su raqueta de tenis y su Porsche. Estaba «dispuesto a perdonarme por tracionarle», y a volver conmigo y con el bebé a prueba. ¿Te imaginas? —aún parecía furiosa al decirlo.

Y si hubiera vuelto contigo incondicionalmente? ¿Y si te hubiera dicho que te amaba? —pensó Bill.

—Comprendí que era demasiado tarde, que todo había acabado, como si jamás hubiera existido. Además, él y yo nunca tuvimos lo que nosotros tenemos. Tuvimos algo muy superficial y muy joven. Yo nunca supe el significado de la palabra amor hasta que te conocí —dijo muy dulcemente; él dejó su abrigo junto al oso y se acercó a la cama en que ella estaba, aún con el bebé en sus brazos.

—Yo no podía soportar la idea de perderte, Adrian. Sencillamente no podía. Ya he pasado por eso antes y sé lo que es. —Entonces miró al pequeño dormido—: Y no quiero perderte a ti tampoco. Deseo teneros a los dos, y a Tommy y a Adam cuando podamos... para siempre. No tengo ningún derecho a interponerme en tu camino. Tú estabas casada con Steven, y tienes el derecho a volver con él si lo deseas. Pero si has tomado tu decisión, si ahora estás segura, necesito saberlo... —dijo mirándola con ojos llenos de dolor. Se había hecho mayor de edad en su cuarenta cumpleaños.

—Jamás he amado más a nadie —dijo ella tendiéndole una mano y él la estrechó en sus brazos. A Adrian le corrían las lágrimas por las mejillas. Se sentía como si hubiera estado llorando todo el día, pero él también. Qué cumpleaños había tenido—. No puedo vivir sin ti —aún temblaba pensando que por su propia estupidez había estado a punto de perderle.

Bill sonrió largamente y no dijo nada. Le ayudó a colocar el bebé en su cunita. Después la miró.

—Te amo. Sólo deseo que sepas cuánto te amo. —Entonces echó una mirada a su reloj y sonrió, sentándose en el borde de la cama junto a ella—. Parece que acabo de perder el nocturno. —De todas formas para los niños iba a ser una sorpresa, de modo que no se sentirán desilusionados—. ¿Te importa si paso la noche aquí? —preguntó con amplia sonrisa y ella se echó a reír sonándose las narices

Había sido un día muy emotivo, precedido de una noche emotiva.

—No sé qué dirán las enfermeras.

Pero a ninguno de los dos pareció importarle. Se recostaron en la cama abrazados, Adrian con el camisón que él le había regalado para Navidad y él con su traje de twee londinense. Una enfermera entró entonces a comprobar cómo se encontraba y al berlos besándose volvió a cerrar la puerta silenciosamente. La señora Thompson se sentía muchísimo mejor.

—Van a pensar que nos estamos desmadrando —susurró Adrian al oír el ruido de la puerta al cerrarse tras la enfermera.

—Me alegro —susurró él con una sonrisa.

—Tengo un regalo de cumpleaños para ti —dijo ella recordando súbitamente el reloj, mientras continuaban besándose y susurrando.

—¿Ya? —rió Bill—. ¿No es demasiado pronto?

—Eres un pesado.

Él la besó larga y apasionadamente y todo volvió a estar bien en el mundo, acurrucada entre sus brazos.

—Te tengo un sorpresa —dijo él pensativo, recostados uno junto al otro contra las almohadas.

—¿Qué? —continuaban hablando en voz baja por temor a despertar al bebé, y también porque de pronto la vida les parecía sencilla y pacífica.

—Nos vamos a casar en los próximos días.

—Ya era hora —dijo ella simulando reprenderle, y haciendo brillar el anillo que él le había regalado para Navidad.

—Quiero ver mi apellido en el certificado de nacimiento de Sam —dijo Bill con tono casi severo.

—¿Qué te parace Samuel William Thigpen? —añadió ella con sonrisa tímida.

Él se inclinó y la besó.

—Queda bien... —sonrió—. Queda bien —dijo atrayéndola apretadamente contra él, sintiendo su corazón junto al suyo, con un solo latido.

Esta obra se terminó de imprimir
en marzo de 1994 en
Ingramex, S.A.
Centeno 162
México, D.F.

La edición consta de 2,000 ejemplares

076014